Je ne cours plus qu'après mes rêves

DU MÊME AUTEUR

Seulement si tu en as envie..., Michel Lafon, 2016 ; J'ai lu, 2017.

Ce que je n'oserai jamais te dire..., Michel Lafon, 2017 ; J'ai lu, 2018.

Parce que c'était toi..., Michel Lafon, 2018 ; J'ai lu, 2019.

Le Secret de la Montagne Noire. Les Amants de la bergerie, tome I, Michel Lafon Poche, 2018.

Le Secret de la Montagne Noire. La Promesse de cristal, tome II, Michel Lafon Poche, 2019.

La Part des Anges, Michel Lafon, 2020.

BRUNO COMBES

Je ne cours plus qu'après mes rêves

ROMAN

Partagez vos impressions sur ma page Facebook :
www.facebook.com/BrunoCombes

Pour me contacter :
bc-ecrivain@orange.fr

Compte Instagram de l'auteur :
www.instagram.com/bruno_combes_auteur

Fais de ta vie un rêve, et d'un rêve, une réalité.

Antoine de SAINT-EXUPÉRY

Ce qui me surprend le plus chez l'homme occidental, c'est qu'il perd la santé pour gagner de l'argent, et il perd ensuite son argent pour récupérer la santé. À force de penser au futur, il ne vit pas au présent et il ne vit donc ni le présent ni le futur. Il vit comme s'il ne devait jamais mourir, et il meurt comme s'il n'avait jamais vécu.

Le Dalaï-Lama

Je m'appelle Louane, j'ai dix-huit ans. Ma vie est facile, enfin, je l'ai cru ; je ne me suis jamais vraiment posé la question. Jusqu'au jour où...

Je m'appelle Laurene, j'ai trente-neuf ans. J'ai cherché le bonheur et, en même temps, je l'ai fui dès qu'il s'approchait. Jusqu'au jour où...

Je m'appelle Louise, j'ai soixante-dix-sept ans. Mon existence m'a comblée et a été d'une parfaite tranquillité. Jusqu'au jour où...

Nous ne nous connaissions pas. Rien ne laissait prévoir l'aventure que nous allions partager. Nos vies allaient en être bouleversées.

C'était le début de l'été...

1

Luisa, l'oubli des souvenirs

Lorsque les souvenirs ne frapperont plus à notre porte, que restera-t-il de cette vie passée ?

Lorsque la nuit deviendra notre seule compagne, serons-nous condamnés à l'absence et au vide ?

Lorsque les visages se feront transparents, garderons-nous une image à chérir ?

Lorsque notre propre reflet s'estompera, qu'y aura-t-il à sauver, sinon le néant ?

Il n'y avait pas beaucoup de monde, cela fit sourire Louise. Non que la situation se prêtât à la bonne humeur, loin de là ! Mais elle pensait tellement fort à son André et à ses avis souvent bien tranchés... Aujourd'hui, elle en était sûre, s'il était encore là, il lui aurait dit :

— Tu vois, ma Louise, il suffit de peu de chose pour que les amis restent ou s'enfuient en courant : juste passer de la position debout à couchée.

Et elle lui aurait répondu, comme à chaque fois :

— Arrête donc, vieux grincheux ! Tu sais, les gens ne sont pas tous comme ça. Tu exagères toujours.

Louise imaginait encore André à ses côtés, la rassurant de sa voix rauque abîmée par l'excès de cigarettes et les arrêts trop répétitifs au bar du coin avec les copains. C'était une habitude qu'il avait conservée, même après son départ à la retraite.

C'est qu'il avait toujours travaillé dur, son André. L'usine et les cadences infernales sur les lignes de production, ça vous démolit un bonhomme plus tôt que prévu. Alors, comment aurait-elle pu lui en vouloir de refaire le monde dans l'ambiance enfumée et anisée d'un troquet à la façade aussi déprimante que la devanture de l'usine Mechanil-Pro ?

André s'y était cassé le dos depuis l'âge de dix-sept ans à fabriquer, soulever, déplacer et ranger dans d'immenses hangars, ni chauffés ni climatisés, des pièces détachées pour l'usine d'assemblage automobile située dans la même zone industrielle.

Bien sûr, avec le temps, les machines avaient grandement simplifié le travail des hommes… en théorie, mais ça n'avait pas duré.

C'était compter sans les idées des financiers qui investissaient dans les usines en déclin à coups de millions d'euros. Ils apportaient des liasses de billets en contrepartie de plus de productivité.

Le chantage était souriant, poli, cravaté et parfaitement huilé. La modernisation n'avait pas servi à soulager le labeur des hommes, car en retour, on leur demandait d'accélérer encore et toujours les cadences. Si les ouvriers n'étaient pas d'accord, ce n'était pas un problème, la porte de sortie de l'usine leur était grande ouverte. Alors, André et ses collègues, ils avaient mal partout, mais ils ne disaient rien, ils subissaient.

Quarante-quatre ans de travail et à peine quatorze ans pour profiter de sa retraite.

Certains des ouvriers avaient bien tenté de s'opposer au groupe Mechanil-Pro pour qu'il augmente leurs maigres salaires, qui frôlaient le ridicule. André n'avait jamais voulu s'associer à leur démarche : « Que des conneries », disait-il. Là aussi, il avait bien raison. Tous avaient été déboutés de leurs demandes.

C'était la fin du mois d'avril, la journée était brumeuse, comme souvent dans les plaines d'Alsace lorsque l'hiver tire à sa fin et que le printemps hésite encore à offrir ses premiers rayons de soleil.

Il fallut près de deux heures de voiture pour rejoindre Belkangffolsheim, le village où André avait passé son enfance, à une trentaine de kilomètres de Strasbourg.

Le petit Alsacien n'avait pas eu l'opportunité de trouver du travail dans sa région, alors il s'était exilé à Sochaux, là où les ancêtres de

Mechanil-Pro avaient accepté de l'embaucher comme apprenti.

Les premières années, il avait cherché à revenir en Alsace, mais les copains, puis la rencontre avec Louise et la naissance de Marie et Paul, leurs enfants, l'avaient convaincu que la vie était douce, quel que soit l'endroit, pourvu que l'on soit entouré de ceux que l'on aime.

Louise grelottait dans le petit cimetière de Belkangffolsheim. Elle n'était jamais parvenue à prononcer ce nom correctement. À chaque fois, ça faisait rigoler André. Elle le soupçonnait de le lui faire répéter exprès, juste pour s'amuser.

Marie et Paul se tenaient aux côtés de leur mère. Le cercueil venait de tomber lourdement au fond du caveau dans un claquement sourd. L'employé des pompes funèbres les invita à s'avancer pour une prière, déposer une rose ou jeter une poignée de cette terre qu'André aimait tant. Ce fut d'abord le tour de Louise.

— Madame Dupré, je vous en prie, dit l'employé à voix basse, accompagnant son invitation d'un geste de la main.

Louise était une femme de petite taille, la tristesse lui faisait courber le dos plus que d'habitude. Telle une enfant, elle s'approcha à petits pas. Elle ne pouvait imaginer son homme à travers cette infâme caisse de bois. Les cercueils, c'est comme les gens, les couches de vernis peuvent être les plus épaisses possible, ça ne change rien, si c'est laid, ça reste laid ! Ça aussi, c'était une expression d'André. Chaque fois qu'il disait cela, Louise pestait. Elle lui répondait que ce n'était pas gentil et que chacun faisait ce qu'il pouvait. Il rigolait, sûr de son fait.

*
**

Aujourd'hui, Louise aimerait tant qu'il lui raconte encore ses bêtises. Elle apprécierait tellement de râler en tenant son bras et en tapotant son épaule en signe de désapprobation.

À cet instant, elle tenait le bras de Paul, qui était très affecté. Il n'arrêtait pas de pleurer depuis qu'il avait appris que son père s'était écroulé juste devant son domicile en rentrant du marché. Il n'avait pas souffert, c'était déjà ça.

Le marché, c'était une de leurs habitudes du week-end, mais Louise était « fatiguée », comme disait André. Elle ne l'avait pas accompagné et avait préféré rester assise dans le salon à faire travailler ses neurones sur une grille de mots croisés. C'était sa façon d'espérer que ça ne s'aggraverait pas. Même si ce n'était que le tout début, même si le médecin hésitait entre cette saloperie de maladie d'Alzheimer débutante et un problème de circulation sanguine. Louise, elle, savait. Personne n'oublie le prénom de ses enfants à cause de problèmes circulatoires. André faisait tout pour lui faciliter la vie.

Personne n'était au courant, à part eux.

Louise avait ressenti les premiers symptômes six mois plus tôt. Elle était en train de feuilleter des albums de famille et là, tout à coup, le black-out. Elle ne reconnaissait plus personne. « La fatigue, sans doute », avait-elle pensé. Mais « la fatigue » se renouvela à intervalles réguliers, pas longtemps, quelques secondes, quelques minutes tout au plus. C'est alors qu'André l'incita à consulter.

Louise était ressortie du cabinet médical totalement déprimée. Non que le diagnostic fût certain, mais elle avait eu l'impression d'être considérée comme un enfant de trois ans auquel on apprenait les couleurs ou à compter jusqu'à dix sans se tromper. Les tests pour détecter les problèmes de dégénérescence neurologique ressemblent à un concours d'entrée en classe de maternelle, c'est effrayant !

Avec André elle menait une vie paisible, tranquille, sans à-coups. C'étaient des gens simples, de ceux qui se réjouissent des petits bonheurs de la vie. Leur cercle d'amis était restreint. D'ailleurs, peu de gens avaient fait le déplacement jusqu'au cimetière, mais c'était sans importance ; c'était très bien ainsi. L'enterrement d'André ressemblait à la vie qu'il avait eue : calme et discrète.

André était fils unique et ses parents étaient décédés. Il n'avait ni oncle ni tante. C'est dans ces moments-là que l'on se rend compte de l'importance d'une famille, celle que l'on a construite... quand celle qui vous a donné la vie n'existe plus.

Louise était une fille du sud, le vrai sud, pas celui de la France, non, celui de l'Europe : l'Andalousie.

Ses grands-parents maternels, Maria et Octavio, possédaient un moulin non loin de Valdehijos, à quelques kilomètres de Séville. Ils exploitaient cinq hectares d'oliviers et extrayaient l'huile de leurs fruits. Les rendements étaient faibles et les revenus ne suffisaient pas à faire vivre toute la famille. À cette époque, on ne se souciait guère des oméga-3 ou 6 et des multiples vertus de l'huile d'olive.

Ses parents avaient pris la décision de s'exiler en France, en Franche-Comté plus exactement, à la fin des années 1940, quand le gouvernement français accueillait à bras ouverts les travailleurs étrangers. Louise s'était retrouvée, à l'âge de six ans, perdue au beau milieu d'une cour d'école glaciale et ne comprenant absolument rien à la langue qu'on y parlait. Son village de Valdehijos lui manquait terriblement. Elle n'aurait jamais cru que dans cette Europe d'après-guerre, dont ses parents vantaient les qualités, il existait un endroit où il pouvait faire aussi froid !

Son père avait trouvé du travail en tant qu'ouvrier dans les usines d'un constructeur automobile près de Sochaux. Quant à sa mère, elle ne travaillait pas, comme la plupart des femmes de sa génération.

Ils vivaient dans une des maisons réservées aux salariés de l'usine. Le confort y était tout à fait satisfaisant comparé à la demeure de pierre et de terre battue qu'ils habitaient en Espagne, près du moulin de ses grands-parents.

Quand on est enfant, il y a certaines choses qui nous marquent. Pour Louise, ce fut de découvrir un robinet qui crachait de l'eau sans qu'on ait une citerne comme réserve. Et, comble de la magie, ce fameux robinet délivrait aussi de l'eau chaude ! Régulièrement, Louise jouait à ouvrir et fermer ce robinet magique, comme pour vérifier qu'elle ne rêvait pas. Sa mère pestait à chaque fois.

— Luisa, arrête donc de jouer avec ce robinet ! Que va dire la compagnie ? lui disait-elle dans un français hésitant.

Les familles étrangères avaient droit à des cours intensifs de français auxquels ses parents se rendaient comme des élèves studieux.

Lorsqu'ils s'exprimaient dans leur langue maternelle, ils chuchotaient. Ça aussi, ça intriguait la petite Luisa, autant que l'eau chaude qui coulait à la demande ! Comme s'ils avaient honte d'être des immigrés espagnols. Elle comprit bien plus tard que ce n'était pas de la honte, mais du respect pour le pays d'accueil qui leur offrait la possibilité de vivre décemment.

Luisa, elle, trouvait toutes les excuses possibles pour ne pas assister aux cours de français, qui lui semblaient être un renoncement à son pays d'origine. Mais à l'école, il lui était très difficile de se faire comprendre et, bon gré mal gré, elle dut apprendre cette langue qui n'était pas la sienne. Elle se résigna même à voir son prénom Luisa se transformer, peu à peu, en Louise.

— C'est pour que tu sois mieux acceptée, lui répétaient inlassablement ses parents.

Ils avaient sans doute raison, même si, les premières années, son satané accent, dont elle fut si fière par la suite, ne provoquait que moqueries et brimades de la part des autres élèves.

En à peine une heure, la cérémonie fut terminée. Louise invita les personnes présentes à boire un verre dans la maison de famille d'André avant que chacun reprenne la route. Ils y venaient seulement trois ou quatre week-ends par an, le reste du temps les volets étaient toujours clos.

Marie n'avait pas attendu que son père soit enterré pour prévenir sa mère qu'elle souhaitait vendre cette maison qui ne représentait rien pour elle. Elle n'y était pas attachée. Paul était d'accord, comme toujours lorsque Marie donnait son avis.

Marie avait des projets d'agrandissement de sa résidence. Depuis plusieurs années, elle souhaitait, avec son mari, faire construire une immense véranda qui leur servirait de salon d'hiver. C'était « l'occasion ».

Paul n'avait pas osé contrarier sa sœur. Peut-être aurait-il souhaité conserver la maison de famille quelques mois ou quelques années, le temps de faire son deuil. Mais il eut vite fait, lui aussi, de trouver un projet urgent à réaliser avec sa compagne Catherine pour justifier cette décision qui ne lui appartenait pas totalement.

Le droit autorisait Louise à s'opposer à cette vente, mais elle n'en avait aucunement l'intention.

Une autre raison poussait Louise à ne pas tenter de faire changer sa fille d'avis : sa santé. Elle ne voulait pas devenir une charge trop lourde pour ses enfants.

Grâce à l'aide d'André, personne ne s'était rendu compte de son état. Il était comme une sorte de tampon entre sa maladie débutante et le reste du monde. Mais dans quelques mois, qu'allait-il se passer ? Elle aurait sans doute besoin d'aide lorsque la maladie, inéluctablement, rongerait avec application chacun de ses neurones. Que ferait-elle lorsque son carnet où elle notait tout et les Post-it collés çà et là ne suffiraient plus ?

André, deux mois avant son décès, avait fait le nécessaire. Il lui avait légué un tiers de la valeur de la maison de Belkangffolsheim, car il savait que la maigre retraite d'employée de mairie de sa femme et la pension de réversion dont elle allait bénéficier ne suffiraient pas pour assumer le coût de la maladie. Le tiers de la valeur de cette maison représentait un pactole de sécurité pour garantir son indépendance et financer les conséquences de sa perte d'autonomie.

Louise n'appréciait guère de parler de ces sujets, mais André avait insisté. Il disait que cela lui tranquillisait l'esprit, alors ils s'étaient rendus chez le notaire pour parapher un acte de donation.

Pendant la première heure du voyage de retour, le silence s'imposa dans la voiture. Louise imaginait avec appréhension la vie qui l'attendait, Paul conduisait, Marie semblait sommeiller. Leurs conjoints n'avaient pas pu être présents, quant à Audrey, la fille de Marie, elle n'avait pas souhaité se rendre aux obsèques de son grand-père. « Trop triste », avait-elle prétexté… Louise s'était étonnée que Marie n'insiste pas, mais la décision ne lui appartenait pas.

Depuis un moment, Louise regardait ses enfants. Maintenant qu'André n'était plus là, il fallait qu'elle leur avoue qu'elle était atteinte d'une maladie incurable et que son état, inévitablement, allait se dégrader. André n'avait jamais voulu qu'ils sachent la vérité ; pour ne pas les inquiéter. Et puis ils avaient leurs vies, leurs problèmes, et c'était bien suffisant. Désormais, André ne la protégeait plus et Louise ressentait le besoin de partager son fardeau.

Elle se décida à rompre ce silence pesant.

— C'était une belle cérémonie. Simple, mais sincère, dit-elle en tournant la tête vers Paul qui lui offrit un large sourire.

— Bien sûr, maman, j'ai apprécié les quelques mots de son ancien collègue de travail, c'était touchant.

Affalée sur le siège arrière, Marie ouvrit les yeux et, dans un grognement à peine audible, demanda :

— Nous arrivons bientôt ?

— Trente minutes et nous serons devant chez toi, lui assura son frère.

— OK, fit-elle en remontant le col de sa veste.

Louise se devait, désormais, de tout leur dire, mais comment ?

— Les enfants… j'ai… quelque chose d'important à vous annoncer. Maintenant que votre père n'est plus là, je crois que vous devez savoir.

Paul, intrigué, détourna quelques secondes les yeux de la route pour regarder sa mère. Quant à Marie, elle se redressa d'un coup et cala sa tête entre les sièges avant. Louise lisait sur le visage de son fils de l'inquiétude et sur celui de sa fille de l'attente : peut-être la confirmation que sa mère ne s'opposerait pas à la vente de la maison.

Louise et André s'étaient toujours demandé pour quelle raison leurs deux enfants étaient si différents. Ils avaient été élevés de la même façon, dans la même ambiance familiale, et pourtant Paul était presque trop fragile, trop sensible, alors que sa sœur paraissait parfois dénuée de sentiments. Quand ils étaient petits et qu'ils s'amusaient ensemble, c'étaient toujours les choix de Marie qui s'imposaient. Elle avait à peine cinq ans qu'elle jouait déjà à la maîtresse de maison et son frère s'en accommodait sans rechigner. Quand enfin il mettait en route son train électrique, c'était parce que Marie avait décidé que la famille qu'elle venait d'inventer partait en vacances.

Lorsque, le soir, leur père rentrait du travail et découvrait son fils en train de coiffer les poupées de sa sœur, cela le mettait dans une colère froide. Chaque fois, André venait voir sa femme et, dans un soupir agacé, lâchait un énième : « Encore ! » Il n'appréciait guère que son fils s'occupe à des jeux bien trop féminins à son goût. Ce que ne comprenait pas André, c'était que Paul n'appréciait pas plus les poupées que la dînette. Il préférait son train électrique ou l'immense station de pompier qu'il avait reçue pour son dernier anniversaire. C'était simplement que sa sœur avait hérité d'un caractère bien plus affirmé que le sien, voilà tout.

Marie avait le même caractère que son arrière-grand-mère Maria – le prénom était peut-être prémonitoire. C'était Maria qui menait d'une main de maître l'activité du moulin à huile qu'elle exploitait avec Octavio, son mari. Ils travaillaient dur, les ventes rapportaient juste assez pour qu'ils vivent décemment tous les deux. Maria ne l'avait jamais laissé paraître, mais elle s'en était terriblement voulu lorsque les parents de Louise avaient été contraints de s'exiler pour gagner leur vie. Elle pensait que c'était sa faute et qu'elle n'avait pas pris les bonnes décisions pour assurer un revenu correct à toute sa famille. Octavio avait beau lui assurer que cinq hectares d'oliviers et un moulin ne suffisaient pas à faire vivre plus de deux personnes, elle était persuadée d'être la seule responsable du départ de sa fille et de sa famille.

Louise se décida enfin.

— Les enfants, il faut que je vous avoue quelque chose...

— Que se passe-t-il, maman ? s'inquiéta Paul d'une voix affaiblie par l'émotion.

Louise hésitait. Difficile d'annoncer à ses enfants que l'état de leur mère n'allait faire qu'empirer et que, dans quelques mois, elle ne les reconnaîtrait peut-être plus.

— Eh bien...

Marie exprima son agacement.

— Bon, maman, on va bientôt arriver, alors qu'as-tu à nous dire ? Regarde, nous entrons dans mon lotissement. Je t'écoute !

Louise répondit simplement :

— Je suis atteinte de la maladie d'Alzheimer. Votre père et moi vous l'avons caché pour ne pas vous inquiéter.

Elle attendait une réaction de leur part, le silence pesant l'incita à poursuivre sur un ton plus rassurant.

— C'est une forme débutante ; l'évolution est lente. Mais maintenant que je suis seule, je tenais à ce que vous le sachiez.

Paul se gara devant chez sa sœur. Il posa sa main sur celle de sa mère tandis que Marie s'exclamait sèchement :

— Que veux-tu dire par « débutante » ?

Sa question était directe, la réponse le fut aussi.

— Eh bien, ça signifie que j'ai encore toute ma tête, à l'exception de quelques instants d'absence lorsque la fatigue est trop présente.

Paul paraissait tétanisé, sa sœur poursuivit :

— Il faut que tu voies un spécialiste ! affirma-t-elle.

Louise tourna la tête, leurs regards se firent face.

— C'est fait, ma fille, c'est fait ! soupira-t-elle, comme si elle espérait une réaction plus bienveillante de sa part.

La main de Paul toujours sur la sienne devenait glacée.

— Et qu'a-t-il dit ?

— Que je devais faire régulièrement des tests de mémoire et ne pas trop m'inquiéter, car... c'est une maladie dont l'évolution est lente.

Marie ouvrait déjà la porte de la voiture.

— Tu as un traitement ? demanda-t-elle toujours aussi froidement.

— Depuis deux mois, pour ralentir l'apparition de symptômes plus importants.

— Très bien...

Marie semblait perplexe. Elle attrapa son sac et, sortant du véhicule, lança à son frère :

— Je t'appelle demain. Et toi, maman, sois rassurée, nous sommes là.

Elle claqua la portière et se dirigea vers son domicile.

Paul redémarra doucement et enfin s'exprima.

— Tu es sûre que ça va aller, maman ? Comment vas-tu faire toute seule ? Tu devrais venir quelques jours à la maison, Catherine n'y verra aucun inconvénient. Papa vient de disparaître, c'est difficile pour toi, alors en plus avec...

Il n'osait pas prononcer le mot.

— Alzheimer, Paul. Il va falloir t'y habituer. Mais ne sois pas trop inquiet. Et puis tu sais, je préfère garder mes habitudes. Tu... vous n'êtes pas très loin. Si j'ai besoin, je sais que vous êtes là ! lui dit-elle.

— Comme tu veux. Je te téléphone ce soir et je passerai demain après le travail.

Louise acquiesça.

— Très bien mon fils, avec plaisir.

Paul s'arrêta devant le portail du jardin et accompagna sa mère à l'intérieur. Il s'assura qu'elle n'avait besoin de rien. Il paraissait nerveux.

— Tu es sûre que tu ne veux pas venir à la maison ce soir ? insista-t-il d'une voix tremblante.

— Allez mon fils, ouste, dehors ! fit-elle, tout en l'invitant d'un geste de la main à se diriger vers la porte d'entrée.

— Je t'appelle ce soir.

— Je sais, tu me l'as déjà dit ! Stade « débutant », Paul. Je ne perds pas encore la tête.

— Bien sûr, bien sûr, répéta-t-il, embarrassé.

Louise resta un instant sur le pas de la porte. Paul démarra, elle le regarda disparaître au bout de l'allée. Désormais, elle se retrouvait seule, face à l'absence d'André et à la maladie qui la rongeait.

Elle s'assit dans le fauteuil d'André. Elle le revoyait lisant son journal et fumant son cigare après le déjeuner du dimanche. Tandis qu'elle s'assoupissait, son esprit se mit à divaguer. Elle pensait à son village de Valdehijos quand, petite fille, elle accompagnait sa grand-mère lors de la cueillette des olives.

Maria était une femme de la terre, travailleuse, au caractère dur et qui laissait peu transparaître ses émotions. Elle appréciait la lecture, en particulier le plus célèbre poète andalou : Federico García Lorca. À l'époque, Louise ne comprenait pas grand-chose à la poésie, mais elle aimait entendre sa grand-mère réciter par cœur des pages de poèmes. En particulier « *Sueño* », qu'elle répétait à l'envi.

Son grand-père, lui, était un homme doux qui n'élevait jamais la voix. Louise, cachée derrière une des larges poutres de bois, le regardait souvent s'occuper des meules du moulin qui broyaient les fruits pour produire l'huile.

Elle pensa que lorsque la maladie se ferait plus intense, ce seraient ces souvenirs-là, ceux de son enfance, qui disparaîtraient les derniers.

Louise ne dormit pas beaucoup cette nuit-là, André lui manquait. Il était son rempart, celui avec qui il ne pouvait rien lui arriver. Elle se leva vers 3 heures du matin pour aller boire un verre d'eau. Elle fit attention à ne pas trébucher contre le pied d'un meuble ou un objet qu'elle aurait laissé traîner sans s'en souvenir. C'était toujours André qui, le soir, juste avant d'éteindre la lumière, déposait son verre sur la table de chevet.

uise n'y avait pas pensé. Ce soir, oui, ce soir, lle y penserait, se dit-elle. Elle le nota sur ce satané carnet qui, désormais, ne la quittait plus. Était-ce la peur d'oublier ? Était-ce la maladie qui la rendait si anxieuse ? Peu importe, elle écrivit : « Le soir, attention ! Déposer un verre d'eau sur la table de nuit. » Louise était triste de noter des choses aussi anodines, mais ça la rassurait.

La journée du lendemain s'écoula plus vite qu'elle ne l'aurait imaginé. Mme Dubreuil, sa voisine, lui rendit visite. Elle était veuve depuis cinq ans et passait son temps à se plaindre qu'« avant », c'était mieux. Elle avait sans doute raison ; les souvenirs et la nostalgie s'accumulent tandis que les rêves s'envolent à mesure que l'âge avance. Louise aurait eu besoin d'un discours plus positif, mais la présence de sa voisine lui faisait du bien.

Mme Dubreuil parlait énormément, elle avait un avis sur tout ! Louise se mit à rire lorsqu'elle lui assura que l'on pouvait très bien vivre sans la présence d'un homme et qu'elle n'avait absolument pas envie de se « remettre en couple », même si plusieurs prétendants l'avaient envisagé.

Louise se devait de prendre de nouvelles habitudes, de trouver des occupations qui lui éviteraient de trop penser. Aussi, lorsque Mme Dubreuil lui proposa de venir avec elle à la prochaine réunion de son club de retraités, elle accepta.

Cela faisait désormais dix jours que Louise vivait seule. Elle se surprit à prendre ses marques plus rapidement qu'elle ne l'espérait. Ses enfants lui rendaient visite en alternance tous les jours, mais toujours seuls, sans leurs conjoints respectifs. Quant à Audrey, la fille de Marie, elle n'avait pas encore donné de ses nouvelles. Avait-elle déjà oublié sa grand-mère ?

Mme Dubreuil, Éliane désormais, ne quittait plus Louise, qui soupçonnait ses enfants de l'avoir renseignée sur son état et de lui avoir demandé de veiller sur elle. Mme Dubreuil effectuait sa mission avec application et, sans aucun doute, un certain plaisir ; cela occupait ses longues journées solitaires. Un vendredi soir, Louise se décida à l'accompagner au club des Lilas où un concours de belote était organisé.

Elle avança mille raisons pour ne pas participer au tournoi ; elle avait terriblement peur que sa mémoire lui joue des tours. Éliane n'insista pas, contrairement à son habitude, ce qui conforta Louise dans l'idée qu'elle avait bien reçu des consignes de surveillance. En fait, ça la rassurait plus que ça ne l'importunait. Ses enfants étaient inquiets, maladroitement, mais sincèrement ; ils faisaient attention à leur mère. Éliane lui présenta rapidement ses amies avant de regagner la table où son partenaire et l'équipe adverse l'attendaient. Pour la première fois depuis la disparition d'André, Louise s'autorisa à prendre du plaisir à être en compagnie. Elle se détendait peu à peu, l'angoisse l'avait quittée pour la soirée. Elle ne vit pas le temps passer. Elles rentrèrent bien plus tard qu'elle ne l'aurait imaginé. Lorsque Louise se glissa dans son lit, l'horloge du salon venait de sonner 1 heure du matin.

Le lendemain, elle se leva à la même heure que d'habitude. Après le repas de midi, le manque de sommeil se fit sentir et elle s'endormit sur le canapé. La sonnerie du téléphone la réveilla, il était déjà 15 h 30. C'était Marie qui souhaitait passer la voir dans la soirée avec son frère. Louise s'étonna de cette double visite ; Paul l'avait appelée, comme tous les jours, en fin de matinée, sans rien lui dire à ce sujet. La surprise passée, Louise se réjouit de cette nouvelle. Elle savait que le rythme de leurs visites se ralentirait peu à peu, mais elle se concentrait sur le présent, sur des petits bouts de bien-être qui l'aideraient à passer cette période de deuil et de réorganisation de sa vie.

— Tu viens avec ton mari et Audrey ? Je vais appeler Paul pour lui demander si Catherine souhaite se joindre à nous. Nous pourrions dîner tous ensemble, proposa-t-elle à sa fille.

Marie hésita un instant avant de répondre d'une voix inhabituellement calme et retenue.

— Écoute, maman... nous avons discuté avec Paul. La mort de papa change beaucoup de choses, nous devons en parler. Nous viendrons seuls vers 18 heures.

À cet instant, le cerveau de Louise se mit à fonctionner bien trop vite.

— Oui, beaucoup de choses, confirma-t-elle. Mais ton père a été mis en terre il y a à peine quelques jours. Nous pouvons prendre un peu de temps pour digérer son absence, non ?

Louise sentait de la gêne dans les propos de Marie. C'était suffisamment rare pour qu'elle le lui fasse remarquer.

— Tu n'as pas l'air dans ton assiette...

Marie répondit, laconique :

— Si, si, ça va. À tout à l'heure, maman.

— À tout à l'heure.

Louise était persuadée qu'elle voulait lui reparler de la maison de famille d'André, à Belkangffolsheim. Marie avait besoin de l'accord de sa mère pour la vendre. Dans d'autres circonstances, Louise s'y serait opposée. Mais dans sa situation, elle n'avait pas le choix.

À l'heure dite, Paul immobilisa sa voiture devant le portail de fer forgé. Avant de se diriger vers la porte d'entrée et d'accueillir ses enfants, Louise prit le temps de glisser son carnet de notes dans le tiroir de la commode du salon. Elle ne voulait pas qu'ils le découvrent.

Marie, comme à son habitude, fit une bise rapide à sa mère en effleurant sa joue, alors que Paul la serra dans ses bras. Tous deux paraissaient empruntés. Après plus d'un quart d'heure de conversation d'une affligeante banalité, Louise se décida à s'exprimer avec sincérité.

— Les enfants, je sais pourquoi vous êtes là ! affirma-t-elle sans hésitation.

Paul lança un regard étonné en direction de sa sœur.

— Comment ça ?

— Oui, je sais ! confirma-t-elle, sûre d'elle.

Le visage de Marie trahissait un stress inhabituel. Elle hésita et, pour une fois, son frère la devança.

— Comment vas-tu ? Ton état nous inquiète.

Louise se détendit un peu et répondit volontiers.

— Ça va, comme vous le savez, l'évolution me laisse le temps de réorganiser ma vie.

— Et ton traitement ? demanda Marie.

Louise continua sur le même ton.

— Je dois faire le point sur les effets secondaires avec le médecin la semaine prochaine. Il peut y avoir des répercussions sur le système cardio-vasculaire, mais pour l'instant tout se passe bien.

— Et tu n'oublies pas de le prendre ?

En quelques mots, Marie venait de replonger sa mère dans ses angoisses. Elle se raidit et haussa les épaules.

— Bien sûr que non.

— Tu en es sûre ?

— Évidemment !

Tout à coup, un doute l'assaillit. Avait-elle pris son traitement ce matin, hier, avant-hier ? Depuis qu'André n'était plus là, Louise n'avait aucun souvenir d'avoir ouvert sa boîte de comprimés. Paul vit la détresse se dessiner sur le visage de sa mère, il baissa les yeux. Marie poursuivit.

— J'ai appelé un ami médecin ; je voulais en savoir un peu plus sur ta maladie...

— Et... que t'a-t-il dit ?

Tout en cherchant son frère du regard, Marie hésita avant de continuer.

— Eh bien, il s'agit d'une pathologie dont on ne maîtrise pas la rapidité d'évolution. Les symptômes peuvent rester identiques pendant des mois ou brusquement s'aggraver.

— Et tu as eu besoin d'un médecin pour savoir ça ? lui fit remarquer sa mère d'un ton teinté d'ironie.

— Écoute, maman..., reprit Marie.

Paul saisit le bras de sa sœur ; il souhaitait prendre la parole.

— En fait, nous sommes allés voir un spécialiste de la maladie d'Alzheimer, car ton annonce nous avait totalement pris de court et nous ne savions pas quoi faire pour t'aider. Nous étions dans le flou et souhaitions prendre l'avis d'un professionnel.

Louise s'agaçait de les voir ainsi tourner autour du pot, comme s'ils n'osaient pas avouer la raison précise de leur visite.

— Et, encore une fois, que vous a-t-il dit ?

— Maman, tu as subi un stress énorme avec la mort de papa et... ce n'est pas bon de rester seule dans ton état. Sans vouloir te surveiller, nous avons remarqué avec Marie que tu oubliais certaines choses.

Vexée par la remarque de son fils, Louise se leva d'un bond. Ses enfants étaient-ils là pour l'aider ou pour la surveiller ? Elle se servit un grand verre d'eau qu'elle but d'une traite.

— Et qu'ai-je donc oublié de si important ? interrogea-t-elle.

Ils hésitaient, s'interrogeant du regard, puis Marie fit signe à son frère de poursuivre.

— D'abord, de prendre correctement ton traitement ; depuis quatre jours, tu n'as pas touché à la boîte que je t'ai rapportée de la pharmacie. Et d'autres choses moins graves, mais...

— Quoi donc ?

— Maman, quel jour sommes-nous ? demanda Marie.

Louise s'énerva.

— Vous croyez que je suis gâteuse ou quoi ?

Marie tenta de tempérer son agacement et réitéra d'une voix calme sa question.

— Maman, s'il te plaît ! Quel jour sommes-nous ?

— Samedi, enfin ! Hier, j'ai passé la soirée avec Éliane et ses amis. Allez les interroger pour savoir si votre mère perd la tête !

Paul se leva et se dirigea lentement vers la baie vitrée donnant sur le jardin.

— Le samedi matin, qu'est-ce que tu n'oublies jamais de faire depuis des années ?

— Eh bien...

Tout à coup, un blanc.

— Je ne sais pas... Qu'y a-t-il de particulier ?

Paul l'invita à le rejoindre. Il passa son bras sur son épaule.

— C'est Mme Dubreuil qui a appelé Marie ce matin. Quand vous êtes rentrées, hier soir, avant de te coucher, tu as passé plus d'une demi-heure dans ton jardin à aligner le long de l'allée tes sacs-poubelle de la semaine au lieu de les déposer dans le bac sur le trottoir, comme tu le fais depuis des années. Regarde !

Paul lui montrait du doigt l'improbable décoration de la nuit dont sa mère n'avait aucun souvenir. Louise fondit en larmes dans ses bras.

— Mon Dieu, qu'est-ce que j'ai fait !

— Viens donc t'asseoir, maman, proposa Paul.

Louise ne savait plus si ce qu'elle pensait était la réalité ou la conséquence de cette maladie qui réduisait peu à peu ses capacités. Elle tenta de reprendre l'initiative de la conversation, une façon de se rassurer et de changer de sujet.

— Les enfants, je connais la raison principale de votre visite et j'ai pris une décision.

Elle devina de la surprise sur leurs visages.

— Je ne m'opposerai pas à la vente de la maison de votre père. Ainsi, chacun aura sa part ! Vous pourrez réaliser vos projets et moi avoir un pactole de sécurité au cas où je ne pourrais plus vivre seule, conclut-elle.

Marie fut la première à réagir.

— C'est vrai, j'ai toujours voulu vendre cette maison. Papa n'est plus là et ça ne sert à rien de la garder, sauf pour ressasser des souvenirs. Mais ce n'est pas la raison de notre venue, maman.

— Je suis d'accord pour cette vente ! insista Louise, comme si elle craignait d'apprendre cette « véritable raison ».

— Très bien maman, nous allons vendre ! Mais… Paul, aide-moi, c'est difficile, je n'y arrive pas !

— Que voulez-vous dire ?

Paul se lança dans l'explication de la décision qu'il venait de prendre avec sa sœur.

— D'après plusieurs avis, dont celui du médecin qui te suit, tu ne peux plus rester toute seule ; c'est trop dangereux. Pour nous, le plus important, c'est ta sécurité et aussi d'essayer de ralentir l'évolution de ta maladie. Et…

Paul tergiversa avant de poursuivre. Louise devinait la suite, elle attendait, tétanisée.

— Eh bien… avec l'aide de ton médecin, nous avons pu te trouver une place dans un établissement spécialisé pour les malades atteints de formes débutantes de la maladie d'Alzheimer. Ils font travailler les patients afin qu'ils conservent leurs facultés bien plus longtemps que s'ils restaient chez eux sans aucun suivi médical.

Louise haussa les épaules, jugeant cette démarche totalement prématurée. Elle tenta de s'opposer à cette décision qui lui paraissait bien hâtive.

— Je peux rester ici, à la maison, avec une aide qui viendrait régulièrement. Et puis il y a Mme Dubreuil…

Marie la coupa et reprit son ton directif habituel.

— Cette opportunité ne se représentera pas avant des mois. Les places sont limitées et la liste d'attente est interminable. C'est un des meilleurs établissements de la région. Et les médecins sont formels : ton état le justifie ! assura-t-elle.

Louise grimaça.

— « Opportunité » ! Si la situation n'était pas si triste, j'en arriverais presque à croire que j'ai de la chance !

Paul vint la rejoindre sur le canapé et posa la main sur son genou.

— Ce n'est pas pour tout de suite, tu disposes encore de quelques semaines tranquilles chez toi. Nous t'installerons fin juin et puis…

— Et puis quoi ?

— Tu seras proche de papa.

Elle s'étonna.

— Comment ça, proche de papa ?

Le frère et la sœur échangèrent un regard, Marie se chargea d'annoncer la dernière mauvaise nouvelle.

— L'établissement qui va t'accueillir est situé dans la banlieue de Strasbourg.

— Mais…

— Ne t'inquiète pas, nous viendrons te voir régulièrement. Ce n'est pas si loin : à peine deux heures de voiture.

Louise était atterrée. Elle comprenait que ses enfants s'inquiètent de son état, mais cette hâte à se débarrasser d'elle lui faisait mal. C'était un choc terrible, tout se mélangeait dans sa tête. La déception, la douleur, et… la raison ! Car d'un autre côté, sans doute Paul et Marie n'avaient-ils pas tort. Elle devait accepter leur « proposition ». Pour leur tranquillité, sa santé et sa sécurité, elle ne savait pas dans quel ordre classer les priorités. D'ailleurs, avait-elle vraiment le choix ?

En l'espace de quelques jours, Louise avait perdu son André et appris qu'elle allait se retrouver entre quatre murs entourée de fous en puissance. Pourrait-elle le supporter ?

Elle ne trouva pourtant rien à redire ; comme si, désormais, elle n'était plus maîtresse de sa vie. Une seule question lui vint à l'esprit.

— Comment s'appelle-t-il, cet établissement ?

Marie et Paul répondirent d'une même voix, rassurés par la question de leur mère qui sonnait comme une acceptation définitive.

— Les Roses-Pourpres.

2

Louane, tant de rêves à vivre

La jeunesse, c'est profiter de chaque instant, comme un cadeau que nous offre la vie, sans se soucier des conséquences.

Mais c'est aussi le pouvoir de croire à ses rêves et de les laisser se transformer en espoirs.

Car au bout du chemin, ce qui comptera vraiment, ce seront les rêves que nous aurons osé vivre.

Quelle cohue ! 9 heures précises, les grilles du lycée s'ouvrirent enfin. Les lycéens se précipitèrent sur les tableaux d'affichage, à la recherche de leur nom, synonyme de réussite au baccalauréat. Des cris plus stridents les uns que les autres se firent entendre. Tous rivalisaient d'originalité pour mettre en scène leur joie bien trop démonstrative pour exprimer une vraie surprise.

Louane, quant à elle, traînait les pieds. Jusqu'ici, elle n'avait eu aucun doute sur l'obtention de son examen, mais à cet instant un sentiment diffus d'appréhension commençait à l'envahir. Plus elle s'approchait du préau et plus elle ralentissait le pas. C'est à ce moment qu'elle vit Remy, son petit ami, s'extraire de la meute et venir vers elle.

— Trop bon, mention bien ! Et toi, Louane, tu fais quoi là, tu attends que je t'apporte le tableau ou tu te bouges ? s'étonna-t-il, les yeux écarquillés, comme si sa vie venait de se jouer à pile ou face.

Louane ne réagissait pas. Son esprit aurait dû être focalisé sur les résultats, eh bien non ! Face à l'inexistante douceur et au zéro pointé en délicatesse de son petit ami, elle se demandait comment elle avait pu rester avec lui pendant près d'un an. Bon... il était le meilleur des classes de terminale en maths, ceci expliquait peut-être cela.

Elle lui répondit enfin :

— Bravo, c'est top pour toi ! Tu n'as pas regardé mes résultats ?

— Merci ! Ton numéro de jury, c'est quoi ? s'écria-t-il.

— 357, lui répondit-elle en vérifiant sur sa convocation.

Il replongea aussitôt dans la mêlée serrée des lycéens, de leurs parents, des professeurs, petits frères et sœurs, et même, pour certains, des grands-parents.

C'est alors que Louane comprit que tout ne se passait pas comme elle l'avait prévu et que son appréhension allait bientôt devenir une réalité.

Elle observait Remy planté devant le listing des résultats. Elle s'approcha. Il écarta les bras, lui interdisant d'avancer, telle une rangée de CRS qui tenterait de contenir une foule de manifestants.

— Tu ne l'as pas. Même pas admise au rattrapage. Ça craint ! affirma-t-il sans émotion particulière.

Là aussi, la déception n'arriva pas tout de suite. Elle venait d'avoir la parfaite démonstration qu'effectivement… Remy était le meilleur en maths. D'abord, les faits bruts : « Tu ne l'as pas », puis l'information complémentaire qui aide à la totale compréhension du problème : « Même pas admise au rattrapage », et enfin une conclusion qui avait le mérite d'être la plus claire et concise possible : « Ça craint ! »

Ce n'est que dans un deuxième temps, quand il vit les yeux de Louane commencer à scintiller, qu'il la serra dans ses bras.

Désormais, Louane faisait partie de la meute et contribuait au brouhaha indescriptible qui régnait sous le préau du lycée. Elle hoqueta, tentant de contenir quelques sanglots.

Se contenir, c'était l'habitude, dans sa famille.

Louane vivait avec ses parents et Jules, son jeune frère âgé de sept ans, dans un immense triplex récemment rénové du centre de Bordeaux, près du jardin public.

Son père, chirurgien réputé, était chef du service de cardiologie de l'hôpital Pellegrin.

Sa mère ne travaillait pas. Malgré cela, depuis sa plus tendre enfance, Louane avait toujours eu le souvenir d'une femme débordée. Il faut dire que son mari lui imposait un rythme effréné et une multitude d'occupations qu'elle devait assumer en tant que mère de famille. En résumé, il décidait de tout ou presque. La seule liberté qu'il octroyait à sa femme, c'était quelques heures le mercredi après-midi lorsqu'elle trimballait ses enfants aux quatre coins de la ville pour des activités extrascolaires qu'il avait feint de leur laisser choisir… tout en les aiguillant vers celles qui, selon lui, présentaient de l'intérêt. La mère de Louane disposait alors d'une à deux heures de répit. Elle en profitait pour flâner dans les innombrables boutiques de la rue Sainte-Catherine. Louane savait qu'elle y prenait du plaisir, c'était son espace de liberté. Même si, le soir, elle devait se justifier en énumérant à son mari les différents achats qu'elle avait effectués.

M. Clavier était un homme de grande taille, mince, à l'allure impeccable, les cheveux gominés comme s'il sortait d'un roman d'Agatha Christie, les costumes bien taillés. D'ailleurs, il ne supportait que le sur-mesure. Le prêt-à-porter le hérissait, il y trouvait toujours un défaut.

C'était un catholique pratiquant. Il assistait à la messe tous les dimanches et Jules suivait les cours de catéchisme. À l'âge de seize ans, Louane avait réussi à s'extirper de cette tentaculaire supercherie. Elle avait été définitivement convaincue que le pouvoir du Tout-Puissant devait avoir quelques lacunes le jour où elle avait découvert que son père avait une maîtresse. Certes une femme magnifique, mais une maîtresse ! Elle faisait partie de la chorale de l'église – comme sa mère ! – et en était même la responsable.

Louane s'était toujours demandé si sa mère le savait et, dans ce cas, comment elle le supportait. Enfant ou adolescent, on pense tout connaître de la vie de ses parents alors qu'on ne sait pas grand-chose, c'est ce que Louane avait appris à ses dépens.

Elle souffrait en silence. Et contrairement à la réaction de dégoût et de rejet bien légitime qu'elle aurait dû avoir envers son père, cette découverte n'avait fait que renforcer la terreur qu'il lui inspirait.

C'était donc acté : Louane n'avait pas obtenu son baccalauréat. Elle était consciente que, cette année, elle n'avait pas beaucoup travaillé, à part les maths avec Remy, et encore. Lorsqu'ils étaient ensemble, ils passaient plus de temps à calmer leurs pics hormonaux qu'à étudier la trigonométrie et les équations du second degré.

Ses parents, plus exactement son père, l'avaient contrainte à s'orienter vers une filière scientifique qui ne correspondait en rien à ses aspirations. Son père érigeait la science en vérité absolue. Pour lui, tout ce qui n'était pas du domaine de la logique relevait de triturations intellectuelles qui ne menaient à rien.

« Des bavardages de comptoir », disait-il. Il n'empêche que Louane avait du mal à comprendre la logique paternelle : catholique pratiquant et maîtresse deux fois par semaine.

Louane tentait de plaisanter, mais elle n'en menait pas large. Ses amis, tous reçus, partaient fêter leur réussite. Malgré leur insistance, elle n'eut pas le cœur à les accompagner. Elle devait annoncer la nouvelle à ses parents et ça… ce n'était pas gagné. Louane le savait, la honte allait s'abattre sur elle et la famille Clavier et, bien évidemment, elle en serait la seule responsable.

Elle quitta le lycée en baissant la tête. Malgré la chaleur des premiers jours de juillet, elle grelottait. Elle avait l'air emprunté, avec son jean troué et son débardeur à bretelles, à frotter ses épaules dénudées pour tenter de se réchauffer. En guise d'écharpe, elle avait enroulé autour de son cou le bandana qu'elle portait dans ses cheveux blonds. Elle avait le sentiment d'être un peu moins transie. C'est alors qu'elle entendit une voix connue et rassurante.

— Alors, Louane, tu me l'annonces, cette bonne nouvelle ?

Elle leva la tête, les yeux encore rougis par la déception.

— Ah, je devine qu'aujourd'hui tu vas devoir trouver une autre raison de te réjouir. Mais la journée est loin d'être terminée, ne t'en fais pas.

Patrice eut le mérite de la faire sourire. Toujours un mot pour dédramatiser n'importe quelle situation.

Patrice était l'homme à tout faire du lycée. Il était de petite taille et son ventre bedonnant trahissait un coup de fourchette affirmé. Trois ans que Louane fréquentait le lycée et trois ans qu'elle le voyait avec son immuable tablier bleu délavé.

Comme à son habitude, il faisait rouler les immenses bacs de détritus jusqu'au trottoir avant le passage des camions-poubelles. Les odeurs qui s'en dégageaient n'étaient pas franchement agréables. Bien souvent, un mélange de hamburgers, de frites froides, de papier humide et de dosettes à café qui avait le don de soulever l'estomac de Louane. Mais elle oublia vite ce désagrément, car Patrice, c'était du bonheur en barre. À part le mercredi, où les horaires de ses cours ne correspondaient pas aux siens, Louane se faisait un plaisir de venir échanger quelques mots avec lui. Avec le temps, ils avaient pris l'habitude de se faire la bise malgré plusieurs remarques du conseiller principal d'éducation. C'était leur habitude et Louane ne comptait pas y renoncer, même si Patrice ne voulait pas lui créer de problèmes.

Certains esprits mal tournés avaient fait courir le bruit qu'ils avaient une relation amoureuse. Là aussi, Patrice s'était inquiété, mais Louane laissait dire... Patrice avait une vision des gens et du monde qui lui faisait du bien, c'était le plus important.

C'est à lui qu'elle s'était confiée en premier lorsqu'elle avait découvert que le parking de l'église abritait les ébats de son père avec la responsable de la chorale. Il n'avait rien dit de particulier, mais ses mots simples avaient su l'apaiser ou, tout au moins, l'aider à accepter une situation pas forcément évidente pour une jeune fille de dix-sept ans.

Elle reprit la phrase que Patrice avait prononcée quelques instants plus tôt :

— Je dois donc trouver une autre raison de me réjouir ? Ça va être difficile !

Patrice vint s'asseoir sur une des marches du local de garde, Louane fit de même. Il leva les yeux vers le ciel d'un bleu intense, puis lui demanda :

— Tu ne m'avais pas dit qu'un de tes rêves c'était de voyager ?

Voyager ! Louane venait d'apprendre qu'elle avait échoué au bac, elle allait devenir la honte de sa famille et, d'une voix posée, il lui rappelait que sa *wish list* débutait par l'envie de faire le tour du monde !

— Aujourd'hui, ce n'est peut-être pas le plus important ! lui fit-elle remarquer.

Il se tourna vers elle, haussa les épaules et rétorqua :

— Si, justement !

Sans grande conviction, elle sourit.

— Tu es sympa de me remonter le moral, Patrice, mais je ne suis pas sûre que ce soit le moment d'en parler à mes parents.

Comme à son habitude, il n'insista pas. Il lui rappela simplement que les situations délicates sont à relativiser et que l'existence ne se limite pas à l'obtention d'un examen.

« Il a peut-être raison », se dit-elle.

— Bon, alors ? Après avoir annoncé la terrribbble nouvelle à tes parents, que vas-tu faire ?

— Je vais essayer de les persuader de me laisser changer de filière l'année prochaine. Ras-le-bol des maths et de la physique !

— Et pendant les vacances, ton tour du monde, il va t'emmener où ? insista-t-il en éclatant de rire.

— Arrête, t'es pas drôle ! Je vais partir avec un groupe de potes quinze jours en Italie pour faire du camping. Puis, au mois d'août, ce sera l'immuable séjour dans la maison de famille au fin fond de la forêt landaise, là où tout se ressemble, des pins maritimes à perte de vue.

Louane se mit à grimacer.

— Tu n'aimes pas y aller ?

— Ce n'est pas que je n'aime pas, mais depuis que ma grand-mère est décédée, ce n'est plus pareil. Le souvenir est là, mais elle non.

— C'est la vie qui passe, ma belle, la vie qui passe..., répéta-t-il d'un ton nostalgique.

Ils restèrent encore assis quelques minutes en silence. Le portable de Louane se mit à sonner. Un coup d'œil rapide : son père. Pas question de lui répondre. Il apprendrait bien assez tôt la mauvaise nouvelle en consultant le site internet de l'académie. Louane n'avait pas envie et surtout pas le courage de lui annoncer son échec. Ce soir, elle encaisserait ses remontrances sans rien dire, mais pas maintenant.

Patrice se leva ; il devait reprendre ses tâches quotidiennes avant que la direction remarque son inactivité.

— Je te laisse, mais tu ne seras pas seule : ta copine arrive.

— Merci. À bientôt. Et n'oublie pas de manger à midi, ironisa-t-elle en mimant son gros ventre.

— Pfff… Ça ne me coupera pas l'appétit !

Il s'éloigna en riant.

Chloé rejoignit son amie. Au début, elles ne dirent rien. C'était toujours comme ça avec Chloé. Elles étaient amies depuis l'école primaire, mais elles parlaient peu, comme si leur complicité suffisait, les mots n'étaient pas forcément nécessaires. Louane, d'une certaine façon, enviait Chloé, car ses parents avaient accepté qu'elle s'oriente vers la filière de son choix : un bac littéraire, qu'elle venait de réussir haut la main.

— Tu viens, on va boire quelque chose au café ? proposa Chloé.

Louane acquiesça d'un hochement de tête accompagné d'un léger sourire.

Elles évoquèrent peu les résultats de la matinée. Chloé s'attacha à dédramatiser l'échec de son amie.

— Tu recommenceras une année en changeant de filière. Ce n'est pas la fin du monde ! affirma-t-elle.

Chloé avait raison, ce n'était ni une catastrophe ni la fin du monde, c'était juste que Louane allait devoir supporter pendant quelques jours les missiles surpuissants de son père.

Chez elle, l'ambiance allait être détestable. Elle savait déjà que Jules se cloîtrerait dans le silence, son père le terrifiait ; alors quand il gueulait, c'était pire. Sa mère se rangerait comme toujours à l'avis de son mari. Mais au fond, Louane ne savait jamais si elle était vraiment d'accord avec lui. En fait, elle obéissait, ça faisait vingt ans qu'elle obéissait. Elle traînait une infinie tristesse qui peinait Louane. Parfois, elle se disait que sa mère ferait mieux de quitter son père, mais qu'elle avait peut-être peur de faire du mal à ses enfants, ou tout simplement qu'elle n'osait pas. Supporter et faire croire que tout allait bien. Si c'était ça, grandir et devenir adulte, ça ne faisait guère envie à Louane. Mais après tout, c'était la vie de sa mère, c'était elle qui l'avait choisie. Louane haïssait tout cela, les faux-semblants, les « mon chéri » par-ci, « ma chérie » par-là lors des repas avec les grands pontes de l'hôpital ou les politiques locaux. Comment son père pouvait-il l'appeler « ma chérie », alors que quelques heures auparavant il s'était tapé la bourge de la chorale ? Ça lui donnait la nausée, à Louane. Ou alors, c'était l'argent qui faisait rester sa mère.

Son père gagnait très bien sa vie et il aimait le montrer : les voitures, l'appartement de luxe, les fêtes organisées à la maison avec des chefs réputés qui préparaient le repas, la résidence secondaire sur les hauteurs de Saint-Jean-de-Luz. En fait, la seule vraie liberté de sa mère, c'était la carte bleue. Et ce n'était pas par bonté d'âme que son mari la laissait l'utiliser en mode illimité, c'était juste pour montrer que, dans sa famille, on avait de l'argent et qu'on s'en servait. De ce point de vue, Louane ne se plaignait pas, elle en profitait. Mais, même si c'était facile à dire pour une fille de riches, elle ne voulait plus de tout ça.

On désire toujours ce qu'on n'a pas, paraît-il. Ça lui rappelait ses cours de philo. Sa classe avait étudié le désir cette année. Le prof leur avait rabâché que l'être humain avait toujours envie de ce qu'il n'avait pas, même si ce qu'il avait était, a priori, le meilleur.

Louane, elle, avait juste envie d'« autre chose ». Chaque fois qu'elle disait cela, à ses amis ou à sa famille, au mieux on la regardait avec un air compatissant – penser de telles âneries ! –, au pire on tentait de lui démontrer que ça ne voulait rien dire. Mais pour elle, ça avait du sens, et ça lui suffisait.

Seule Chloé partageait ses envies de fin d'adolescence.

L'environnement de Chloé ne ressemblait en rien à celui de Louane. Entre le chômage de son père et les trois-huit de sa mère, son envie de sortir de l'autoroute et d'emprunter les chemins de traverse se justifiait plus que pour son amie.

Chaque fois que Louane se rendait chez Chloé, malgré le douzième étage avec vue sur les tours voisines et les cinquante mètres carrés pour vivre à quatre, ça respirait l'amour dans cette famille. Ça ne puait pas l'argent, loin de là. Il ne faisait pas très chaud chez Chloé l'hiver ; il fallait faire des économies de chauffage. Malgré cela, Louane se sentait enveloppée de chaleur et de bonté. Pourtant, Chloé aussi avait envie de son « autre chose », et le pire... enfin, le meilleur pour elle, c'était que ses parents étaient d'accord !

Depuis la classe de seconde, durant chaque période de vacances, Chloé finançait son « autre chose ». Pendant que ses habits s'imprégnaient de l'odeur de friture des cuisines du McDo du quartier du Lac, elle rêvait à son road trip : l'Australie, la Nouvelle-Zélande et surtout la Tasmanie, dont elle parlait comme s'il s'agissait de son paradis. Un an, simplement un an, après elle reviendrait intégrer la faculté de lettres. Elle répétait souvent que si elle ne le faisait pas maintenant, elle ne le ferait jamais. Elle avait sans doute raison ! D'habitude, ce sont des envies de bourges mal dans leur peau. Pour Chloé, c'était différent, ce n'était pas pour fuir, pourquoi fuirait-elle tout cet amour qui l'entourait ? Elle avait juste envie de découvrir le monde. Combien de fois avait-elle demandé à Louane de la suivre ! C'est vrai qu'avec son compte en banque bien rempli pour une lycéenne et sa récente majorité, Louane, si elle le souhaitait, n'avait pas à se préoccuper de l'avis de ses parents…

Elle était tentée par la proposition de Chloé, mais elle ne partirait pas. Non qu'elle n'en ait pas envie, mais le courage lui manquait, voilà tout ! Une sorte de lassitude l'empêchait de se bouger. À peine dix-huit ans et déjà lasse ?

— Louane, tu rêves ? Tu es vraiment avec moi ?

Chloé venait de la sortir de sa torpeur.

— Ça va, ça va, balbutia-t-elle.

Chloé haussa le ton pour se faire entendre dans le vacarme du café où les élèves trinquaient bruyamment à leur réussite.

— On ne dirait pas ! Tu n'as même pas touché à ton milk-shake.

— J'ai trop peur, ça va être l'enfer chez moi. Je crois que je vais traîner jusqu'à ce soir pour retarder l'échéance, avoua Louane.

Chloé planta ses yeux dans ceux de son amie dont le bleu était plus terne que d'habitude, comme chaque fois qu'elle était triste. Elle fronça les sourcils et affirma :

— Je ne suis pas sûre que ce soit une bonne solution. Tu vas stresser toute la journée et quand tu vas rentrer chez toi, ce soir, ça va être pire, non ?

— Je sais, mais ça me gave ! Mon père va hurler comme un fou, me traiter de tous les noms.

Chloé hésita. Louane savait qu'elle n'allait pas tarder à lui jeter à la figure ses propres contradictions, ce qui arriva très vite.

— Écoute...

Louane rentra la tête dans les épaules en sirotant son milk-shake à petites gorgées.

— Allez, vas-y, envoie les leçons de morale.

— C'est un peu de ta faute tout ça, tu ne crois pas ?

Louane ne pouvait qu'approuver.

— C'est sûr, je n'ai rien fait cette année.

— Exact, mais je ne parle pas de ça.

Tout en mordillant la paille entre ses dents, Louane, surprise, leva les yeux.

— Comment ça ?

— Ça fait dix fois que je te le dis ! Il faut que tu changes de filière ; les maths et la physique, ce n'est pas pour toi. Si tu restes en S et que tu as ton bac, tu feras quoi l'année prochaine ?

Chloé avait raison. Dans un an, Louane serait dans ce même bar à fêter sa réussite. Mais au fond, rien n'aurait changé, à part le fait qu'elle aurait son diplôme en poche pour s'inscrire en faculté de médecine et bosser comme une malade pendant près de dix ans.

— Je sais, mais mes parents, enfin mon père... il ne voudra jamais.

— Mais enfin, c'est ton avenir que tu prépares, pas celui de ton père ! s'agaça Chloé.

Cela paraissait si simple, si évident.

— J'ai déjà dit à mes vieux que ce qui me plaisait, c'était d'étudier les civilisations anciennes et qu'il fallait pour cela que je commence par des études d'histoire, déclara-t-elle d'un ton dépité.

— Eh bien, vas-y, fais-le, va demander ton changement de filière, là, maintenant, tant que les bureaux sont encore ouverts ! s'écria Chloé comme si elle voulait la provoquer.

Louane poussa un long soupir avant de mettre fin à cette conversation qui, une fois de plus, ne mènerait à rien de concret.

— C'est impossible, Chloé, je ne peux pas ! Bon, et toi alors ? Tu pars quand pour ton périple ? Fin juillet, c'est ça ? Juste après notre virée en Italie ?

— Yes ! fit Chloé en serrant le poing de satisfaction.

Chloé avait donné un surnom à son amie : « l'aspirateur à angoisses ». La moindre remarque, Louane la prenait pour elle, les inquiétudes des autres devenaient les siennes. C'était un peu comme si elle ne voulait pas déranger. Elle donnait raison à l'autre, quel qu'il soit : parent, ami, simple inconnu.

Avec l'aide de Chloé, elle avait tenté de changer et d'imposer ce qu'elle souhaitait réellement, mais sans grand succès. Elle avait du mal à assumer l'image qu'on lui renvoyait d'elle. Celle de quelqu'un qui essayait de transformer un paysage qui convenait à tout le monde et dont personne ne voulait modifier le moindre détail.

Impossible de casser les habitudes à moins de s'exclure du groupe ! Alors, pour ne rien bouleverser, Louane repartait avec son baluchon de frustrations et de non-dits.

L'année passée, sans que son père soit au courant, elle avait demandé à sa mère de consulter un psychologue. C'était une époque où les angoisses la bouffaient littéralement, au point d'en perdre le sommeil. Sa mère avait accepté. Les premières séances lui firent du bien. Louane déballait à un inconnu tout ce qui la minait, la pression de sa Cocotte-Minute intérieure baissait peu à peu. Le psy lui expliquait ses contradictions sans jamais la juger.

Elle se sentait mieux jusqu'au jour où le psychologue lui suggéra que quelques séances avec ses parents seraient des plus bénéfiques. À partir de ce jour, le feu qui couvait sous la cocotte reprit de plus belle. Se mettre à nu devant eux, surtout devant son père, c'était au-dessus de ses forces. Elle n'aurait pas pu affronter leurs regards une fois la séance terminée, sa culpabilité maladive aurait repris le dessus.

Elle n'évoqua jamais la proposition du psychologue. D'ailleurs, son père aurait refusé, alors à quoi bon ? Elle préféra mettre un terme aux séances. C'était une erreur, elle le savait, mais, une fois de plus, elle ne se sentait pas capable de bousculer un ordre si bien établi.

— Tu vas me manquer…

— Viens avec moi ! Toi qui es passionnée par les civilisations anciennes, tu sais que les Aborigènes australiens ont été reconnus la plus ancienne civilisation de la planète ? lui répondit Chloé avec une pointe d'ironie.

— Je sais, tu m'agaces. Allez, parlons d'autre chose.

Chloé quitta son amie vers 11 h 30. Elle devait rejoindre ses parents pour fêter son diplôme. Elle l'invita mais n'insista pas, comprenant que Louane avait envie d'être seule avant d'affronter la tempête qui allait s'abattre sur elle quand elle rentrerait.

Louane reçut plusieurs appels, d'abord de sa mère, puis de son père, et chacun d'eux lui laissa des messages qu'elle n'écouta pas.

Pendant plusieurs heures, elle erra au hasard dans les rues du centre-ville, puis le long des quais jusqu'au miroir d'eau situé en face de l'imposante place de la Bourse et ses façades XVIIIe siècle. Elle y resta un long moment, s'amusant, telle une gamine, à mettre des coups de pied dans les quelques centimètres d'eau pour éclabousser des enfants venus se promener avec leurs mères au bord de la Garonne. Leurs éclats de rire lui firent du bien.

Dans la chaleur de cet après-midi d'été, après trente minutes de ce petit jeu, Louane était trempée jusqu'aux genoux. Son jean, qu'elle avait relevé jusqu'à mi-mollet, et sa paire de Stan Smith qu'elle tenait à la main étaient à peu près dans le même état. Elle s'allongea dans l'herbe sous le soleil dont les rayons tapaient fort. Malgré ses lunettes noires, elle ferma les yeux. L'idée de retrouver ses parents commençait à saturer ses pensées. Elle regarda l'heure sur son portable : 17 h 30. Elle ne pouvait plus retarder l'échéance, elle devait rentrer chez elle et les affronter.

Tout au long du trajet, elle pensa à Chloé : comment aurait-elle dédramatisé la situation ? Mais elle n'était pas Chloé et les solutions ne vinrent pas. Après une vingtaine de minutes, elle rejoignit le cours de Verdun en longeant le jardin public, puis prit à gauche, la rue d'Aviau. Sa mère faisait les cent pas sur le trottoir.

— Mais où étais-tu ? hurla-t-elle, les yeux rougis d'avoir trop pleuré.

Si sa mère haussait le ton de la sorte, cela augurait d'une fin d'après-midi et d'une soirée apocalyptiques.

Elle poursuivit.

— Ton père est là, Louane. Nous essayons de te joindre depuis ce matin.

Louane lâcha un simple et presque inaudible « Je sais ».

— Ton père t'attend dans son bureau. Tu as intérêt à avoir une bonne explication à... Mon Dieu, ce n'est pas vrai !

Louane se surprit à répondre avec une pointe d'insolence à sa mère, sans doute l'effet Chloé :

— Ben si, c'est vrai, j'ai raté mon bac ! Ce n'est pas la fin du monde.

— Arrête avec cette expression, Louane ! Et ne me parle pas sur ce ton. Va voir ton père. J'arrive !

Elle s'exécuta et monta l'escalier qui menait au bureau. Au premier étage, Jules sortit de sa chambre ; l'air triste, il lui sauta dans les bras. Elle pensa que le jour où enfin elle déciderait de fuir cette ambiance irrespirable, le seul regret qu'elle aurait, ce serait de laisser seul son jeune frère. Pas encore huit ans et déjà soumis au rouleau compresseur familial ! Comme c'était un garçon, les projections paternelles étaient bien plus élevées que pour Louane. Selon son père, sa fille ne deviendrait qu'un simple médecin généraliste. Son fils, lui, serait chirurgien, « comme papa » !

Pour l'instant, ça amusait Jules de simuler des opérations en découpant des corps humains dessinés sur des feuilles de papier, mais dans dix ans, que se passerait-il s'il souhaitait vivre sa vie et non pas celle qu'on lui aurait imposée ?

Ralentissant le pas, elle arriva au deuxième étage. La porte du bureau était entrouverte. Une musique apaisante, profonde, s'en échappait. La chanteuse préférée de son père distillait ses mots emplis de douceur : Zaz.

Louane s'arrêta un instant pour écouter. Elle adorait cette chanson.

Mais si nos mains nues se rassemblent,
Nos millions de cœurs ensemble.

Si nos voix s'unissaient,
Quel hiver y résisterait ?[1]

Comment une chanson pouvait-elle être à ce point en contradiction avec le caractère d'un homme ? Du moins celui qu'il voulait bien montrer. Lorsque, le week-end, son père travaillait de longues heures en musique enfermé dans son bureau, Louane laissait la porte de sa chambre ouverte et elle écoutait. Quelquefois, elle s'amusait à reproduire les mélodies sur sa guitare. Elle se demandait parfois si cette douceur n'était pas la vraie personnalité de son père, et si seul son poste à l'hôpital lui imposait d'être quelqu'un d'autre : dur, directif, presque sans émotions. Ou alors, c'était sa maîtresse qui lui avait fait connaître autre chose que les chants religieux ! Mais, là aussi, Louane ne voyait pas le lien entre le petit Jésus et une chanteuse qui prône toutes les formes de liberté. Pour l'heure, la douceur de Zaz fut de courte durée et la mélodie s'arrêta.

— Louane ! Entre et assieds-toi !

Elle n'en menait pas large, et baissa les yeux pour ne pas croiser le regard de son père. Elle s'assit jambes serrées, les mains sur les genoux, tout entière envahie de petits tremblements de stress. Son père ne disait rien, il attendait sa femme. Louane n'avait toujours pas relevé la tête, elle en était incapable. Elle savait qu'elle avait tort, elle n'avait rien fait au lycée cette année et

1. Zaz, *Si* ; auteur-compositeur : Jean-Jacques Goldman ; album *Recto Verso* ; Warner Music France, 2013.

elle ne méritait pas d'obtenir son diplôme. Elle s'était laissée glisser dans la facilité. Sa mère venait d'arriver, les yeux pleins de larmes.

— Arrête donc un peu de te lamenter ! lui lança son mari.

Le ton était donné. Il allait être difficile pour Louane de négocier son changement d'orientation. Elle pensa que la meilleure stratégie était de le laisser déblatérer son laïus en acquiesçant de la tête. À son retour d'Italie, fin juillet, l'ambiance se serait apaisée et, en pensant très fort aux conseils de Chloé, elle répéterait à ses parents que les matières scientifiques n'étaient définitivement pas faites pour elle et qu'elle avait décidé de s'orienter vers la filière de son choix : l'histoire.

En l'espace de quelques instants, elle venait d'élaborer ce qu'elle croyait être la meilleure approche pour enfin arriver à ce qu'elle souhaitait. Laisser passer l'orage, surtout ne pas réagir aujourd'hui. Dans trois semaines, ce serait plus facile.

Sauf que... rien n'allait se passer comme elle l'imaginait. La surprise allait être totale.

Alors que sa mère continuait à déverser ses sanglots, son père prit la parole.

— Je ne vais pas te faire un long discours, Louane, ça ne servirait à rien.

Le ton qu'il avait employé lui parut étrangement calme, qu'est-ce que cela cachait ? Sa mère s'approcha et posa la main sur son épaule. Décidément, le comportement de ses parents lui semblait inhabituel. Cela n'augurait rien de bon. Son père poursuivit, glacial :

— Tu nous as trahis, tu n'as rien fait et tu nous l'as caché. Tu as pourtant tout pour toi, la vie est facile. Je crois que tu dois apprendre ce qu'est l'existence, la vraie, pas celle des sorties dans les restaurants et les bars bordelais avec des enveloppes d'argent de poche disproportionnées pour quelqu'un de ton âge. Bien évidemment, la voiture que tu devais avoir pour l'obtention de ton bac... Nous sommes d'accord ?

Que pouvait-elle répondre ? Rien, son père avait parfaitement raison. Elle tenta de s'expliquer.

— Oui, mais...

Sa mère serra son épaule pour lui signifier de se taire. Elle savait qu'il était préférable que sa fille ne réponde pas.

— Tais-toi ! ordonna son père avant de reprendre de son ton monocorde. Avec ta mère, nous avons décidé que durant ces vacances tu devais être confrontée à la vraie vie. Donc, pour commencer, l'Italie avec tes copains et tes copines, bien entendu, c'est annulé.

Louane ne put se retenir.

— Maman, non ! lâcha-t-elle en se retournant vers sa mère.

Celle-ci ne répondit rien, elle lui fit signe d'attendre... la suite. Apparemment, les réjouissances n'étaient pas terminées. Louane savait que sa mère n'avait rien décidé du programme que son père lui avait concocté.

Il tendit une enveloppe à sa fille.

— Ouvre-la ! lui ordonna-t-il.

Elle s'exécuta. L'enveloppe contenait deux billets de train pour un aller-retour Bordeaux-Strasbourg et une feuille de papier avec un nom et une adresse.

La stupéfaction passée, Louane leva enfin les yeux.

— C'est quoi, ça ?

— Eh bien, ma fille, c'est ton programme pour les deux mois à venir ! Tu pars dans trois jours pour Strasbourg. J'ai contacté Julien, un copain de promotion, il dirige un établissement de santé. Tu seras affectée à l'entretien des locaux.

Pour atténuer son désarroi, sa mère compléta maladroitement le propos de son mari.

— Je crois que tu serviras les repas également.

Le regard de Louane allait de l'un à l'autre. Elle avait du mal à comprendre ce qui lui arrivait.

Son père lui expliqua tout en détail. Elle ne reviendrait de Strasbourg que la veille de la rentrée scolaire pour redémarrer une année… dans la même filière. Durant son séjour, elle logerait dans un studio accolé à l'établissement de santé.

— Je ne connais pas Strasbourg et puis je… n'ai jamais travaillé.

À peine avait-elle fini sa phrase qu'elle se rendit compte de la bêtise de son propos.

— C'est bien pour ça, Louane. La vie, je t'ai dit, ça t'apprendra la vie ! Et je t'assure que ça ne va pas être facile.

Tout à coup, elle se sentit entourée d'une sorte de brume, elle avait l'impression de vivre un cauchemar. Elle aurait pu tout imaginer, mais ça, jamais. Puis son père porta l'estocade.

— Au fait, mon copain de promotion dirige un établissement pour les patients atteints de la maladie d'Alzheimer : Les Roses-Pourpres.

Louane s'écroula, vaincue.

Adieu la douceur de vivre bordelaise, bonjour le monde des fous !

3

Laurene, être soi-même

Parsemé d'embûches et de souffrances, qu'il est long le chemin pour arriver jusqu'à soi.

Nous sommes tous persuadés que demain, dans quelques mois, un an tout au plus, nous choisirons enfin de vivre ce que nous souhaitons réellement.

Mais combien d'entre nous oseront se poser les bonnes questions, franchir le pas et décider d'être en accord avec leurs aspirations profondes ?

Comme chaque matin, Laurene se rendait à son travail avec Élise, son amie depuis près de trois ans. Durant les trente minutes du trajet qui les conduisait dans le quartier d'affaires de Paris La Défense, elles discutaient et surtout riaient beaucoup.

Laurene appréciait ce moment. Avec Élise, tout semblait facile. Quel que soit le problème qu'on lui soumettait, elle trouvait une solution.

Une fois arrivées sur l'esplanade, les deux amies avaient pris l'habitude de boire un café sur les marches de l'arche lorsque le temps le permettait, ou dans un des nombreux bars alentour quand la météo et ses caprices les obligeaient à battre en retraite.

Élise avait trente-cinq ans. Son mari Guillaume et elle avaient le bonheur d'être les parents d'Eliot, un adorable petit garçon qui commençait à peine à marcher. Malgré sa petite taille, sa coupe à la garçonne et son air timide, Élise était une femme d'affaires efficace et épanouie. Elle occupait le poste de responsable financier dans une des banques du quartier. Le siège social de sa société se trouvait juste en face de la tour Béta-Pharma, du nom de la compagnie pharmaceutique où Laurene officiait en tant que directrice des ressources humaines.

À force de s'agglutiner tous les matins à la même heure devant les portes automatiques de la station Palais-Royal – Musée du Louvre, sur la ligne 1 du métro, elles avaient naturellement sympathisé. Elles échangèrent d'abord quelques mots, puis, quand elles découvrirent qu'elles habitaient dans le même quartier et travaillaient toutes les deux à la Défense, leur proximité ne put que se renforcer. Avec le temps, les deux femmes s'étaient liées d'amitié.

Pour Laurene, ces moments entre filles étaient l'unique parenthèse de détente de la journée. Dès qu'elle quittait Élise, elle plongeait pour plus de dix heures d'activité professionnelle, cinq jours sur sept, sans compter les rapports à finaliser le samedi et souvent le dimanche matin. Les réunions se succédaient à une cadence infernale, parfois sans qu'aucune décision ne soit prise. Puis c'étaient les rendez-vous, où elle devait toujours arborer le plus beau des sourires. Toujours faire bonne figure, même si quelquefois elle se contenait pour ne pas hurler son incompréhension à force de se voir imposer des politiques de gestion du personnel plus incohérentes les unes que les autres.

Mais, en même temps, cette vie lui plaisait. C'était paradoxal, mais c'était ainsi ! Laurene avait besoin de cette adrénaline pour s'épanouir, elle se sentait vivante. Elle aimait le pouvoir et ses avantages. D'une simple signature au bas d'un document, elle décidait de l'avenir professionnel d'une personne, de la réorganisation d'un service ou de l'octroi d'une prime.

Elle occupait un poste où, par définition, son seul souci aurait dû être le bien-être des salariés, alors qu'au contraire elle passait ses journées à suivre les instructions de sa direction dont le seul objectif était de rémunérer grassement les actionnaires. Le social, même à faible dose, avait peu de place ici.

Laurene allait bientôt fêter son trente-neuvième anniversaire. Elle avait réussi de brillantes études, elle était propriétaire d'un superbe duplex au centre de Paris. Son salaire et ses primes étaient plus que confortables, elle faisait partie des cadres qui possédaient des actions de l'entreprise. Elle dépensait sans compter. Elle avait des tas d'« amis » et quelques amants de passage pour occuper ses soirées.

En apparence, la belle vie.

C'est ce que lui répétaient inlassablement ses parents lorsqu'elle allait leur rendre visite dans la maison du Lubéron qu'ils avaient achetée depuis que son père avait pris sa retraite de colonel de l'armée de terre. Pour un militaire, les premiers mois n'avaient pas été évidents. Il avait l'habitude de vadrouiller à travers le monde pour des missions, parfois non officielles, où il était responsable de la vie de dizaines de soldats. La coupure avait été brutale. Passer des zones de combat irakiennes ou libyennes à la taille des rosiers et à l'entretien d'une immense piscine, ça déprime son homme.

Quant à sa mère, elle avait suivi son mari quand c'était possible, mais elle l'avait surtout beaucoup attendu. Elle ne s'en était jamais plainte. Elle exerçait depuis près de trente ans une activité de traductrice free-lance, et son client principal était le ministère des Armées... Son mari, bien sûr. Elle avait toujours organisé son travail en fonction des déplacements de son époux et, lorsque Laurene et son frère étaient plus jeunes, en fonction des contraintes d'une mère de famille. Aujourd'hui, elle acceptait encore quelques contrats pour occuper une partie de son temps libre.

Le père de Laurene ne s'était jamais inquiété de rien à la maison, c'était sa femme qui gérait tout avec douceur et efficacité.

Laurene avait toujours besoin de plus, de mieux, de nouvelles responsabilités... comme son père. Alors que sa mère ne recherchait que le calme et se plaisait à servir les autres et être à leur écoute.

Son père, égal à lui-même, félicitait régulièrement sa fille de son impressionnante ascension professionnelle. Sa mère souriait d'un air entendu, comme si, pour elle, l'essentiel était ailleurs. À chacune de ses visites, elle attendait que Laurene soit seule et lui demandait : « Tu es heureuse ? »

Cette question faisait plaisir à Laurene et, en même temps, l'angoissait terriblement. Elle n'avait jamais su quoi répondre, alors, invariablement, elle se contentait d'un « Oui, maman ». Sa mère avait alors un petit haussement d'épaules, puis repartait vers ses occupations en murmurant : « C'est bien, ma fille. »

Laurene aurait eu envie de lui dire : « Non, ce n'est pas bien ! », mais elle ne l'avait jamais fait. C'était comme ça avec ses parents : on parlait de tout et surtout de rien. Avec son père, les banalités se succédaient et avec sa mère, quand elles évoquaient les sujets sensibles, ce n'était que pour les effleurer. Ne surtout pas troubler l'ordre familial...

À près de quarante ans, on ne remet plus en cause ses parents, ou alors uniquement dans la douleur.

C'était pourtant la décision qu'avait prise son frère Patrick. Son père l'avait inscrit, sans qu'il soit au courant, à l'école des officiers de l'armée de terre, alors que lui ne rêvait que d'une chose : devenir ébéniste. Pour se conformer au désir paternel, Patrick avait tenu trois mois à un régime où l'on transforme les hommes en machines de guerre. Un soir, après s'être enfui de la caserne, il s'était présenté au domicile de ses parents, et c'est là que l'irréparable avait eu lieu. Son père l'avait accueilli en vociférant.

— Espèce de déserteur ! Le responsable de la caserne vient de me prévenir. Tu y retournes, et vite !

Patrick avait répondu dans un gémissement, comme un animal malade à la recherche d'un refuge :

— Mais papa, ce n'est pas pour moi, je suis désolé.

— Alors fous-moi le camp ! lui avait lancé le colonel avec virulence.

Patrick n'avait rien dit, il s'était retourné, courbant le dos, il avait descendu l'escalier de la maison de Courbevoie puis s'en était allé. Sa mère l'avait rattrapé, lui demandant de ne pas trop en vouloir à son père et lui promettant que dans quelques semaines tout rentrerait dans l'ordre. Les « quelques semaines » s'étaient transformées en vingt ans.

Patrick semblait heureux dans cette vie qu'il avait construite avec sa compagne et ses deux filles. Il habitait près de Cahors, dans le Parc naturel régional des Causses du Quercy, où il exerçait sa passion : le travail du bois. Ses clients étaient principalement parisiens ; il leur fabriquait et leur livrait des meubles de luxe. Il venait à Paris régulièrement et, à chacune de ses visites, il déjeunait ou dînait avec Laurene. Une ou deux fois par an, celle-ci se rendait dans « son désert », comme elle se plaisait à le lui répéter pour le taquiner. Au début, ils évoquaient parfois l'incident familial ; désormais, le sujet était presque tabou.

Leur mère était restée en contact régulier avec Patrick. Elle lui rendait visite lorsque son mari était en mission. Depuis que le colonel était à la retraite, c'était plus difficile, alors les appels téléphoniques se multipliaient.

Laurene n'avait jamais voulu choisir entre son père et son frère. C'était leur problème, pas le sien. Elle se disait que, d'une certaine façon, elle s'était lancée à corps perdu dans le boulot en négligeant sa vie personnelle pour épargner son père. Pour qu'il ne « perde » pas ses deux enfants. C'était faux, Laurene le savait. D'une part, Patrick n'avait jamais « abandonné » son père, qui était l'unique responsable de leur brouille. D'autre part, elle s'était jetée dans le travail par goût... Mais elle avait aussi le sentiment de devoir compenser l'absence de son frère.

Sa vie professionnelle était bien remplie, sa vie affective, un désert. Une fois ses dix heures de travail quotidien terminées, Laurene continuait de s'épuiser dans diverses occupations, qu'elles soient sportives, culturelles, amicales ou... intimes.

Elle faisait des dizaines de longueurs à la piscine, elle courait des kilomètres au Jardin d'Acclimatation, faisait partie d'un club de lecture, découvrait toutes les expositions, se bousillait l'épaule à tenter de dompter un violon qui ne voulait pas d'elle. Au moins toutes ces activités avaient-elles un avantage : elle s'était sculpté un corps de rêve, pas une couche de graisse, et avait acquis une culture à faire pâlir une assemblée d'académiciens.

Et lorsque, enfin, elle ne nageait plus, ne lisait plus, ne jouait plus et ne visitait plus... elle chassait ! Elle aimait courir les hommes. Seule. Elle avait ses habitudes dans des boîtes de nuit où les rendez-vous se concluaient aussi vite que l'on déguste une coupe de champagne. Elle pouvait consommer ses conquêtes sur place dans un salon privé ou, si elle souhaitait être plus tranquille, dans la chambre d'un hôtel de luxe proche de l'établissement de nuit. Les hommes qui l'intéressaient ne lui résistaient pas, obéissaient et... ne duraient pas longtemps, elle ne leur en laissait pas le temps. Tous ceux qui avaient tenu plus de quelques jours finissaient par l'angoisser. Le mal-être s'installait et la rupture était inévitable afin qu'elle retrouve sa respiration. Jusqu'au suivant.

Le seul qui lui avait apporté un peu d'oxygène, c'était celui qui avait décidé de partir avant qu'elle le congédie. « Par respect pour ton indépendance maladive », lui avait-il expliqué. Au moins la décision de Raphaël avait-elle eu le mérite de renvoyer Laurene face à ses contradictions, à défaut de la satisfaire.

Même si cela faisait près de huit ans, elle se souvenait du moindre détail de leur liaison. Ils étaient, sur tous les points, les exacts opposés. Elle était hyperactive, c'était un hypercalme. Elle ne se projetait pas dans une vie commune, lui imaginait un long chemin ensemble. Elle repensait souvent à lui lorsque le doute et le cafard frappaient trop fort à sa porte.

Raphaël lui envoyait ses vœux tous les ans dans une enveloppe verte, la couleur des yeux de Laurene, avec une belle écriture douce et arrondie comme avant, quand les hommes prenaient le temps de séduire et ne se satisfaisaient pas d'un SMS pianoté sur l'écran d'un Smartphone. Sans aucun doute une invitation à le recontacter. Elle ne l'avait jamais fait... agissant de la même façon que son père avec Patrick.

Certains appellent cette réaction de la fierté, Laurene estimait que c'était plutôt de la bêtise, mais c'était ainsi, elle ne changerait pas et ne l'appellerait pas. Elle aurait trop peur de plonger dans l'inconnu et de voir ses défenses tomber les unes après les autres.

En fait, Laurene était terrorisée à l'idée d'être elle-même, telle la petite fille qui gambadait dans les prés et riait à en perdre haleine, ne se souciant ni de son image, ni du passé, ni du futur, et qui savait apprécier le moment présent.

Élise avait remarqué que l'esprit de son amie divaguait depuis un moment. Le regard dans le vide, Laurene remuait son café.

— Tu penses à quoi ?

Laurene eut un mouvement de recul, comme si elle se réveillait.

— Euh, rien de précis. Je n'ai pas envie d'aller bosser aujourd'hui, avoua-t-elle en finissant son café déjà froid.

Élise parut surprise.

— Toi, un coup de moins bien, c'est rare, dis-moi !

— Je ne sais pas si ça s'appelle « un coup de moins bien », mais ce plan social à gérer m'a épuisée, lâcha son amie dans une forme de confession.

Un an plus tôt, la direction et les actionnaires de Béta-Pharma avaient décidé de la mise en place d'une « optimisation des effectifs », terme poli et lissé synonyme de « plan social », c'est-à-dire licenciement de personnel.

Depuis plusieurs années, la société dégageait des dizaines de millions d'euros de bénéfices, et le portefeuille de molécules innovantes en phase de développement augurait d'un avenir radieux. Or, c'est souvent dans les moments où tout va bien que les comités de direction prennent des décisions qui pourraient sembler incohérentes, mais qui, en réalité, sont d'une pure logique comptable. N'est-ce pas dans les périodes sans tension que l'on peut plus facilement faire passer les mauvaises nouvelles ? Les financiers l'ont bien compris, ils appellent cela « s'adapter à la réalité du marché ». On rétorquera que, si une entreprise se développe, elle a besoin de tout son personnel, voire plus. Certes. Mais il y a les « vieux », les cinquantenaires, qui ont souvent de gros salaires, alors qu'un trentenaire sera à la fois plus « dans le coup » et moins gourmand. Il y a les consciencieux, qui font bien leur boulot mais sans plus, et n'ont pas la fibre « entreprise ». Il y a ceux qui s'absentent trop souvent, fussent-ils malades... Bref, il ne s'agit pas de faire des licenciements « économiques », puisque l'entreprise va bien, mais d'économiser des sous qui permettront, d'ailleurs, d'engager des employés supplémentaires au besoin. Bref, c'est une bonne œuvre.

Mais qu'importaient les questions que se posait Laurene sur la nécessité de ce plan social : en tant que directrice des ressources humaines, elle avait pour mission de le mener à son terme avec efficacité et sans mouvements sociaux. Elle réalisa ces objectifs avec brio. Quelques remarques de la part des syndicats, mais rien de plus. La crainte d'une grève qui aurait été du plus mauvais effet s'effaça rapidement devant les primes de départ non négligeables proposées au personnel qui souhaitait quitter l'entreprise. On appelle cela un « plan de départ volontaire ». Il n'avait de volontaire que le nom. Les salariés connus pour être les moins productifs prenaient le risque, s'ils n'acceptaient pas la proposition, de moisir le reste de leur carrière au fond d'un placard ou, pire, de se voir, le jour où les bénéfices ne seraient plus au rendez-vous, proposer la porte sans aucune prime, juste avec les indemnités légales.

L'objectif de la direction était très précis : réduction de l'effectif de 420 salariés, 80 au siège de la Défense et 340 sur les sites de recherche et de production français. Quelques cas furent plus ardus à traiter que les autres. Certains firent monter les enchères pour obtenir quelques dizaines de milliers d'euros supplémentaires. L'enveloppe dont disposait Laurene lui permit, après parfois de longues semaines de négociations, de boucler ce plan social avec deux mois d'avance sur le calendrier initialement prévu.

— C'est normal que tu te sentes fatiguée, tu as passé des mois là-dessus. Mais si j'ai bien compris, c'est une réussite, non ?

Laurene ne pouvait que confirmer les propos de son amie.

— Oui, d'ailleurs, ce soir, c'est champagne et petits-fours à l'étage de la direction.

— Ouh là là, la prime que tu vas toucher ! Combien de zéros sur le chèque ? plaisanta Élise.

Laurene n'aimait pas se poser trop de questions. Son vague à l'âme s'envola peu à peu et le naturel revint à grands pas.

— Yes ! Un truc de fou, ma belle !

— Si tu en as trop, n'hésite pas. Depuis l'arrivée d'Eliot, on aimerait bien changer d'appartement avec Guillaume. Si tu pouvais le financer…

Elles partirent dans un grand éclat de rire avant de se souhaiter une bonne journée et de se diriger vers leurs bureaux respectifs.

En traversant l'esplanade de la Défense, Laurene leva les yeux vers le ciel : le temps était magnifique, le soleil avait eu raison de la pollution et de la grisaille matinale. Elle était à peine sortie de l'ascenseur du dixième étage que Caroline, son assistante, l'interpellait.

— Bonjour, Laurene, il faudrait que je vous parle. C'est urgent !

Laurene continua tranquillement à se diriger vers son bureau. Ses talons claquaient sur le parquet vitrifié du couloir.

— Écoutez, Caroline, ce soir nous fêtons la réussite du plan social, alors, de grâce, retirons pour une fois le mot « urgent » de notre vocabulaire !

Tout en déposant son sac à main et sa veste sur le portemanteau, Laurene remarqua le visage soucieux de son assistante, qui se tenait devant elle, serrant un énorme dossier contre sa poitrine.

— M. Leicester m'a demandé d'ajouter un rendez-vous à votre planning de demain, lui dit-elle simplement.

David Leicester était le P-DG du groupe Béta-Pharma, et depuis cinq ans qu'il occupait ce poste, c'était la première fois qu'il imposait un rendez-vous à Laurene sans lui demander au préalable si elle était disponible. Cela n'augurait rien de bon. Cette journée, sans aucun doute, n'allait pas se dérouler comme elle l'avait imaginé.

— Quel rendez-vous ? fit-elle en allumant son ordinateur.

— Eh bien, comment vous dire... Il souhaiterait que vous rencontriez Mme Almera demain à 10 heures.

L'esprit de Laurene se mit instantanément en mode « recherche ». Elle connaissait ce nom, mais il s'agissait de M. Almera, qui avait été l'un des cas les plus difficiles à résoudre dans le cadre du plan social. Elle demanda quelques précisions.

— M. Almera ? Il a besoin de documents ou... ?

Caroline l'interrompit.

— Non, sa femme.

Laurene ne put cacher sa surprise.

— Sa femme ?

Hector Almera était employé au service comptabilité depuis plus de vingt ans. Laurene connaissait parfaitement son dossier. Ç'avait été l'un des derniers à être validés par les deux parties. Sa prime de départ associée à ses indemnités légales représentait une des sommes les plus élevées des 420 cas qu'elle avait eu à traiter. Elle se souvint de l'avoir reçu à trois reprises. À chaque rendez-vous, elle lui proposait une rallonge sur ses indemnités, ce qu'il acceptait, mais Laurene avait l'impression qu'il attendait autre chose, une forme de reconnaissance qu'aucune liasse de billets n'aurait pu compenser.

C'était un homme d'une cinquantaine d'années. Son dos était voûté et il marchait doucement, conséquence d'un accident de la circulation qui lui avait laissé des séquelles. Cela ne l'empêchait en aucun cas d'être efficace dans son travail et d'atteindre ses objectifs avec le plus grand sérieux. Depuis son accident, il s'était enfermé dans une forme de déprime chronique et les contacts avec ses collègues de travail s'étaient peu à peu réduits.

En tant que directrice des ressources humaines, Laurene était bien placée pour savoir qu'un service dans une entreprise fonctionnait comme une meute, avec ses règles, ses dominants, ses dominés, et les suiveurs qui veulent être tranquilles et se laissent porter par le mâle dominant. Il y a aussi les animaux malades ou fatigués qui sortent de la colonne et ne peuvent plus suivre le groupe. Leurs faiblesses peuvent parfois mettre en péril la survie des autres. La comparaison est osée, mais l'être humain réagit parfois comme un animal dans une meute. À une différence près : dans une équipe, la survie de la meute n'est jamais engagée, même s'il y a un maillon faible. Et pourtant, les faibles et les malades sont exclus ! C'était ce qui était arrivé à M. Almera.

— Oui, sa femme !

— Elle vient avec lui au rendez-vous ? L'état de santé de son mari a empiré ?

Caroline paraissait de plus en plus embarrassée.

— Vous devriez vous renseigner auprès de M. Leicester, je crois que ce serait mieux, dit-elle avant de disparaître.

Laurene se cala au fond de son fauteuil, perplexe. Sans attendre, elle se saisit de son téléphone.

— Bonjour, monsieur Leicester. C'est Laurene.

— Merci de votre appel. Caroline vous a mise au courant, je suppose ?

Laurene lui fit part de sa surprise.

— Elle m'a signifié un rendez-vous demain avec Mme Almera. Il n'y a pas de problème, je vais la recevoir, mais je ne comprends pas…

Il lui coupa la parole.

— Écoutez, Laurene, vous avez mené de main de maître ce plan social. Et d'ailleurs, comme vous le savez, ce soir vous serez un peu la reine de la fête.

— Euh, oui, acquiesça-t-elle, toujours aussi perplexe.

Il poursuivit :

— J'ai essayé de vous joindre hier soir, mais vous deviez être occupée. Nous avons un problème !

— Désolée, je... j'étais à... un repas de famille.

Beau mensonge : un de ses errements nocturnes s'était terminé au milieu de la nuit.

Il répéta :

— Nous avons un problème ! Mais je ne doute pas que vous allez régler cela avec efficacité et rapidité comme à votre habitude.

— Quel genre de problème, monsieur ? s'autorisa-t-elle.

Leicester n'eut aucune hésitation.

— Eh bien, M. Almera s'est donné la mort la semaine dernière.

Elle ne put retenir un hoquet de stupeur et ravala sa salive avant de répondre :

— C'est horrible ! Que s'est-il passé ?

— Il a laissé un mot expliquant que Béta-Pharma était sa deuxième famille et qu'il ne se sentait plus utile à rien... etc., etc. Enfin, le jargon habituel dans ces cas-là.

— Mais pourquoi ? balbutia Laurene.

Sûr de lui, le P-DG reprit d'une voix ferme et calme :

— Peu importe pourquoi, Laurene. Sa femme a souhaité vous voir et j'ai pensé que ce serait bien de la recevoir. Je ne veux aucune vague concernant ce « problème ». La société ne peut se permettre ce genre de publicité.

Laurene hésitait, tentant de réorganiser ses idées à la suite de cette triste et brutale annonce.

— Oui…

— Bien évidemment, ce malheureux incident ne peut être dû qu'à des problèmes personnels ou familiaux. Vous avez toute latitude pour faire en sorte que cette affaire ne s'ébruite pas, Laurene. Je compte sur vous !

— Euh… Toute latitude ? Que voulez-vous dire ?

— Financière, affirma-t-il.

— Évidemment.

— Vous me tiendrez au courant. Et n'oubliez pas : ce soir, 19 h 30.

Elle ne put que lâcher un simple « Bien sûr, monsieur ».

Laurene raccrocha et resta un moment la main sur le combiné. Elle se demandait si la discussion qu'elle venait d'avoir avait vraiment eu lieu ou si c'était un cauchemar. Son président lui demandait d'acheter le silence de Mme Almera ! Après avoir fait des chèques pour voir disparaître plus de 400 personnes, elle devait désormais négocier le prix de la mort d'un homme dont elle n'avait pas su évaluer le mal-être.

Laurene devait également cautionner l'hypocrisie d'un système. Car comment pouvait-elle croire que la détresse de cet employé n'était pas totalement ou partiellement liée à son licenciement ? Cet homme, sans l'exprimer clairement, avait hurlé son malheur, et elle n'avait rien entendu.

Pourtant, en tant que directrice des ressources humaines, si quelqu'un devait connaître le fonctionnement des êtres humains en entreprise, ce devait être elle. Quel gâchis !

Laurene passa la matinée à expédier les affaires courantes ; elle n'avait pas l'esprit à se concentrer sur les dossiers en attente. Elle rouvrit seulement celui d'Hector Almera en tentant de se persuader que si elle n'avait rien vu, c'était... qu'il n'y avait rien à voir. Elle essayait de se défausser de la moindre responsabilité dans l'acte solitaire et désespéré de cet homme, père de deux enfants. Elle découvrit plusieurs certificats médicaux attestant son handicap et la souffrance physique que cela lui occasionnait.

En fin de matinée, Laurene demanda à Élise de déjeuner avec elle. Elle lui raconta tout, déballant ses tourments dans le désordre. Élise comprit que son amie avait envie de vider son sac et la laissa parler sans demander de précisions. Elle l'assura de son soutien et lui fit promettre de l'appeler si elle en ressentait le besoin.

Le reste de la journée, pensant à la fête qui se préparait, Laurene ne put se concentrer. Elle n'avait pas envie d'y assister, mais que pouvait-elle faire d'autre que simuler sa satisfaction de la fin du plan social et de... sa pleine réussite ?

Laurene farfouillait dans son bureau à la recherche de quelque chose qui lui occuperait l'esprit et l'éloignerait de cette idée obsédante qu'elle avait sans aucun doute fait une erreur. Tout à coup, elle tomba, sous une pile de dossiers, sur une enveloppe vert clair à l'écriture arrondie. Raphaël, bien sûr !

Elle sourit en pensant que chaque année elle conservait son dernier envoi et détruisait le précédent. Pour la première fois, elle n'avait plus envie de résister à l'envie de l'appeler. Après tout, s'il lui envoyait régulièrement ses vœux, c'était assurément dans l'espoir qu'elle le contacte…

Sûre d'elle, elle composa les dix chiffres de son numéro de téléphone. Elle n'avait aucune idée de ce qu'elle allait bien pouvoir lui dire, mais elle improviserait. Sept sonneries, puis la messagerie, une voix de petite fille : « Vous êtes bien sur le portable de mon papa, Raphaël Brelin. Il n'est pas disponible, laissez-lui un message. À bientôt. »

Laurene était assise, heureusement ! Les émotions, pour aujourd'hui, ça suffisait ! Elle raccrocha en se jurant de ne plus chercher à le joindre. Elle le savait, si elle faisait un peu plus attention aux autres et à leurs vies, tout cela n'arriverait pas. Ce soir, elle noierait tout ce dégoût d'elle dans des bras inconnus sur le canapé d'une alcôve d'un club privé. Ça, au moins, elle savait faire.

19 heures. Laurene finissait de relire le dossier d'Hector Almera. Elle désirait tout savoir

de cet homme avant son rendez-vous du lendemain avec sa femme. Caroline, à travers la vitre du couloir, lui fit signe qu'il était l'heure de la « fête ».

Elle monta avec elle dans l'ascenseur. Et quand son téléphone sonna, elle ne fit pas attention au numéro qui s'affichait, pensant que c'était Élise qui souhaitait prendre de ses nouvelles.

— Allô...

— Bonjour, je suis Raphaël Brelin. Vous avez tenté de me joindre en début d'après-midi.

Son cœur s'affola, elle manquait d'air. La porte de l'ascenseur s'ouvrit, l'ensemble du personnel des services de direction s'impatientait. De loin, M. Leicester, une coupe de champagne à la main, lui fit signe de s'avancer. Le portable collé à l'oreille, elle était pétrifiée. Caroline l'attendait pour se diriger vers la salle de réunion.

— Allô, vous m'entendez ? insista Raphaël.

Laurene tenta de se reprendre. Prétextant un appel important de ses parents, elle fit comprendre à Caroline qu'elle avait besoin d'être seule. Elle n'avait toujours pas dit un mot.

— Allô, répéta Raphaël.

— C'est Laurene, lui murmura-t-elle d'une voix timide, presque enfantine.

Un instant de silence.

— Laurene... Je ne m'attendais pas...

— Moi non plus.

Elle se mit à rire devant la bêtise de sa réponse.

— Tu as enfin trouvé mon numéro ? ironisa-t-il, calme et sûr de lui, comme… avant.

Laurene se détendait, même si sa réponse fut minimaliste.

— Oui.

— Et tu désirais me parler pour quel motif ?

Caroline, qui s'était un peu éloignée, l'observait avec insistance, l'assemblée l'attendait. Elle se devait de trouver rapidement les mots.

— Je suis désolée Raphaël, on m'attend. En fait… je t'appelais car j'avais envie de te voir, tout simplement.

Au moins, c'était dit.

— Comme toujours.

— Pardon ?

— Comme toujours, tu es attendue.

Les années qui passent n'effacent pas les sales habitudes. Il l'avait quittée parce qu'elle n'était pas assez disponible. Et il la retrouvait inchangée.

« Quelle journée de merde ! », pensa-t-elle.

— Je pars… pour une réunion.

Posément, il poursuivit :

— Une réunion à 19 h 30 ?

C'était vraiment foutu. Elle ne pouvait lui offrir que ce qui l'avait fait fuir huit ans auparavant. Elle abdiqua.

— Excuse-moi, Raphaël, c'était une mauvaise idée. Je vais te laisser. Merci de m'avoir rappelée et… ça m'a fait plaisir de t'entendre…

— Ta réunion, elle se termine à quelle heure ?

Sa question la surprit. Elle hésita… et bafouilla bêtement :

— Euh... Je ne sais pas.

— Comment ça, tu ne sais pas ? Et si je t'attends dans une heure en bas de ta tour ? Tu travailles toujours chez Béta-Pharma ?

Caroline s'impatientait et lui faisait de grands signes. Laurene se mit à sourire ; Raphaël souhaitait la revoir.

— Oui. Et toi, tu habites toujours à Paris ?

— J'ai déménagé plusieurs fois, actuellement j'occupe un studio proche de la mairie de Neuilly. Tu vois, je ne suis pas loin.

Elle ne put cacher sa surprise.

— Un studio, mais ta fille... Excuse-moi, je suis indiscrète.

— Comment sais-tu ?

— Le message sur ton répondeur.

— Ah oui, évidemment. Lina est chez sa mère cette semaine. Dans une heure, c'est bon ?

Un large sourire éclaira le visage de Laurene.

— Bien sûr ! À tout à l'heure.

— Très bien. 20 h 30 devant l'entrée, face à l'esplanade. Je t'embrasse.

Il raccrocha.

Laurene put enfin se diriger vers la salle de réunion où l'équipe dirigeante de Béta-Pharma l'attendait. La conversation avec Raphaël lui fit presque oublier qu'elle était en train de fêter la « réussite » d'un plan social qui avait indirectement provoqué la mort d'un homme. Après plusieurs coupes de champagne et quelques petits-fours, elle se détendit. L'effet de l'alcool lui provoqua un léger vertige. Laurene aimait cet état où, après de longues heures de stress, le corps et l'esprit lâchent prise. Même si le bien-être est passager et artificiel, ça permet d'oublier ses soucis. Et aujourd'hui, à cet instant précis, c'était le principal.

4

L'improbable rencontre

Les rencontres les plus improbables sont celles qui nous apportent la surprise de l'inattendu.

Nos vies s'en trouvent chamboulées, nos certitudes d'hier s'envolent pour faire place à un flot de questions qui nous poussent vers l'avenir.

Commence alors le cheminement qui nous amènera à l'endroit exact où nous devons être.

— Bonjour, madame. Excusez-moi, mais je dois récupérer votre plateau. Vous avez terminé ?

Affalée dans son fauteuil, le regard perdu devant l'écran de télévision, Louise ne réagissait pas. Une immense détresse paralysait son visage sans expression. Ses traits étaient tirés et sa chevelure grisonnante mal coiffée ne faisait que renforcer cette tristesse qu'elle affichait depuis son arrivée aux Roses-Pourpres.

Louane s'approcha, hésitante, et constata que Louise n'avait pas touché à son repas.

— Vous n'avez pas faim ? Peut-être souhaitez-vous que je repasse un peu plus tard ? Je vais m'occuper des autres chambres. Je reviens.

D'un simple clignement des yeux, Louise accepta la proposition de Louane qui se dirigeait vers le couloir où Mme Elmic, la responsable de l'unité, l'interpella.

— Tout va bien ?

— Ça va, répondit Louane sans conviction.

— Vous n'avez pas l'air sûre de vous, lui fit remarquer Mme Elmic. Vous préférez travailler en salle ou dans les chambres ? Je dois connaître votre réponse avant ce soir. Demain, les plannings seront figés jusqu'à la fin du mois de juillet.

— Je vais réfléchir ; je ne sais pas trop. Depuis que je suis ici, j'ai travaillé deux jours au réfectoire et uniquement depuis ce matin dans les chambres. Ce n'est pas évident.

— Avant ce soir ! À vous de voir, confirma la responsable.

— Très bien, répondit docilement Louane.

Dès son arrivée à Strasbourg, le changement l'avait terrassée. Sa vie confortable de lycéenne était bien loin. Les deux premiers soirs, elle les avait passés à déprimer dans le studio qui lui était réservé. Ces quinze mètres carrés qui allaient devenir son refuge durant les deux prochains mois étaient accolés au bâtiment sécurisé des personnes atteintes d'Alzheimer avancé. Lorsque le jour s'effaçait, malgré l'imposante épaisseur des murs, Louane percevait les plaintes des résidents. Cela la terrifiait d'entendre des êtres humains gémir comme des animaux pour exprimer leurs angoisses.

Elle avait été affectée au ménage des parties communes et au service des repas dans l'aile occupée par les malades présentant un Alzheimer débutant. Chaque patient était régulièrement évalué et la limite entre les deux mondes dépendait de la décision d'un médecin, sans possibilité de retour.

« La vraie vie », lui avait dit son père. Effectivement, elle la prenait en pleine figure, la vraie vie ! Jusqu'à présent, son existence avait été facile et elle n'imaginait pas subir un tel décalage en l'espace de quelques jours.

Ses amis lui manquaient, ils étaient loin et préparaient leur départ pour l'Italie. Même si c'était interdit, elle envoyait quelquefois des SMS à Chloé pendant sa journée de travail. Les deux premiers soirs, elle lui téléphona pendant plus d'une heure.

Louane était totalement perdue dans une ville qu'elle ne connaissait pas, face à la maladie et la folie. Certains résidents la terrorisaient, ils faisaient parfois preuve de violence verbale. Elle n'osait plus croiser leur regard et baissait la tête chaque fois qu'elle était dans l'obligation de les approcher. Elle avait peur, elle ne savait pas si elle allait pouvoir supporter pendant deux mois ce traitement de choc imposé par son père.

Les règles de communication avec sa famille avaient été établies avant son départ. Elle avait appelé sa mère pour lui assurer qu'elle était bien arrivée à Strasbourg et qu'elle avait vu Julien, directeur de l'établissement et copain de promotion de son père. Celui-ci lui avait expliqué ce qu'il attendait d'elle. Louane avait pu échanger quelques mots avec son jeune frère Jules, qui s'était mis à pleurer en entendant la voix angoissée de sa sœur. Désormais, les appels seraient uniquement hebdomadaires, le samedi en fin d'après-midi. C'était la règle, elle devait s'y conformer.

Depuis trois jours, elle avait l'impression de vivre dans un monde parallèle où la logique n'avait plus sa place. Un simple geste, une simple parole parfaitement anodine pouvaient provoquer des réactions inattendues chez certains malades. Parfois, dans les couloirs, elle voyait déambuler de véritables zombies assommés par des doses massives de tranquillisants. Elle s'en était inquiétée auprès de Mme Elmic, qui lui avait assuré que les patients avec lesquels elle était en contact ne présentaient aucun danger. Sa responsable lui avait conseillé de faire son travail sans se soucier des résidents, et de profiter de ses soirées et jours de liberté pour découvrir la beauté de la ville de Strasbourg et de sa région.

Pour l'instant, Louane n'avait même pas l'opportunité de communiquer avec des personnes de son âge. Elle était la seule lycéenne ou étudiante présente pour la période des vacances, car travailler dans ce type d'établissement nécessitait une formation particulière. Pour satisfaire le père de Louane, le directeur était passé outre à cette obligation et avait pris personnellement la responsabilité d'employer une jeune fille qui ne possédait pas les compétences requises pour occuper un tel poste. Il avait demandé à Mme Elmic de veiller sur elle et de le prévenir en cas de problème.

Louane avait fini de débarrasser les plateaux des résidents restés dans leurs chambres pour le déjeuner. Comme elle le lui avait proposé, elle revint voir Louise. Elle frappa à la porte et s'avança doucement. Les rideaux étaient tirés. Dans la pénombre, elle ne remarqua pas que la vieille dame s'était assoupie.

— Je dois débarrasser votre plateau. J'espère que vous avez pu manger quelque chose…

Surprise, Louise sursauta.

— Excusez-moi, fit Louane, confuse.

Elle se dépêcha de passer un coup d'éponge sur la table. Elle ne pensait qu'à une chose : sortir au plus vite de la chambre pour ne pas provoquer de réaction d'agressivité à la suite de sa bourde. Elle se saisit du plateau et se dirigea vers le couloir sans se retourner. C'est alors que Louise l'interpella d'une voix posée.

— Ce n'est pas grave, mademoiselle, je ne dormais pas.

— Je suis désolée, répéta Louane, toujours aussi craintive.

Elle s'arrêta et resta plantée au milieu de la chambre, ne sachant que faire. Louise remarqua que ses mains tremblaient.

— C'est gentil.

Louane, surprise par ce compliment, balbutia une incompréhensible réponse.

— Oui... Euh... Merci...

— Merci de vous inquiéter de mon appétit.

— C'est normal, madame...

— Non, c'est nouveau. Ça fait quinze jours que je suis ici et c'est bien la première fois que l'on se soucie de ce que je mange... ou de quoi que ce soit, d'ailleurs.

Sa voix était douce et incita Louane à se retourner. Les muscles de ses avant-bras commençaient à se tétaniser, elle posa le plateau sur le rebord du lit.

— Deux semaines ? Je pensais que ça faisait plus longtemps que vous étiez là.

— Ah bon ? Et pourquoi dites-vous cela ?

— Non rien, mais... vous êtes enfermée dans cette chambre... Je pensais que... Non, excusez-moi, je dis des bêtises.

— Vous pensiez que j'avais le cerveau un peu trop ramolli et que je ne parlais plus, fit Louise en imitant un robot balançant la tête d'avant en arrière.

Louane eut envie de rire mais n'osa pas.

— Oh, ne vous retenez pas, mademoiselle ! J'ai tellement besoin d'entendre quelqu'un plaisanter.

Toujours sur la défensive, la jeune fille s'excusa de nouveau.

— Désolée, je dois rapporter votre plateau en cuisine et je suis déjà en retard.

— Bien sûr, fit Louise. Je ne voudrais pas vous créer d'ennuis.

— Bonne journée, madame.

Alors que Louane était déjà dans le couloir, Louise l'interpella.

— Dites-moi, ça ne me regarde pas, mais vous êtes bien jeune pour travailler ici ?

Louane déposa le plateau sur le chariot, puis revint sur ses pas et répondit :

— Je suis lycéenne. Je suis ici pendant les deux mois de vacances pour... me faire de l'argent de poche.

Louise fit une moue dubitative.

— Eh bien, dites-moi, vous auriez pu choisir une activité plus tranquille !

— C'est vrai, fit Louane en haussant les épaules, au bord des larmes.

Remarquant son désarroi, Louise eut pour la première fois depuis son arrivée le sentiment d'avoir en face d'elle un être humain capable d'exprimer des émotions.

— Ne vous inquiétez pas, jeune fille, deux mois, ça passera vite, vous verrez.

Louane osa enfin lever les yeux.

— Merci.

— Merci de quoi ? s'étonna Louise en se levant de sa chaise.

— Je ne sais pas, je suis un peu perdue depuis mon arrivée...

Louise accompagna Louane jusqu'au bout du couloir, devant l'ascenseur conduisant aux cuisines. Alors que les portes venaient de s'ouvrir, d'un ton triste et résigné, elle avoua :

— Moi aussi, je ne sais pas ce que je fais ici. Ce sont mes enfants qui ont décidé. Il paraît que c'est mieux pour moi.

Louane ne savait pas quoi répondre.

— Ah... À demain.

— Oui, à demain, dit Louise avant de regagner sa chambre et sa solitude.

Depuis que ses enfants l'avaient installée aux Roses-Pourpres, il n'avait pas fallu bien longtemps à Louise pour comprendre ce qu'allait devenir son quotidien. Elle faisait partie des résidents les plus autonomes et toutes ses tentatives de communication avec les autres pensionnaires s'étaient soldées par un échec. Elle avait alors préféré se recroqueviller sur elle-même. Elle ne déjeunait plus dans le réfectoire et restait seule dans sa chambre, à dormir, déprimer et griffonner sur son carnet où elle notait toutes ses occupations, même les plus anodines, de peur d'oublier.

Louise avait cru intégrer une maison de retraite spécialisée, comme le lui avaient assuré ses enfants. En fait, elle se rendit rapidement compte qu'elle était dans l'antichambre de la folie. Elle avait accepté à contrecœur de quitter son domicile, et elle s'était rangée à l'avis de ses enfants car elle pensait trouver aux Roses-Pourpres de l'écoute, de l'échange et des activités qui stimuleraient sa mémoire défaillante.

Au lieu de cela, elle se retrouvait dans un environnement qui ne pouvait que précipiter la dégradation de son état. L'unique activité qui lui était proposée consistait à participer à des discussions de groupe animées par une jeune femme, certes charmante et pleine de bons sentiments, mais qui ne savait que faire devant les symptômes déjà sévères que présentaient la plupart des résidents. Comme pour le réfectoire, Louise avait préféré ne plus y aller. Le regard éteint des autres pensionnaires, les discussions qui n'avaient ni queue ni tête, l'impossibilité d'un échange « normal » avaient eu raison de sa volonté.

Paul continuait d'appeler sa mère tous les jours comme avant. Il s'inquiétait sincèrement de son état. Louise sentait poindre, dans les propos de son fils, un immense sentiment de culpabilité. Marie, elle, paraissait plus soulagée qu'inquiète.

Dès qu'elle avait appris que sa mère avait été admise dans l'établissement de Strasbourg, Marie s'était arrangée pour organiser la signature chez le notaire de la promesse de vente de la maison de famille de son père à Belkangffolsheim.

Quelques jours après le décès d'André, ses voisins avaient fait part de leur désir d'acheter cette maison pour y aménager des chambres d'hôtes. Les touristes sont nombreux dans la région, surtout en période estivale, c'était pour eux l'opportunité d'agrandir leur offre d'hébergement. Marie, en moins de trois semaines, s'était démenée pour que la transaction puisse avoir lieu le jour de l'admission de sa mère. Après la signature du compromis, Marie eut le culot de proposer de déjeuner dans un restaurant de la vieille ville, ce que refusa Louise. Pour elle, il n'y avait rien à fêter. Vendre cette maison, c'était comme perdre une deuxième fois son André.

La véranda dont rêvait Marie prendrait place sur son immense terrasse avant la fin de l'été. Quant à Paul et sa compagne, ils allaient enfin pouvoir ressortir du tiroir le dossier d'agrandissement de leur maison. Louise, elle, n'avait plus de projets : elle rentrait l'après-midi même aux Roses-Pourpres.

Si elle était restée à Sochaux, la somme qui lui revenait aurait permis de financer une aide à domicile comme elle l'avait imaginé.

Comment avait-elle pu céder aussi facilement aux exhortations de ses enfants ? Il est vrai que l'enterrement de son mari l'avait bouleversée. Et puis il y avait cette terreur de l'évolution de sa maladie. Il lui aurait fallu avoir quelqu'un à demeure, et encore... Qui peut prévoir les lubies d'une alzheimérienne en pleine nuit ? Elle se serait mise en danger : Marie n'avait pas ménagé ses prédictions néfastes...

De toute façon, désormais, il était trop tard. Louise avait accepté de quitter la maison qu'elle louait avec son mari depuis près de vingt ans. Elle n'avait pu conserver comme souvenirs qu'une armoire, une commode, sa télévision, une table, le fauteuil d'André, quelques bibelots et ses albums photos. Le résumé d'une vie peut parfois paraître dérisoire. Lorsque Louise vit la camionnette de déménagement se garer devant chez elle avant son départ de Sochaux, elle eut un pincement au cœur. Cette vie, qu'elle avait toujours pensé bien remplie, tenait dans une camionnette d'à peine dix mètres cubes. Le choc fut rude.

Aux Roses-Pourpres, les jours défilaient, inlassablement identiques. Louane tentait de faire de son mieux le travail qui lui était confié, mais son stress ne faisait que s'amplifier. Ses seuls instants de répit, elle les passait le soir, le long des quais, dans les ruelles de la vieille ville et dans le quartier de la Petite France. Grâce à l'animation qui régnait dans les rues, les restaurants et les bars bondés, elle retrouvait, le temps d'une soirée, une normalité qui l'apaisait quelques heures.

Depuis son arrivée à Strasbourg, elle devait supporter de très longs moments de solitude. Elle n'avait connu que l'insouciance d'une enfance et d'une adolescence faciles, et ne s'était jamais réellement posé de questions sur sa vie. Désormais, elle se retrouvait confrontée à des questionnements qui ne faisaient que renforcer ses doutes et son angoisse. Louane tentait par tous les moyens de faire fuir ce tournoiement incessant qui envahissait son esprit. Elle s'épuisait dans son travail, pensant, bien maladroitement, que la fatigue ferait taire cette petite voix qui ne cessait de la hanter.

Ses amis étaient désormais en Italie. Elle pleurait en découvrant sur son portable des photos de sa bande de copains installés à un café de la place Saint-Marc à Venise ou tentant de redresser la tour de Pise dans des positions plus improbables les unes que les autres. Remy, son petit ami, était du voyage ; il ne lui avait envoyé que quelques messages d'une affligeante banalité. Louane savait qu'il se forçait, elle avait admis que Remy ne représentait rien pour elle. Seules trois personnes lui manquaient terriblement : Chloé, sa complice de toujours, Jules, son petit frère qu'elle aimait tant, et sa mère, qu'elle sentait profondément triste à chaque appel.

Quelques jours après leur première rencontre, un rituel s'était instauré entre Louane et Louise. À la fin de son service, Louane passait chercher dans sa chambre la vieille dame, qui l'attendait impatiemment. Elles allaient marcher dans le parc. Une dizaine de minutes au début, mais à mesure que les jours défilaient, leurs promenades s'étirèrent progressivement pour durer jusqu'au repas du soir.

Elles déambulaient dans les allées ou s'asseyaient sur un banc. Quelquefois, leurs rires venaient rompre le silence pesant des résidents qui marchaient au ralenti dans les allées.

Si, au départ, Mme Elmic n'en avait pas fait la remarque à Louane, un soir, elle prit la décision de la mettre en garde.

— Vous semblez prendre vos marques, Louane, c'est bien.

— C'est un travail difficile, mais j'essaie de faire de mon mieux.

— Je souhaiterais vous parler. Vous avez quelques minutes à me consacrer ?

— Bien sûr, mais qu'y a-t-il ? Quelque chose que je n'ai pas bien fait ? Un résident s'est plaint, peut-être ? Vous savez, ils sont difficiles... et puis...

Mme Elmic saisit son avant-bras pour arrêter le flux de ses paroles.

— Tout va bien, Louane, je vous assure. Votre travail est parfait. Mais comment vous dire...

Elle hésita, cherchant les mots les plus justes. Elle voyait les mains de Louane trembler légèrement.

— Je vous écoute, murmura la jeune fille, prête à entendre les remontrances de sa responsable.

— Eh bien, j'ai remarqué que vous passiez beaucoup de temps avec la résidente de la chambre 27.

— Louise ?

— Oui, Mme Dupré.

Louane parut plus surprise qu'inquiète.

— Elle s'est plainte ?

— Venez vous asseoir dans mon bureau, proposa sa responsable.

Les mains posées sur ses genoux, Louane attendait que Mme Elmic poursuive.

— Je crois que vous devriez prendre vos distances et ne pas passer trop de temps avec un résident en particulier.

Tout en fronçant les sourcils, Louane eut un mouvement de recul et se colla au dossier de la chaise.

— Mais pourquoi ?

— Vous avez dû constater que Louise Dupré était une des résidentes les plus autonomes et qui présentaient le moins de symptômes. Mais Alzheimer est une maladie complexe et insidieuse, vous devez faire attention. Les patients peuvent parfois paraître psychologiquement sains, alors qu'ils ont sombré dans leur monde. Je ne voudrais pas qu'elle vous y entraîne.

Une nouvelle fois, Louane ne put cacher son étonnement.

— Mais… Louise est parfaitement normale.

Mme Elmic grimaça. Louane poursuivit :

— C'est vrai, quelquefois elle oublie ce qu'elle m'a dit la veille ou peut aussi chercher ses mots. Elle ne quitte pas son carnet où elle note tout, mais ça ne va pas plus loin. Je lui rappelle simplement où elle en était de son récit, et tout redevient clair dans son esprit.

— Jusqu'au prochain trou de mémoire.

— Euh… oui.

— Faites attention, Louane. Vous avez déjà à supporter des patients qui vous renvoient à ce que nous fuyons tous : la dépendance et la folie. Je ne voudrais pas que vous basculiez dans les délires de Mme Dupré.

Pour la première fois depuis son arrivée, Louane s'insurgea.

— Mais enfin, Louise ne délire pas du tout ! Tout ce qu'elle me dit est d'une parfaite logique.

— Vous avez pu le vérifier ?

— Non, bien sûr, mais pourquoi voulez-vous qu'elle me mente ?

Mme Elmic se leva ; elle avait un rendez-vous.

— Elle ne vous ment pas, bien évidemment, puisqu'elle croit que ce qu'elle vous dit est la vérité. Je vous laisse, je dois recevoir un fournisseur pour les nouveaux lits médicalisés. Faites attention à vous !

Louane resta assise dans le bureau encore quelques instants, dubitative.

« Eh ben, elle ment sacrément bien alors ! », pensa-t-elle.

La pendule du long couloir indiquait 17 h 30. Comme tous les jours, Louane poussa la porte de la chambre de Louise.

— C'est l'heure. Allons-y, il fait un soleil magnifique ! Je crois que vous n'avez pas besoin de votre veste aujourd'hui.

— Quand vas-tu enfin te décider à me tutoyer ?

— Ah non, je ne pourrais jamais ! assura Louane. Vous avez l'âge qu'aurait ma grand-mère : soixante-dix-sept ans !

— Et alors, tu ne tutoyais pas ta grand-mère ?

— Si, si, bien sûr…

— Pourtant, ça me ferait plaisir, tu sais.
— Promis, j'essaierai, mais… sans garantie, lâcha Louane en faisant « non » avec la tête.

Elles se dirigèrent vers le parc. Contrairement aux autres jours, elles restèrent muettes un moment avant que Louise se décide à demander :
— Tu es sûre que ça va ? Tu n'as pas envie de parler, ta journée a été plus difficile que d'habitude peut-être ?
La conversation qu'avait eue Louane avec sa responsable la veille ne cessait de la tourmenter. Elle doutait. Alors elle préféra être sincère et évoquer directement le sujet.
— En fait, le boulot est dur, mais pas plus que les autres jours. C'est Mme Elmic, elle m'a parlé hier en fin d'après-midi.
— Un problème dans ton travail ? Tu vas changer de service ? s'inquiéta Louise.
Le ton de Louane devint plus grave.
— Non, en fait, comment dire… elle m'a parlé de vous !
— De moi ? Et pourquoi donc ? s'étonna la vieille dame.
— Eh bien, elle m'a demandé de faire attention, elle m'a mise en garde.
Louise, surprise, s'arrêta et fixa Louane.
— Faire attention à quoi ?
— À tout ce que vous me racontez. Elle m'a dit que ce n'était peut-être pas la vérité.
— Comment ça, « pas la vérité » ? Que veut-elle dire ? s'agaça Louise en reprenant sa marche.

Louane ne répondit rien, elle s'était montrée sincère, mais craignait d'avoir été trop directe. Bien maladroitement, elle venait de replonger Louise dans les tourments de la maladie et de son inévitable évolution.

Au cours de leurs promenades, elles s'étaient toutes deux confiées sur leurs vies et les raisons qui les avaient conduites aux Roses-Pourpres. Elles se connaissaient à peine, mais la solitude est parfois la meilleure raison de partager son fardeau de mal-être.

Louise s'était beaucoup plus ouverte que Louane, sans aucun doute le résultat d'une vie plus remplie et d'une pudeur qui s'efface à mesure que le temps passe et que l'on sent la fin approcher.

Si Louane s'était contentée de décrire le manque de communication avec ses parents et son désir de voyager avec son amie Chloé, Louise n'avait pas hésité à entrer dans les détails. D'abord son enfance en Espagne, puis son adolescence de petite immigrée espagnole, son existence de femme d'ouvrier, ses enfants, ses difficultés à communiquer avec sa fille Marie, le décès d'André. Et bien sûr… sa maladie, cette épée de Damoclès suspendue au-dessus de sa tête. Cette peur de se réveiller un matin sans plus savoir qui elle était.

Les remarques de Mme Elmic que Louane lui avaient rapportées lui avaient fait mal, même si elle savait qu'au fond elle avait raison. Dans un mois, six mois, un an ou plus, ses souvenirs s'effaceraient. Elle s'inventerait peut-être un autre passé, une autre histoire.

— Tu sais Louane, j'ai été sincère dans tout ce que je t'ai dit, j'espère que tu m'as crue. Pourquoi une vieille folle… enfin, pas encore… te mentirait-elle ?

La jeune fille fut soulagée que la conversation reprenne.

— Justement, une vieille folle ne se rend pas compte qu'elle raconte des inepties, ironisa-t-elle.

Louise sourit.

— Une sacrée repartie pour dix-huit ans à peine ! s'exclama-t-elle.

Elle marqua un temps avant de poursuivre :

— Sincèrement, tu penses que ce que je t'ai confié est faux, que tout ça n'est que le fruit de mon cerveau malade ?

— Bien sûr que non, je te… pardon, je vous crois. Comment auriez-vous pu inventer une histoire aussi logique ?

— Ah, un « tu » ! Tu vas y arriver, se réjouit Louise.

Elle enveloppa Louane de son bras et posa la main sur son épaule. D'abord surprise, la jeune fille eut un mouvement réflexe de recul avant de se rapprocher d'elle.

— C'est vrai que des fois… tu… vous oubliez ce que vous avez dit la veille. Parfois… vous cherchez votre clé que vous venez de mettre dans ta… votre poche, vous ne quittez pas votre carnet. Mais moi, ça ne m'inquiète pas. Tu le prends avec le sourire en plaisantant sur ton état. Tu dédramatises, c'est cool ! On dirait ma copine Chloé.

Pour elle, rien n'est grave ; elle voit toujours le bon côté des choses, alors que moi…

Louise s'amusa de la comparaison de Louane.

— Tu viens de me rajeunir de soixante ans. Je ne m'appelle plus Louise, mais Chloé. Parfait.

— En ce moment, elle est en Italie avec un groupe de copains. J'aurais dû être avec eux, mais le *father* en a décidé autrement. Elle part en septembre pour un an de vadrouille : Australie, Tasmanie, Nouvelle-Zélande… Elle m'a demandé plusieurs fois de la suivre, je n'ose pas, je n'oserai jamais.

— Viens, asseyons-nous sur ce banc, proposa Louise.

Louane posa la tête sur son épaule.

— Parle-moi de ton enfance en Espagne, près de Séville… J'ai besoin de voyager.

— Tu vois, ce n'était pas si difficile, tu arrives à me tutoyer sans plus aucune hésitation. C'est bien, se réjouit Louise.

Louane sourit.

— Valdehijos, mon village, mes racines. Tu pourras vérifier sur ton Smartphone si ce que je te dis est vrai, ta responsable sera rassurée, fit-elle d'un ton qui trahissait un agacement teinté d'ironie.

— Je n'ai pas besoin de vérifier quoi que ce soit, je te crois, affirma Louane. Et puis, cet accent, tu ne l'as pas inventé.

Assises sur le banc, le dos calé contre les barreaux de bois, les yeux mi-clos pour se protéger de la forte réverbération, elles profitaient des rayons du soleil encore puissants en cette fin d'après-midi.

— Tu vois, je suis persuadée que les derniers souvenirs qui disparaîtront, ce seront ceux de mes six premières années. Malgré ma vie en France où j'ai été heureuse, avec mes parents, puis mon André qui m'a comblée, mon plus beau souvenir restera Valdehijos. Je passais mon temps à m'amuser au moulin avec Octavio, mon grand-père, et à courir dans les oliveraies avec Maria, ma grand-mère, qui dès qu'elle le pouvait se mettait à réciter des poèmes. Pour une femme de la terre, c'était surprenant. Qu'est-ce que j'aimais l'écouter lorsqu'elle travaillait ou le soir, quand les habitants se réunissaient sur la place du village pour profiter de la fraîcheur.

La voix de Louise commençait à trembler, elle paraissait ailleurs.

— Tu y es souvent retournée ? demanda Louane.

— Tous les ans pendant les vacances d'été jusqu'à mes seize ans. C'était un véritable périple : deux mille kilomètres, deux jours de route et, à cette époque, les autoroutes étaient rares. Et puis les voyages se sont espacés après le décès de mes grands-parents. Ils sont enterrés dans le petit cimetière du village. Un voisin s'est alors occupé pendant vingt-cinq ans du moulin et des oliveraies en échange d'une modique somme qu'il versait à ma mère. Le temps a passé, mes parents ont également disparu. Nous y allions parfois avec André, tout était à l'abandon, mais je n'ai pas voulu vendre.

— Un de tes enfants ou ta petite-fille souhaitera peut-être s'en occuper un jour ? demanda maladroitement Louane.

— Mes enfants n'y ont séjourné que deux fois, quant à ma petite-fille, jamais ! Mais je ne leur en veux pas, ils ont leurs vies…

Louise avait prononcé ces paroles d'une voix étranglée par l'émotion.

— C'est dommage, fit la jeune fille.

— Tu sais, je les comprends ; ils n'ont pas vécu là-bas.

— Non, ce n'est pas ça que je voulais dire, je ne les connais pas. C'est dommage qu'un moulin soit réduit à l'état de ruine et que des centaines d'oliviers finissent en friche.

— Depuis trois ans, un jeune homme, Alvaro, est revenu s'installer au village. La crise économique qui a frappé l'Espagne lui a coûté son emploi. Je connaissais sa grand-mère. Il m'a demandé s'il pouvait tenter de sauver le moulin et nettoyer les oliveraies. J'ai accepté. Un travail de titan, mais il est courageux. Il m'envoie des photos quelquefois. Regarde.

Louise sortit de sa poche trois photos, et les scruta attentivement avant d'en tendre une à Louane, qui éclata de rire.

— C'est sûr, il est courageux, Alvaro ! Tu t'es trompée, c'est la photo de ta petite-fille.

Le regard de Louise, tout à coup, se voila. Elle se mit à triturer les deux photos qu'elle avait entre les mains.

Louane ne comprit pas tout de suite et tenta de prendre les clichés.

— Rendez-moi ça, espèce de voleuse ! s'écria Louise.

Elle froissa les photos et commença à les déchirer avec application, en deux, en quatre, en huit morceaux. Puis elle se mit à émettre des sons qui n'avaient aucun sens tout en tapant sur ses genoux.

Certains résidents se tournèrent vers les deux femmes. Louane venait de comprendre. Que devait-elle faire ? « Surtout ne pas s'affoler », se dit-elle.

Elle posa les mains sur les joues de Louise pour tenter de l'apaiser. Lentement, elle caressa son visage.

— Calme-toi, calme-toi...

Peu à peu, Louise reprit quelques couleurs. C'était comme si elle émergeait d'un long cauchemar. Elle lâcha les photos, dont les morceaux s'éparpillèrent sur le sol. Louane continua avec douceur ses caresses. Des larmes apparurent sur le visage de Louise.

— Mon Dieu, ce n'est pas possible, ça recommence... Qu'ai-je fait ?

Louane la tranquillisa.

— Tu t'es juste trompée de photo. Je te rends celle de ta petite-fille et je récupère celles que t'a envoyées Alvaro.

Louane reconstitua le puzzle des deux photos.

— Un bout de Scotch et tout ira bien ! lança-t-elle pour dédramatiser l'instant.

*
**

Après les quelques pertes de mémoire qui l'avaient plus amusée qu'inquiétée, Louane venait d'assister à la première crise d'absence et d'agressivité de Louise. Ce type de comportement est un des symptômes classiques et bien connus de la maladie d'Alzheimer.

Le patient, tout à coup, plonge dans un monde irréel où les personnes alentour deviennent de dangereux étrangers. Depuis son arrivée au centre, Louane avait déjà été régulièrement confrontée à ce genre de réaction de la part de certains résidents.

Voir Louise devenir une autre l'avait profondément bouleversée. La jeune femme avait eu la réaction appropriée, du moins celle que lui avait conseillée Mme Elmic : garder son calme et faire comme si tout était normal. Mais il s'agissait de Louise et Louane eut du mal à contenir son émotion, qui ne tarda pas à déborder : elle fondit en larmes.

Les deux femmes se retrouvèrent dans les bras l'une de l'autre, chacune dans sa détresse. Mais ce que vivait Louise était bien plus grave. Au mois de septembre, pour Louane, tout cela ne serait plus qu'un mauvais souvenir, alors que, pour Louise, aucune date lui notifiant la fin de son calvaire n'était inscrite au calendrier. Les seuls jours qu'elle pouvait compter, c'étaient ceux que, raisonnablement, elle pourrait espérer vivre avant d'être enfermée dans l'aile B des Roses-Pourpres.

*
**

C'était bientôt l'heure du repas. Elles se dirigèrent vers le réfectoire. Louise, encore sous le choc de sa crise, reprenait peu à peu ses esprits. Elle tendit le bras et pointa l'aile B du doigt.

— Tu vois ce bâtiment ? Jamais je n'irai. Si j'y entre, tout sera terminé ! affirma-t-elle.

— Mais non, allons, pourquoi tu dis ça ?

— Parce que c'est la vérité, mon état va se dégrader et ce sera la suite logique de… ma vie… Enfin, si l'on peut dire.

Louane savait que Louise disait vrai. Que son état, à plus ou moins longue échéance, la conduirait dans l'enfer de ce fameux bâtiment de toutes les peurs, cloisonné telle une prison dont la seule issue était l'obscurité, l'oubli et la folie. La condamnation était à perpétuité, sans l'espoir d'une quelconque remise de peine.

— Je voudrais que tu me fasses une promesse, lança Louise alors que la gouvernante l'avait déjà rappelée à l'ordre à deux reprises afin qu'elle s'installe pour le dîner.

— Je crois que tu es attendue, nous reparlerons de tout cela demain, proposa Louane.

Louise réitéra sa demande comme une supplication qui eut l'effet de tordre le ventre de la jeune femme.

— Je voudrais que tu me fasses une promesse !

— Je… t'écoute, balbutia Louane.

— Promets-moi que je n'irai jamais dans l'aile B.

— Mais Louise… je ne peux pas…

Son amie ne l'entendait pas. Elle insista.

— Promets-le-moi ! Tu m'aideras ?

— Mais à quoi, Louise ? Malheureusement, je ne peux rien faire. Et puis arrête avec cette aile B ! Pourquoi irais-tu ? Ce n'est pas parce que la fatigue te fait dire quelques bêtises que tout est fichu !

— Tu m'aideras ? insista la vieille dame.

Louane, dans une forme de pitié, accéda à la demande de Louise. Elle se dit que le lendemain, les émotions seraient moins fortes et que la logique reprendrait ses droits.

— Je te le promets, dit-elle presque en chuchotant. Allez, maintenant dépêche-toi, la gouvernante nous fait les gros yeux. À demain... Et ne t'inquiète pas... tout ira bien.

Louise pénétra à regret dans le réfectoire. Elle ne s'installa pas à sa place habituelle comme elle le faisait chaque soir depuis qu'elle avait accepté de prendre ses repas avec les autres pensionnaires. Ses voisins de table le remarquèrent à peine. Ils étaient tellement assommés par les doses massives de calmants et de neuroleptiques qu'ils ne s'étonnèrent pas que Louise aille s'asseoir dans un coin isolé. Les femmes de service lui expliquèrent qu'elle ne pouvait pas dîner seule, mais rien n'y fit. Devant la détresse et l'insistance de Louise, elles n'insistèrent pas et déposèrent devant elle une assiette, des couverts et un verre d'eau, puis lui servirent son repas. Louise tritura longuement la barquette de carottes râpées avec sa fourchette, elle se força pour en avaler quelques bouchées. Sandrine, une des femmes de service, mit son pilulier à côté du verre d'eau, puis étala une louche de hachis Parmentier fumant dans son assiette. Louise eut un haut-le-cœur en découvrant cette nourriture industrielle, flasque et insipide, réchauffée au micro-ondes.

Elle glissa discrètement le contenu de son pilulier dans la poche de sa veste, comme elle le faisait depuis son arrivée aux Roses-Pourpres. Elle ferait disparaître les pilules dans les toilettes une fois que les pensionnaires auraient l'autorisation de regagner leurs chambres.

Louise le savait, sans son traitement, la maladie grignotait ses neurones plus rapidement que les médecins ne pouvaient le prévoir. Mais elle souhaitait vivre ses derniers moments de lucidité comme un être humain et non pas comme un légume au regard fixe et dépourvu de toute émotion. Et puis, à quoi bon quelques semaines de plus, pour profiter de quoi ?

À mesure que les jours s'écoulaient, Paul et surtout Marie étaient moins présents. Ils noyaient leur culpabilité dans des appels téléphoniques de plus en plus courts et des promesses de visite auxquelles Louise ne croyait plus. Leurs conjoints se satisfaisaient parfaitement de cette situation où ils n'avaient pas à se soucier de la déchéance de leur belle-mère. Quant à sa petite-fille, savait-elle encore que sa grand-mère existait ? Seule Mme Dubreuil, sa voisine, lui avait fait un jour la surprise de venir la voir, mais cela ne remplaçait pas une famille.

Désormais, Louise n'avait qu'une seule idée en tête : en aucun cas elle n'intégrerait l'aile B, synonyme de naufrage sans appel. Les derniers tests réalisés par le neurologue n'étaient pas bons. Elle savait que son sursis n'était que de quelques semaines, à moins qu'il ne soit suspendu dans trois jours, date de sa prochaine évaluation.

Depuis qu'elle avait sympathisé avec Louane, un fol espoir prenait forme dans son esprit : et si cette jeune femme avait été mise sur son chemin pour l'aider à réaliser son dernier rêve ? Comme si deux êtres ne se rencontraient pas par hasard, mais parce que quelque chose de plus fort qu'eux les avait inéluctablement amenés à se rencontrer : c'était peut-être cela qu'on appelait le destin.

Louane accepterait-elle de lui offrir cette lueur d'espoir ?

Louane pénétrait dans le couloir qui conduisait à son studio lorsqu'elle entendit la voix de Jean.

— Hello, Louane ! Ça te dit de faire un tour en ville ce soir ?

Jean était un jeune infirmier, fraîchement diplômé, qui avait été embauché jusqu'au début du mois de septembre pour pallier les carences dues aux congés annuels du personnel titulaire.

Il était logé dans le même bâtiment que Louane et, depuis son arrivée, il s'ennuyait loin de Paris et de ses amis.

— Bonsoir Jean, je ne t'avais pas vu.

— Je sais, tu as l'air perdue dans tes pensées. Bon alors, on y va ? Je déprime dans ce trou à rats.

Louane lui opposa une moue contrariée ; elle pensait à Louise.

— Tu es dur, ce sont des êtres humains, pas des rats.

Jean se rendit compte de la bêtise de sa remarque et corrigea son propos.

— OK, je me suis mal exprimé ! Mais bon, reconnais qu'on s'emmerde grave ici, non ?

Malgré son désir de rester seule, Louane accepta la proposition de son voisin de chambre.

— Tu as raison, je prends mon sac et on y va. Ça me changera les idées.

Les deux jeunes gens se dirigèrent vers l'arrêt de tram. Louane ne disait rien, perturbée par la demande de Louise. Jean avait remarqué leurs longues promenades dans le parc toutes les fins d'après-midi. Il se décida à lui en parler alors qu'ils montaient dans la dernière voiture de la rame en direction du quartier de la Petite France.

— Tu sais, ça ne me regarde pas, mais tu passes beaucoup de temps avec Mme Dupré.

Louane tourna la tête vers lui.

— Louise ? Oui, et alors ? Pourquoi dis-tu cela ?

— Eh bien… tu ne devrais pas t'attacher à elle, ni à aucun autre pensionnaire d'ailleurs, c'est trop dangereux, affirma Jean, sûr de son fait.

Elle s'énerva.

— Ce n'est pas possible ! Vous vous êtes donné le mot avec Mme Elmic, ou quoi ? Je ne m'attache pas, mais elle est perdue, sa famille l'a enfermée ici. Et puis elle a tellement peur d'intégrer le bâtiment des Alzheimer sévères que…

Il l'interrompit.

— Comme tous les pensionnaires.

— Oui, bien sûr, mais…

— Tu sais, pendant mes études, j'ai eu des cours où on nous apprenait à ne pas s'attacher aux patients, car il est impossible d'absorber les angoisses de tout le monde, c'est très dangereux.

— Dangereux pour qui ? s'agaça Louane tandis que le tram ralentissait.

Les deux jeunes gens descendirent.

— Dangereux pour toi !

— Surtout pour elle, rétorqua-t-elle.

— Écoute, Louane, je ne devrais pas te le dire, mais j'ai assisté avec le neurologue aux dernières évaluations de Mme Dupré et…

Il n'osait pas poursuivre.

— Et quoi ? s'impatienta la jeune fille.

— Eh bien, les résultats sont mauvais. Son état se dégrade plus rapidement que ne le pensait le médecin. Il envisage un… changement de service… prochainement.

Louane était pétrifiée, le regard dans le vague. Son portable se mit à sonner sans qu'elle réagisse. Puis la notification de sa messagerie retentit.

Quand ils descendirent du tram, elle n'avait toujours pas dit un mot.

— Viens, allons boire quelque chose, proposa Jean. Je crois que tu en as besoin !

Ils s'installèrent en terrasse. Le téléphone de Louane se remit à sonner.

— Tu ne réponds pas ? s'étonna le jeune infirmier.

— Je rappellerai plus tard, c'est ma mère. Elle me gave avec ses appels. Si je lui manque tant que ça, elle n'avait qu'à tenir tête à mon père et ne pas le laisser m'enterrer ici !

Elle rédigea néanmoins rapidement un SMS pour rassurer sa mère et lui dire que tout allait bien.

Jean comprit qu'il était préférable de changer de conversation.

— Qu'est-ce que tu veux boire ? lui demanda-t-il tout en hélant le serveur apparemment agacé par un groupe d'Anglais qui prenaient un malin plaisir à ne pas faire d'efforts pour se faire comprendre.

— Un demi !

— Ah oui, quand même. Bon, ça va, tu n'es pas très lourde si je dois te porter jusqu'à ta chambre, plaisanta Jean.

Louane, enfin, se détendit.

— Si je suis saoule, n'en profite pas.

— Tu es nulle !

— Bon, allez ! Buvons à notre « trou à rats ».

Elle leva son verre, et ils trinquèrent.

Dès lors, les deux jeunes gens ne parlèrent plus des Roses-Pourpres. La légèreté d'une conversation plus conforme à leur âge reprit le dessus.

La soirée se déroula dans la détente et la bonne humeur. Louane dévora un croque-monsieur et Jean une entrecôte frites, le tout arrosé d'un deuxième demi de bière alsacienne pour chacun.

Sur le chemin du retour, Louane resta accrochée au bras de Jean tout au long du trajet – la bière avait fait son œuvre et les secousses du tramway avaient renforcé les effets de l'alcool.

Une fois arrivé aux Roses-Pourpres, Jean s'assura que Louane pouvait se débrouiller seule et vérifia qu'elle avait bien rejoint sa chambre.

Louane se réveilla à plusieurs reprises, de nombreux cauchemars ponctuèrent sa nuit. Les effets de l'alcool et l'inquiétude qu'elle ressentait pour Louise lui firent définitivement ouvrir les yeux à 4 h 30. Elle tenta de se rendormir, sans succès. Elle se tourna, se retourna, fit glisser la couette à ses pieds, essaya de penser à autre chose, mais rien ne put l'aider à retomber dans les bras de Morphée. Elle abdiqua et préféra laisser divaguer son esprit.

Même si elle avait constaté les symptômes parfois impressionnants que présentait Louise, elle ne s'imaginait pas que l'état de sa nouvelle amie était si avancé. Elle ne pouvait croire, comme le lui avait suggéré Jean, le possible transfert de Louise dans l'aile B.

Elle regarda l'écran de son portable : il était à peine 5 h 30. Que faisait Louise à cette heure ? Était-elle tranquillement allongée sur son lit, plongée dans un sommeil paisible ? Pensait-elle à sa famille qui l'oubliait peu à peu ? Dans quel monde s'égarait-elle lorsqu'une crise s'annonçait ?

Louane s'étonna qu'en à peine trois semaines elle se soit autant attachée à cette femme qui aurait pu être sa grand-mère. Cette grand-mère qu'elle avait connue trop peu de temps.

Elle se souvint des moments passés avec elle dans les forêts landaises. Dans sa maison perdue au milieu des pins où Louane n'appréciait plus de séjourner. Tout était désormais trop vide. Sa grand-mère n'était plus là et en même temps, elle la voyait partout. Une idée folle lui traversa l'esprit : et si Louise avait été mise sur son chemin pour vivre ce qu'elle n'avait pas pu vivre avec sa grand-mère ? « Arrête de délirer », se dit-elle... Et pourtant, cette idée allait tourner toute la matinée dans sa tête.

Tout en vaquant à ses occupations – le service du petit déjeuner, le ménage des parties communes, puis la préparation du déjeuner –, Louane était inquiète, car elle n'avait pas vu Louise au réfectoire. Elle se renseigna auprès de Mme Elmic.

— Bonjour. Louise n'est pas venue déjeuner ce matin ?

— Elle a préféré rester dans sa chambre. Sa nuit a été très agitée. Elle présentait des vertiges ce matin, mais rien de grave.

— Des vertiges ? s'enquit Louane.

— Une baisse de tension sans conséquence. Nous en avons déjà discuté, il ne faudrait pas que vous vous attachiez trop à Mme Dupré.

— Et pourquoi donc ? réagit Louane, vexée…

Mais elle se reprit presque instantanément.

— Bien sûr, c'est juste que je ne l'ai pas vue ce matin.

Mme Elmic tergiversa un instant avant de poursuivre.

— Faites attention avec Louise, je vous ai déjà prévenue.

— Oui, oui, ne vous inquiétez pas. J'ai bien compris votre mise en garde. J'ai pris le recul nécessaire, fit Louane qui ne pensait pas un mot de ce qu'elle venait de dire.

Son but était simple : que Mme Elmic ne surveille plus la relation qui se tissait avec Louise.

— Parfait, Louane. Bonne journée.

— À vous aussi. Je dois y aller, ils m'attendent en cuisine. Le début du service ne va plus tarder.

Louise ne prit pas non plus son déjeuner dans la salle commune. De plus en plus inquiète, Louane n'avait plus l'esprit à son travail et, d'un geste brusque, renversa deux plateaux-repas qui s'étalèrent sur le sol. Les résidents installés à la table qu'elle servait se mirent à respirer fort et à balancer la tête de façon automatique. Tout à coup, Louane fut prise de panique. Elle avait l'impression de se retrouver dans un mauvais remake de *Shining*. Les regards des pensionnaires la terrorisèrent et lui firent penser au visage angoissant de Jack Nicholson gagné par la folie. Elle s'assit par terre, la tête entre les mains, et se mit à sangloter. Sandrine s'approcha.

— Calme-toi, ce n'est rien. Ne t'inquiète pas, nous allons nettoyer tout cela.

Le tintement des couverts lui parvenait comme dans un brouillard. Elle se boucha les oreilles, se releva brusquement et se précipita dehors. Elle avait besoin de respirer. Elle avait de plus en plus de mal à supporter ce basculement permanent entre la normalité et les frontières de la démence.

Elle était assise sur une des murettes de pierre du parc quand Jean vint la rejoindre.

— Ça va ?

— Moyen...

— Je ne te dérange pas ? Je peux m'asseoir le temps de finir ma cigarette ?

— Bien sûr, répondit-elle en essuyant ses larmes du revers de sa manche.

— Un demi ou deux, peut-être ? plaisanta le jeune homme.

Louane releva la tête et lui adressa un léger sourire.

— J'en aurais bien besoin...

— Tu vas donc devenir folle et... alcoolique, cool !

— J'en peux plus, avoua-t-elle. Je pense que je ne suis pas capable de résister à cette ambiance. Quelquefois, je ne sais plus où est la réalité.

Jean alluma une nouvelle cigarette avant de lui répondre.

— Pour être tout à fait sincère, c'est normal. Ce n'est pas toi qui es folle, c'est plutôt tes parents qui sont fous de t'avoir fait venir ici. C'est super dur de résister à tout ça. Malgré les cours que j'ai reçus pendant ma formation, je n'y arrive pas toujours, alors toi ! Tu devrais arrêter, tu vas finir épuisée.

— J'y ai pensé, mais je ne veux pas...

— Je sais, tu ne veux pas abandonner Louise. Au fait, au sujet de ses examens, le neurologue a avancé ses nouvelles évaluations. Elles auront lieu jeudi. Dans deux jours. Il est inquiet et je pense que, malheureusement, Louise a besoin de soins plus... spécifiques.

Louane eut un soupir exaspéré.

— Non ! Ils vont l'abrutir de médicaments et l'enfermer. Il faut que je fasse quelque chose, ce n'est pas possible.

— Je dois y aller, ma pause est terminée. Pense à toi surtout et... oublie Louise. C'est triste, mais c'est comme ça ! Ah, au fait, je voulais te demander...

— Oui, je t'écoute.

— Tu dis que tu ne supportes plus ce mélange de réalité et de folie...

— Ça, c'est sûr ! affirma-t-elle sans hésitation.

— Alors comment fais-tu avec Louise ? C'est *Shutter Island* avec elle. Au cours des évaluations... elle est un peu barrée quelquefois, ta Louise.

Louane le fusilla du regard.

— Tu es nul, c'est méchant !

Jean se rendit compte qu'il avait exagéré et attristé Louane.

— Désolé, mais tu sais, son état est inquiétant, la maladie progresse.

— Oui, mais je ne sais pas pourquoi, elle ne me fait pas peur. J'arrive à la calmer. Je crois qu'elle a besoin de moi. Et puis sa folie... moi, je m'en fous !

— Bon, c'est toi qui vois, mais jeudi, peut-être que...

— Tais-toi, je ne veux pas l'imaginer.

Jean se leva et fit quelques pas. Il se retourna.

— Tu penses qu'elle a besoin de toi ?

— Oui, je crois.

— Et toi, tu n'as pas besoin d'elle ?

Louane hésita, sourit et répondit sur un ton qui respirait l'évidence :

— Si, bien sûr que si ! En fait, nous avons besoin l'une de l'autre.

— C'est dingue, mais c'est beau votre truc quand même, fit Jean tout en poursuivant son chemin. À bientôt, Louane.

— À bientôt. Va bosser un peu !

— OK. Et si tu croises DiCaprio, fais-lui signer un autographe, plaisanta-t-il.

— DiCaprio ?

— *Shutter Island*, l'acteur !

— N'importe quoi ! Allez, va bosser je t'ai dit.

Jean fila et lui adressa un geste amical de la main par-dessus son épaule.

Après en avoir référé au directeur de l'établissement, Mme Elmic préféra accorder un après-midi de repos à Louane, qui en profita pour aller faire les boutiques. Elle n'avait pas forcément envie d'acheter quoi que ce soit, mais elle ressentait le besoin de voir du monde, beaucoup de monde, et de préférence des gens « normaux ».

Physiquement, Louane tenait le coup. Même si elle n'avait pas l'habitude de faire de longues heures de ménage, elle serrait les dents. Psychologiquement, en revanche, elle était épuisée, comme si chaque vision d'un pensionnaire lui pompait peu à peu l'énergie émotionnelle dont elle disposait. Elle sentait qu'elle n'était pas loin de la rupture. Comment allait-elle faire ? Renoncer, jamais ! Louise serait alors seule et son père aurait gagné. Et ça, il n'en était pas question !

Quand, à son retour, vers 19 h 30, Louane se présenta devant le portail des Roses-Pourpres, elle aperçut Louise, toujours sur le même banc, la tête baissée et les mains posées sur ses genoux. Elle passa son badge pour débloquer le portail et se dirigea vers son amie.

— Bonsoir, Louise.

D'une voix faible et tremblante d'angoisse, la vieille dame murmura :

— Ça me fait plaisir de te voir.

— Tu n'as pris aucun de tes repas au réfectoire. Quelque chose ne va pas ? demanda la jeune fille en s'asseyant à côté de son amie.

Le regard de Louise se perdait à l'horizon.

— Je savais que ça devait arriver ! Jeudi, je repasse des évaluations. Je crois que ce sont mes deux derniers jours de liberté.

Louane posa sa main sur la sienne.

— Mais non, voyons ! Pourquoi dis-tu cela ?

— Le médecin a reçu les résultats de mes prises de sang. Il sait désormais que je n'ai pas pris mon traitement depuis mon arrivée au centre. Mes derniers tests de mémoire sont alarmants. Si cela se confirme, c'est certain, je serai enfermée dans l'aile B et ils me perfuseront pour s'assurer que je prends correctement mes médicaments.

Louane tenta, bien maladroitement, de lui remonter le moral.

— Tu as appelé tes enfants ? Ils sauront convaincre le neurologue de ne pas te transférer tout de suite. Si tu acceptes de te soigner, ton état s'améliorera, je t'assure. Tu as du temps devant toi.

Les larmes roulaient sur les joues de son amie et tombaient sur ses cuisses sans qu'elle réagisse. Louise semblait anesthésiée. Elle répondit, la voix chevrotante :

— Oui, je les ai contactés, Marie m'a répondu qu'elle faisait confiance aux médecins. Quant à Paul, il doit appeler le neurologue après mon entretien de jeudi… De toute façon, que pouvais-je espérer ? Ils ne peuvent pas se substituer aux médecins.

Louane ne savait que dire. Comment chasser un tel désarroi ? Elle aurait tant aimé en avoir le pouvoir, mais les baguettes magiques n'existaient pas. Elle essaya d'apaiser les tourments de son amie avec des arguments dont elle savait bien qu'ils ne tenaient pas la route.

— Tu n'as pas encore eu ta nouvelle évaluation. Tu verras, les résultats peuvent s'améliorer...

Louise se tourna enfin vers Louane et lui offrit un sourire fragile.

— Tu es gentille, mais que fais-tu là avec une vieille femme qui perd la tête ? Tu devrais t'amuser, sortir, profiter de cette belle région. Vivre, tout simplement. Dans quelques semaines ton calvaire sera fini. Tu retourneras à ta vie de lycéenne entourée de tes amis. Que fais-tu là ? répéta-t-elle.

Louane haussa les épaules.

— Je ne sais pas, mais... tu m'apaises. Tout est bizarre ici, presque irréel, sauf toi. Nous avons près de soixante ans d'écart et pourtant, je suis heureuse d'être à tes côtés. En fait...

Louane réfléchit un instant.

— Je crois que nous sommes deux âmes perdues et que chacune essaie de combler le vide de l'autre... Mais c'est nul ce que je dis ! Oublie !

— Non, ce n'est pas nul. Toi, Louane, tu as toute la vie devant toi. En ce qui me concerne, c'est fini ! C'est étrange, plus je m'approche de la fin et plus mes souvenirs d'enfance ressurgissent.

— Tu as eu une belle vie, j'aimerais avoir la même. Chaque fois que nous en parlons, tu me files des frissons de plaisir. « Mon André », j'adore quand tu dis ça. Tu pourrais juste dire « André », mais non ! À chaque fois, c'est « mon André », c'est touchant.

Les deux femmes restèrent un long moment serrées l'une contre l'autre sans dire un mot ni troubler ce moment de quiétude.

Puis Louise rompit le silence.

— Tu m'as bien promis l'autre soir que je n'irais jamais dans l'aile B ?

Louane releva la tête et hésita avant de répondre :

— Oui, je te l'ai promis, mais je ne suis pas médecin. Tu veux que je leur parle ? Que je leur dise que tu ne perds pas la tête, enfin pas trop ? plaisanta-t-elle pour détendre l'atmosphère.

Louise planta ses yeux dans ceux de Louane.

— J'aimerais que tu m'aides à m'enfuir d'ici avant mes tests de jeudi.

— Pardon ? s'exclama Louane.

— Je veux revoir mon village, partir pour Valdehijos, finir mes jours là-bas.

— Mais enfin, c'est impossible, comment veux-tu…

Louise l'interrompit.

— Je ne connais rien à Internet, je te donne les codes de ma carte bleue. Tu réserves des billets pour Séville.

Louane, sur ses gardes, était persuadée que Louise sombrait une nouvelle fois dans une crise de délire.

— Calme-toi, ça va aller.

— Je suis parfaitement calme, Louane. Contrairement à ce que tu pourrais croire, j'ai toute ma tête et les idées claires. Et je te le redemande : es-tu prête à m'aider ?

La jeune fille bafouilla.

— Mais... que veux-tu... que je fasse ? Nous sommes à Strasbourg, Louise. Séville, c'est super loin !

— Je sais tout ça, c'est pour ça que j'ai besoin de toi. Je dois partir avant demain soir.

— Tu te rends compte de ce que tu me demandes ?

— Oui, j'en suis parfaitement consciente. Mais il n'y a que toi qui peux m'aider. Je t'en supplie !

— Je ne sais pas... Je regarderai si c'est possible... C'est l'heure, tu dois réintégrer ta chambre.

Louise tendit un papier à Louane.

— Voici les codes de ma carte bleue. Ne t'inquiète pas de ce que cela va coûter, le compte est bien garni. C'est l'avantage, si l'on peut dire, de... vendre ses souvenirs.

Le papier entre les mains, la jeune fille ne savait pas comment réagir. Devait-elle accéder à la demande de Louise et être complice de sa fuite qui pourrait se révéler dramatique ? Devait-elle ne rien faire et accepter que son amie disparaisse dans les couloirs du fameux bâtiment B pour ne plus jamais en ressortir ?

— Regarde, Mme Elmic nous fait de grands gestes. Elle t'attend.

Louise se leva, se saisit des mains de Louane restée assise sur le banc.

— Je sais, je te demande beaucoup, mais je n'ai que toi !

— Allez, vas-y ! Je fais au mieux, concéda Louane sans savoir quelle décision elle devait prendre.

5

Elle rêve d'un homme…

Elle rêve d'un homme qui cicatriserait ses blessures. D'une présence, d'un espoir qui lui redonnerait le goût du lendemain. Un homme qui devinerait sa vie derrière son sourire fatigué, qui calmerait ses tourments, ses nuits trop longues et ses journées de brouillard.

Elle rêve d'un homme tailladé par le désespoir, qui fermerait les yeux en touchant sa peau. Un homme qui ne croirait plus, qui hésiterait à chacun de ses pas.

Mais elle le savait, les gens que la vie a trop meurtris ne se rencontrent jamais, ou simplement dans la pénombre d'une nuit où deux désespoirs s'aiment sans parler, sans oser s'avouer que peut-être quelque chose serait possible…

Elle rêve d'un homme qui laisserait autre chose derrière lui que l'effluve d'un parfum lorsque le petit matin approche.

Il était 20 h 45 lorsque Laurene put enfin s'échapper des accolades et des discours de satisfaction convenus. Elle se dirigea vers le sas de sortie de l'immeuble Béta-Pharma, et aperçut la silhouette de Raphaël à travers les vitres. Il était adossé à une pancarte publicitaire, les bras croisés. Les effets du champagne se faisaient sentir et Laurene s'approcha d'un pas rapide comme s'ils s'étaient quittés la veille.

Raphaël n'avait pas changé. Le même flegme, le même calme. Certes, il avait pris quelques kilos, mais toujours ce même sourire franc, serein.

— Bonjour, Laurene.

Elle plongea ses yeux dans les siens.

— Bonjour, Raphaël.

— Ça te dirait d'aller boire un verre ? Après une réunion si tardive, ça te détendra, et puis… tu me raconteras ce que tu es devenue.

Elle n'osa pas lui avouer que sa réunion était plus festive que ce qu'elle lui avait laissé croire. La dose d'alcool qu'elle avait déjà ingurgitée lui paraissait bien suffisante pour ce soir, mais elle accepta avec joie. Elle ne voulait pas gâcher leurs retrouvailles.

— Avec plaisir, Raphaël. Toi aussi, tu me diras tout !

Il se mit à rire.

— Tout ? Eh bien, toujours aussi… directe.

« Calme-toi, Laurene, et arrête de dire des bêtises », pensa-t-elle.

Raphaël s'approcha, l'embrassa sur la joue et la prit par la taille.

— Tu as les cheveux plus longs et plus foncés qu'il y a… ? lui demanda-t-il, hésitant.
— Huit ans… Ça ne te plaît pas ?
« Mais quelle cruche ! », se dit-elle.
— Si, tu es magnifique !
— Merci.

Raphaël l'emmena dans un bar à vins où des clients installés en terrasse profitaient de la douceur de la soirée. Il avait réservé une table à l'intérieur. L'ambiance y était plus calme.

Ils se regardèrent un long moment sans un mot, puis Raphaël demanda :

— Un verre de listrac, ça te dit ?

Le vin préféré de Laurene. Il n'avait pas oublié.

— Tu t'en souviens ?
— Oui, bien sûr !

Elle se retrouvait face au seul homme qu'elle avait aimé, le seul qui l'avait quittée, le seul qu'elle aurait souhaité garder. Sa bêtise et sa fierté avaient fait le reste.

Ce satané champagne lui tournait la tête. Le serveur déposa les deux verres de vin sur la table. Raphaël lui proposa de trinquer à « nous » et à « notre amitié ». Elle n'avait retenu que le « nous » et se moquait parfaitement du « notre amitié ». Elle n'avait pas besoin de Raphaël comme ami. Dans ce bar, avec cet homme revenu de son passé, les mélanges d'alcool aidant, une seule idée l'obsédait : qu'il la possède comme il avait toujours su si bien le faire. Qu'il lui dise tous ces mots qu'elle n'entendait plus depuis bien trop longtemps. Qu'il redevienne l'amant fougueux qu'il avait été.

— Alors, à nous, dit-elle. Simplement à nous !

Raphaël tritura son verre, l'enveloppant de ses mains pour le réchauffer et intensifier les effluves de tanin et de bois. Il baissa les yeux et répondit :

— Oui, à nous.

Ils se racontèrent ce qu'ils étaient devenus depuis leur séparation. Pour Laurene, cela se résumait à une carrière professionnelle qui avait évolué de façon exponentielle. Sa vie personnelle était si pauvre qu'elle concentra son discours sur ses visites chez son frère, décrivant avec moult détails la beauté des paysages du Quercy. Bien évidemment, elle passa sous silence les nombreux amants d'un soir qu'elle consommait les uns après les autres.

Raphaël prit son temps pour lui parler de sa vie de père divorcé avec sa petite Lina qui fêterait ses six ans quelques jours plus tard. Ses yeux brillaient de bonheur et de fierté. Il lui montra des photos. Lina avait les cheveux blonds et un regard profond.

Raphaël avait la garde de sa fille une semaine sur deux. Cette semaine, il était seul et pouvait se consacrer pleinement au développement de l'agence immobilière qu'il venait de prendre en gérance. Avait-il une nouvelle compagne ? Jamais il n'évoqua le sujet. Était-ce un signe, un encouragement ? Avait-il envie de Laurene ?

Souhaitait-il à nouveau caresser sa peau, faire vibrer son corps ? Laurene n'en avait aucune idée, mais elle ne voulait pas laisser passer sa chance une deuxième fois. Ce soir, elle avait besoin d'être aimée avec sincérité et de noyer ses inquiétudes dans des bras rassurants. Elle lui fit comprendre qu'elle accepterait volontiers de boire un dernier verre dans son studio de Neuilly.

Raphaël fit appeler un taxi, et, à peine vingt minutes plus tard, ils étaient en bas de son immeuble. Durant la course, Raphaël avait paru contrarié. Laurene s'en moquait ; dans quelques minutes, elle serait à lui de tout son corps, de tout son être.

Raphaël l'aima comme jamais elle ne l'avait été depuis leur séparation. Elle se surprit à ne pas vouloir diriger leurs ébats comme lors de ses errances nocturnes. Elle s'abandonnait dans ses bras. Elle était à lui.

3 heures du matin. Les deux amants étaient allongés l'un près de l'autre. Laurene se lova contre Raphaël, la tête au creux de son cou. Il ne disait rien. Elle prit la parole tant le silence lui paraissait pesant.

— Ça va ? Tu sembles ailleurs ?

Il posa la main sur son épaule.

— Tout va bien, mais j'ai un rendez-vous demain matin à 8 heures pour une visite avec des clients. Je dois me reposer quelques heures.

Au moins, c'était clair.

— Bien sûr, je comprends.

— Tu veux que je te raccompagne chez toi ? À cette heure, l'aller-retour sera rapide.

C'était définitivement très clair.

— Merci. Je vais appeler un taxi.

Raphaël, à sa façon, lui avait fait comprendre qu'il aurait souhaité des retrouvailles moins fougueuses, moins empressées. Il n'avait rien dit, ne voulant pas la heurter par respect, par envie, par… Peu importait.

Laurene venait de gâcher l'espoir de recommencer leur histoire. Pour la deuxième fois, elle n'avait pas su entrouvrir la porte du bonheur. C'était peut-être ça, sa vie : des rendez-vous ratés. Raphaël lui promit de la rappeler au plus vite. Il l'embrassa sur le pas de sa porte alors que le taxi attendait déjà devant l'immeuble. Leur dernier baiser, elle le savait, ils le savaient tous les deux.

Elle rentra chez elle, prit deux somnifères ; il fallait absolument qu'elle dorme un peu. Le lendemain à 10 heures, Mme Almera serait dans son bureau. Là aussi, Laurene allait faire du mal. Serait-ce devenu sa manière de fonctionner : entretenir son mal-être à travers celui des autres ? À cet instant, elle se dégoûtait. Vite, dormir un peu…

Le lendemain matin, Élise remarqua la fatigue et le peu d'entrain de son amie.

— Bouge-toi, Laurene, la rame arrive.

— Mouais, maugréa-t-elle.

— Oh là là, dis-moi, vous avez fêté ça bien plus tard que prévu. Où t'a donc emmenée ton président ?

— Nulle part, mais j'ai très mal dormi ; j'ai un rendez-vous difficile ce matin.

Élise ne releva pas sa remarque et embraya sur la varicelle de son fils qui envahissait ses pensées. Laurene eut droit à un flot ininterrompu de détails sur les improbables complications de cette maladie infantile bénigne. Cela la fit sourire d'entendre le long listing des effets secondaires du paracétamol. Bien évidemment, Eliot allait tous les présenter, sans exception. Laurene rassura Élise comme elle le put : maladroitement. Comme une femme de près de quarante ans qui n'avait pas d'enfants.

Lorsque Laurene pénétra dans son bureau, son assistante lui fit part de la présence de Mme Almera.

— Bonjour, Caroline. Mais il est à peine 9 h 30 !

— Elle est arrivée juste après moi, vers 9 heures.

— Merci, je vais la recevoir.

Laurene s'approcha de la vitre donnant sur la salle réservée aux visiteurs où se trouvait Mme Almera. Elle s'attendait à voir une femme détruite, frêle et déprimée. Au contraire, celle-ci se tenait droite et fière, son visage ne montrant aucun signe d'abattement.

Laurene s'engagea dans le couloir pour aller la rejoindre. Sans attendre qu'elle la salue, Mme Almera se leva et lui fit face.

— Bonjour. Vous devez être madame Malgot, la directrice des ressources humaines ? Je suis Mme Almera.

Surprise par une telle détermination, Laurene se contenta de lui tendre la main. Mme Almera l'ignora.

— Oui... Bonjour, madame... Je vous attendais, balbutia Laurene. Suivez-moi.

Elle l'invita à se rasseoir et enclencha instantanément le mode DRH du groupe Béta-Pharma.

— Tout d'abord, permettez-moi de vous présenter mes plus sincères condoléances.

— Je les accepte, répondit fièrement sa visiteuse. Même si vos condoléances n'ont aucune sincérité.

Le ton était donné ! Laurene ne releva pas. Sans doute avait-elle raison. Où était sa sincérité ? Nulle part. Elle se contentait de respecter les consignes qu'elle avait reçues : étouffer cette affaire à tout prix.

— Vous avez souhaité me voir ?

— Oui, c'est au sujet de mon mari. Vous vous en doutiez, je pense.

Laurene s'enfonçait face à la dignité de cette femme. Elle prit le ton le plus suave possible pour répondre :

— Je comprends.

Mme Almera fut prise d'un rire nerveux qu'elle contrôla rapidement.

— Me comprendre ? Mais vous plaisantez, j'espère ! Savez-vous que mon mari adorait son travail, qu'il aurait tout donné pour cette entreprise ? Les séquelles de son accident le faisaient terriblement souffrir et pourtant, il était là tous les jours.

— Je sais, dit Laurene d'une voix étouffée.

— Non, vous ne savez pas !

Laurene tenta de reprendre la main.

— Madame Almera, les plans sociaux sont toujours des traumatismes pour toutes les parties. Votre mari a très mal vécu son licenciement, mais peut-être avait-il des problèmes personnels...

— Je ne vous permets pas ! Vous l'avez détruit. Au moins, ne remettez pas en cause le mari et le père qu'il était.

Laurene ne savait plus quoi dire, elle était à court d'arguments. La force que dégageait cette femme l'asphyxiait et la renvoyait à toutes ses contradictions.

Mme Almera avait raison, Laurene avait tort et pourtant, elle devait continuer de défendre les intérêts de Béta-Pharma. Elle abattit sa dernière carte, celle qui devait tout régler.

— Nous pouvons vous aider, madame.

Son interlocutrice braqua ses yeux sur elle et lui lança froidement :

— Vous me dégoûtez, vous et votre entreprise.

— Mais...

— Vous me dégoûtez et je vous plains.

Laurene poursuivit néanmoins, c'était la seule issue pour tenter de s'en sortir.

— La perte de votre mari est irremplaçable, mais financièrement, nous pouvons faire un nouvel effort.

Un instant de silence, un répit de courte durée.

— Je vous plains, madame, répéta Mme Almera. Quelle est pour vous la valeur de la vie d'un homme ?

Perdue, Laurene ne savait plus quoi dire.

— Essayez de vous calmer, madame.

— Je suis très calme, j'attends votre réponse ! Quel est le prix de la vie d'un homme ?

Laurene se reprit quelque peu.

— La vie d'un homme n'a pas de prix.

— Eh bien, souvenez-vous-en, au lieu de me faire des propositions indignes. Mais comment supportez-vous de faire un tel métier ? Comment pouvez-vous regarder vos enfants dans les yeux le soir quand vous rentrez chez vous ?

Aucun mot ne put sortir de la bouche de Laurene… Son métier, ses propositions indignes, ses enfants…

Mme Almera se leva.

— Je ne vous salue pas et je n'ai pas besoin de l'argent de Béta-Pharma. Je voulais simplement voir en face la femme sans cœur responsable du décès de mon mari.

Elle s'engouffra dans le couloir, puis dans l'ascenseur. Laurene la suivit du regard. Elle était anéantie.

Anéantie… Le mot n'était pas trop fort. Son monde venait soudain de s'écrouler. Cette femme avait raison. À cet instant, Laurene se dégoûtait. À quoi ressemblait sa vie professionnelle ?

À une suite de négociations qui tenaient du chantage mensonger, à une « réussite » qui se terminait par un drame humain ! Quant à sa vie personnelle, là comme ailleurs, elle avait toujours voulu tout contrôler. Résultat : Raphaël, le seul espoir d'une existence plus douce, elle venait de le perdre, par sa faute. Elle sentit une forte nausée l'envahir et courut vers les toilettes où elle vomit tout son dégoût d'elle-même, de cette vie dont elle ne voulait plus.

Elle s'enferma pour le reste de la matinée. Caroline avait pour consigne de ne la déranger sous aucun prétexte. Les coudes sur son bureau et le menton dans les mains, Laurene se demandait comment mettre fin à ce cycle infernal. Une chose était sûre : elle ne pouvait plus supporter son travail. Ce n'était pas « un coup de moins bien », comme aurait dit son amie Élise. C'était une grosse remise en question. Elle avait toujours été consciente de l'absence totale d'humanité des grands groupes et elle n'aimait pas ça, mais c'était ainsi, comme on dit quand on ne veut ou ne peut rien changer. Cela assurait la pérennité de l'entreprise et donc des emplois : l'argument massue pour faire accepter l'inacceptable. Sauf que là, l'inacceptable était arrivé, le pire : la mort d'un homme, dont elle était responsable. On aurait beau tout faire pour atténuer ce verdict, elle ne s'en remettrait jamais. Elle ne pouvait plus supporter ce climat.

Mais que faire ? Changer de vie ? Comment ? Elle avait beau réfléchir, elle ne savait même pas ce dont elle aurait pu avoir envie. Elle pianota sur Google des recherches aussi différentes qu'improbables : « Quoi faire de sa vie » ; « Burn-out » ; « Femme 40 ans » ; « Refaire sa vie ». C'était terrifiant, elle avait besoin d'un moteur de recherche pour savoir ce qu'elle devait changer dans son existence pour lui donner un minimum de sens.

Laurene lisait un énième article lorsqu'une phrase anodine l'interpella : « Une des régions d'Europe les plus ensoleillées, avec des pics de chaleur à plus de 40 °C en été. » Son regard se porta vers l'immense baie vitrée de son bureau. Le ciel de Paris était, comme souvent, d'un gris déprimant.

Elle se mit à marmonner, affalée devant son ordinateur : « Eh bien, voilà ! Puisque tu ne sais pas par quoi commencer, pars au soleil pour réfléchir. Quitte Paris ! »

En quelques secondes, sa décision fut prise. Elle réserva le premier vol disponible ainsi qu'une chambre d'hôtel pour les trois premiers jours. Pour la suite, elle aviserait sur place au gré de ses envies.

Laurene se dit que Leicester allait pester à l'idée qu'elle avance ses congés prévus au mois de septembre et qu'elle s'absente trois semaines consécutives.

« Peu importe, il se débrouillera. Trois semaines, ce n'est pas non plus ingérable », se dit-elle.

Il lui devait bien ça. Le plan social était désormais bouclé après ce rendez-vous avec Mme Almera.

Comme prévu, son P-DG protesta, invoquant mille raisons pour la faire changer d'avis. Mais elle tint bon. L'assurance de ne pas voir s'ébruiter le suicide d'un employé plaidait en sa faveur. Leicester, en échange de son accord, lui fit promettre de répondre à ses appels s'il avait besoin d'elle. Laurene accepta.

Elle redescendit à son étage pour prévenir son assistante de ce départ précipité.

— Mais vous partez quand ? lui demanda-t-elle, l'air ahuri.

— Je viens de vous le dire, Caroline, là, maintenant. Je rentre chez moi, je boucle mes valises, je préviens une amie qui viendra vérifier si tout se passe bien dans mon appartement et demain, adieu Paris !

Son assistante n'arrivait pas à y croire.

— Vous, Laurene, vous partez trois semaines ?

— Oui, lui assura-t-elle.

Elle sentit une forme de libération l'envahir.

— Et vous allez où ? Dans votre famille ? Excusez-moi, c'est indiscret…

Laurene éclata de rire.

— Dans ma famille ? Certainement pas ! Je m'envole pour le soleil d'Andalousie, à Séville !

Laurene passa l'après-midi à préparer ses valises et à effectuer quelques achats. Le soir, Élise l'invita à dîner. Avec Guillaume, ils ne furent pas surpris de son départ. Élise avoua à son amie que son état l'inquiétait depuis quelques mois. Elle était contente de la voir sourire à nouveau.

— Reviens-nous en pleine forme et donne-nous des nouvelles.

Laurene l'embrassa chaleureusement.

— Bien sûr ! À bientôt, Élise.

6
Larguer les amarres

S'enfuir, larguer les amarres, ne pas se retourner.

Courir, courir à en perdre haleine, à s'en brûler les poumons.

Pousser la vie droit devant soi sans se poser de questions, ne rien attendre et n'avoir aucun regret.

Allumer des feux d'artifice pour que l'espoir renaisse et voir le ciel s'embraser de milliers d'étoiles.

Assise sur son lit, Louane triturait le papier que venait de lui donner Louise. Que devait-elle faire ?

Elle avait la possibilité d'offrir à Louise sa liberté, mais à quel prix ! Le prix du danger et de la désobéissance.

Elle savait que la santé de Louise se dégradait inéluctablement. Si elle acceptait d'aider son amie et de s'enfuir avec elle, un problème pourrait survenir à tout moment. Au mieux, les deux femmes seraient reconduites aux Roses-Pourpres après une énième crise. Au pire, un accident grave pourrait survenir et mettre la vie de Louise en péril. Louane ne pouvait pas prendre ce risque, c'était trop dangereux et elle ne se sentait pas capable d'assumer une telle responsabilité.

Elle se résigna, pensant que la meilleure solution était encore de laisser les médecins décider. Même si cela lui brisait le cœur, l'avenir de son amie ne pouvait être qu'entre les murs déprimants de l'antichambre de la folie.

Elle posa le papier sur sa table de nuit et s'allongea sur son lit les mains croisées derrière la tête. Son esprit s'évada.

Elle pensait à sa vie à Bordeaux, à son petit frère Jules, qui lui manquait tant malgré leurs échanges réguliers de messages et d'appels téléphoniques à l'insu de leurs parents.

Puis elle pensa à Chloé, et un sourire illumina son visage. Que ferait-elle à ma place ? Que me conseillerait-elle ? Elle imaginait que son amie aurait, sans aucun doute, une solution. Elle avait toujours des solutions, Chloé !

Louane ressentait le besoin d'entendre sa voix. Chloé et ses amis finissaient leur séjour en Italie, l'appeler était impossible, son forfait n'y survivrait pas. Elle lui envoya un SMS, une forme d'appel à l'aide.

Salut ma belle, tu me manques.
J'aimerais tant te parler.

La réponse ne tarda pas.

Ça va toi ?

Pourquoi mentir ?

Non !

Les minutes s'écoulèrent, Chloé ne répondait pas, sans doute était-elle occupée à rire et à s'amuser avec son groupe de copains. Il était 22 h 30, la nuit commençait à tomber, Louane posa son téléphone et tenta de s'endormir.

Elle entendait les cris des résidents du bâtiment B, à peine étouffés par l'épaisseur des murs. La tombée de la nuit exacerbait leurs angoisses et, malgré les tranquillisants, les malades gémissaient tels des animaux pourchassés qui chercheraient un refuge.

Chaque soir, une heure durant, Louane devait supporter la détresse humaine dans ce qu'elle avait de plus primaire, de plus insupportable. Les plaintes allaient bien au-delà de l'expression de la peur. Les résidents exprimaient une forme d'animalité brute sans la barrière de la conscience.

Louane était effrayée et se boucha les oreilles. Elle ne pouvait plus supporter ces cris glaçants. Dans quelques jours, la voix de Louise se mêlerait à ce concert de gémissements. Elle éclata en sanglots.

Son portable vibra contre sa cuisse. « Chloé » ! Elle décrocha aussitôt.

— Trop contente ! Mais où es-tu ? Vous êtes encore en Italie ?

— Nous sommes sur le chemin du retour, deux jours avant la date prévue. On vient de passer la frontière, j'ai attendu pour t'appeler. On n'avait plus un rond, alors on rentre. Ce n'est pas grave, c'était super… Désolée.

— T'inquiète, c'est cool, je suis contente pour vous… Mais ça ne va pas, avoua Louane sans plus attendre.

Son amie tenta de la rassurer.

— Tu as fait le plus dur, courage !

— C'est pas ça, Chloé, enfin si, mais j'ai une décision à prendre et je ne sais pas quoi faire.

— Une décision ?

— C'est difficile à expliquer…, murmura Louane.

— On vient juste de passer le péage en direction de Nice. La rocade bordelaise est encore loin, tu as tout ton temps, je t'écoute, plaisanta Chloé.

Louane se lança alors dans un long monologue. À mesure qu'elle expliquait la situation à son amie, le débit de ses paroles s'accélérait, comme si elle se libérait d'un poids bien trop lourd à porter pour une jeune fille qui, jusqu'à présent, n'avait eu aucune décision importante à prendre. Les idées sortaient, imprécises et dans le désordre, mais qu'importe, elle en avait besoin.

— J'ai sympathisé avec une vieille dame malade, enfin pas trop, mais elle risque quand même d'être enfermée jusqu'à la fin de ses jours dans le bâtiment des fous. Elle m'a demandé d'organiser sa fuite. Elle désire retourner chez elle en Espagne, là où elle est née. Si j'accepte, tout le monde saura que c'est moi qui l'ai aidée. J'aurai des problèmes et... mon père. Putain, ça va être chaud ! Si je fais rien, elle ne reverra jamais son village, ses racines. En même temps, c'est super dangereux. Est-ce que je pourrai me débrouiller une fois sortie du centre ? À tout moment, elle peut faire une crise, un accident peut arriver, et ce sera ma faute !

Pendant quelques instants, Louane n'entendit que le ronronnement du moteur et les voix lointaines des amis de Chloé. Elle poursuivit, et son débit s'accéléra de nouveau.

— Tu es toujours là ? Tu n'as rien compris, c'est normal... Alors, comme je te disais...

— Stoppppp... Laisse-moi réfléchir !

— Oui, mais...

— Stop !

Louane se calma enfin.

— Très bien, j'attends.

— Elle est sous tutelle, cette dame ?

— Ses enfants n'ont fait aucune démarche dans ce sens, du moins pour l'instant. Elle est encore responsable de ses actes.

La réponse de Chloé ne tarda pas. Elle ne souffrait aucune hésitation.

— Très bien, alors pars avec elle.

— Mais enfin, Chloé, tu es folle, je ne peux pas, c'est impossible !

— Ah non, c'est toi qui fais un stage chez les fous, ce n'est pas moi, s'amusa Chloé.

— Tu es nulle.

— Je sais, ça m'arrive. Plus sérieusement, pars avec elle, c'est la meilleure solution. Tu l'emmènes chez elle, et tu ne reviens à Bordeaux qu'à la rentrée.

— Mais je dois rester ici, que va dire mon père et…

— Écoute, Louane, je vais être franche avec toi. Tu n'as jamais assouvi aucun de tes désirs. Ton père décide de tout : ton orientation, ce que tu feras plus tard, ton boulot d'été qui va te rendre maboule. Réagis, Louane, pour une fois, ose faire ce dont tu as envie, ce que tu ressens au plus profond de toi !

— Oui, mais ici…

— Mais arrête de te trouver des excuses, Louane ! Tu es majeure, cette dame est responsable, alors que risques-tu ? Pas grand-chose, à part bouleverser l'organisation de ton centre de fadas ! Ah oui, et surtout… contrarier papa. Ose, putain, ose ! Tu en crèves d'envie !

Louane hésitait toujours. Prendre sa vie en main lui faisait si peur.

— Tu partirais avec elle, toi ?

— On s'en fout de moi. Toi, tu veux quoi ?

— Je crois que tu as raison, concéda Louane.

— Ton père gueulera une fois de plus. Ce n'est pas grave. Bon, je dois te laisser, plus de batterie. Au fait, c'est où que tu pars pour ton nouveau métier d'accompagnatrice de personne âgée un peu gaga ?

— Arrête, tu n'es pas drôle. Louise n'est pas folle, loin de là !

— Ça va couper ! Tu pars où ?

— À côté de Séville, en Andalousie.

— Alors, la prochaine fois que j'ai de tes nouvelles, que ce soit depuis...

La communication fut définitivement interrompue.

Louane venait de recevoir les conseils de son amie, mais la décision lui appartenait. Devait-elle écouter ce que lui imposait sa raison et ne transgresser aucune règle ? Devait-elle accéder à la demande de Louise, lui offrir sa fuite vers l'Espagne ? Tout s'embrouillait dans son esprit. Elle se leva et ouvrit la fenêtre pour profiter de la fraîcheur nocturne. Plus aucune plainte ne parvenait du bâtiment B. Les camisoles chimiques avaient enfin eu raison des gémissements.

Elle pianota sur son portable, se connecta sur le site de l'aéroport de Strasbourg. Le premier vol pour l'Espagne était programmé le lendemain à 18 h 05 pour atterrir à Madrid à 20 h 05. Et Séville était encore à cinq cents kilomètres de la capitale espagnole. Louane eut beau chercher un vol direct ou une correspondance qui mènerait directement à Séville, il n'y en avait aucun avant la date fatidique du jeudi matin, le jour de l'évaluation de Louise.

Elle posa son portable sur la table. Elle tremblait, le corps secoué de petits spasmes de stress. Elle revint vers la fenêtre. Peu à peu, sa respiration se calma.

Et là, Louane prit sa décision. Pour la première fois, elle plongeait dans l'inconnu, enfin elle osait ! Pour les conséquences, elle gérerait jour après jour, du moins elle essaierait.

Elle réserva deux allers pour Madrid sur un vol de la compagnie Iberia. Elle jugerait sur place du mode de transport le plus approprié jusqu'à Séville. Elle commanda un taxi pour le lendemain à 16 heures devant la porte du fond du parc des Roses-Pourpres.

L'aventure débutait. Louane venait de prendre la première décision importante de sa vie. Le plus difficile restait à venir : durant le voyage pour l'Andalousie, elle serait responsable de la sécurité de Louise.

7

Semer des petits cailloux

Nous passons notre vie à semer des petits cailloux, des empreintes qui parsèment notre chemin.

Il peut s'agir de galets ronds et doux ou de pierres anguleuses, cela dépend des événements qui jalonnent notre existence.

Chacun espère qu'il y aura, quelque part, quelqu'un qui devinera les traces que nous déposons et osera se saisir de nos petits cailloux.

À cet instant, la rencontre pourra exister.

À travers le hublot de l'Airbus A320, Laurene admirait la douceur des sommets pyrénéens. L'avion avait décollé de Paris-Charles-de-Gaulle à 10 h 05, l'atterrissage était prévu à 12 h 35 à l'aéroport de Séville-San Pablo. La météo était idéale, aucune perturbation ne venait troubler son voyage. Sa première journée de liberté débutait sous les meilleurs auspices.

Laurene ne regrettait pas sa décision hâtive, mais l'euphorie de la veille avait laissé place à une forme de doute dans son esprit. Un départ aussi rapide ne serait-il pas considéré par sa direction comme un aveu de faiblesse ? M. Leicester n'aurait aucun mal à recruter un nouveau directeur des ressources humaines s'il considérait que Laurene ne pouvait pas résister à la pression qu'imposait ce poste.

« Arrête un peu de psychoter ! », se dit-elle tout en farfouillant dans sa poche à la recherche de son téléphone portable. Elle constata que, contrairement à d'habitude, il était éteint. C'était suffisamment rare pour qu'un sourire d'étonnement se dessine sur son visage. Machinalement, elle commença à saisir son code, mais arrêta son geste. Elle avait décidé de se couper de toutes ses responsabilités durant ses trois semaines de vacances, ce n'était pas pour se reconnecter quelques heures après son départ. Elle se promit de ne consulter ses messages que tous les deux jours, pas plus. Le pari était ardu, Laurene le savait ; elle ne supportait pas le vide.

Elle le comblait comme elle le pouvait, souvent maladroitement. Son comportement avec Raphaël en était la plus éclatante des démonstrations. Pallier un manque, coûte que coûte, rapidement, intensément, sans réfléchir aux conséquences de ses actes. Elle avait réagi avec cet homme comme s'il lui était possible de rattraper huit années en un temps record. Laurene s'était employée à le séduire à nouveau, à lui offrir une séance d'amour inoubliable, tout en envisageant de vivre avec lui… Tout cela en une soirée. Elle n'avait jamais pensé que, pour Raphaël, les années passées n'étaient pas forcément du temps perdu, mais au contraire une prise de recul sur leur première expérience. Elle avait gâché toutes ses chances.

Laurene n'avait prévenu ni son frère ni ses parents de son départ précipité. Concernant Patrick, cela ne l'inquiétait pas, leurs relations étaient chaleureuses, mais rares. S'il n'arrivait pas à la joindre, Laurene savait qu'il lui laisserait un message sans attente particulière quant au délai de réponse.

Avec ses parents, en particulier avec son père, la situation allait être plus difficile à gérer. Les appels paternels étaient, depuis des années, réguliers, tous les deux ou trois jours, le plus souvent sur le téléphone fixe de son domicile ou celui de son bureau, rarement sur son portable.

Jusqu'à présent, si Laurene n'était pas disponible, elle rappelait dès qu'elle le pouvait afin de satisfaire les demandes parfois culpabilisantes de son père. Elle se devait de le mettre au courant afin qu'il n'inonde pas son assistante d'appels plus angoissés les uns que les autres. Elle les préviendrait le lendemain soir, lorsqu'elle serait installée à son hôtel et qu'elle aurait eu le temps de se poser une journée entière dans la capitale andalouse.

Si Laurene avait décidé de se couper de ses habitudes, ce n'était pas seulement pour s'éloigner de ses responsabilités professionnelles, mais également de sa vie personnelle. Elle se devait de prendre du recul, d'être seule face à elle-même, ses contradictions et ses hésitations.

Ce vide qui lui faisait si peur, Laurene allait devoir l'affronter, s'approcher du précipice et regarder le plus loin possible. Elle le savait, le vertige serait brutal, mais elle devait le surmonter afin de savoir quelle partie du paysage ne lui convenait pas et l'obligeait, chaque fois, à fermer les yeux et à rebrousser chemin.

Une annonce du chef de cabine vint briser la tranquillité qui régnait dans l'avion depuis le départ de Paris. Dans un anglais au fort accent ibérique, il s'exprima avec calme afin de ne pas affoler les passagers.

« Mesdames et messieurs, un incident mineur nous oblige à effectuer une escale technique à l'aéroport Adolfo Suárez de Madrid. Après les vérifications réglementaires de sécurité, nous reprendrons notre vol vers Séville, notre destination initiale, que nous atteindrons avec environ deux heures de retard. »

Certains passagers manifestèrent leur agacement, d'autres s'inquiétèrent et scrutèrent les parties de l'avion qu'ils pouvaient apercevoir à travers les hublots. L'appareil n'émettait aucun bruit suspect, aucune fumée ni vibration. Pourtant, les plus angoissés demandèrent avec empressement des renseignements au personnel navigant.

Le commandant de bord décida d'intervenir pour rassurer en personne les passagers les plus inquiets. Sa visite eut le mérite de dédramatiser une situation qui aurait pu rapidement déraper.

Malgré le beau temps et l'absence de perturbations, l'atterrissage à l'aéroport de Madrid fut particulièrement délicat. Ce que les passagers n'apprirent que quelques minutes avant d'approcher l'une des pistes secondaires, c'était qu'un des pneus du train d'atterrissage avait explosé au décollage. Bien évidemment, le vol n'en avait pas été perturbé. En revanche, lorsque l'avion toucha le sol, il fallut toute la dextérité du pilote pour que la masse d'acier garde le cap et s'immobilise dans un fracas de vibrations en bout de piste. Les sirènes des camions de pompiers qui s'approchaient à grande vitesse ne firent que renforcer la panique qui commençait à gagner les passagers. Laurene n'en menait pas large.

L'annonce de l'incident technique l'avait simplement agacée à cause du retard que cela occasionnait. En revanche, l'atterrissage mouvementé, puis les sirènes hurlantes et enfin l'ouverture des portes suivie du déploiement des toboggans de sécurité lui retournèrent les tripes. Elle eut du mal à contenir un début d'affolement et ne fut rassurée qu'une fois sur le tarmac, quand elle constata que l'avion était intact. Seul le train d'atterrissage qui avait subi des dégâts lors du décollage était, par mesure de sécurité, copieusement arrosé par les lances à incendie des pompiers.

Les passagers furent conduits dans une des salles de la compagnie, située dans l'aérogare principale. Les responsables d'Iberia présentèrent les différentes options pour rejoindre Séville.

Les hommes d'affaires pressés d'arriver à destination ainsi que les passagers qui n'avaient pas été traumatisés par cet atterrissage plutôt inhabituel choisirent de prendre un autre avion qui les conduirait à Séville en début de soirée. Quant à ceux qui ne souhaitaient pas remonter dans une carlingue après de telles émotions, on leur proposa de poursuivre leur voyage en car. Huit heures de route et une arrivée prévue au beau milieu de la nuit. Cette solution n'enchantait guère Laurene.

À la suite de l'incident, les voyageurs durent attendre près de trois heures avant de récupérer leurs bagages. La compagnie essaya de faire en sorte que cette attente soit la moins pénible possible, mais de nombreux passagers s'énervèrent, leur patience ayant atteint ses limites.

Laurene commençait à se demander si elle avait fait le bon choix. Si elle était partie pour couper avec le stress de sa vie et tenter d'y redonner un sens, ce n'était certainement pas pour retomber dans d'autres galères. Elle se renseigna sur les vols pour retourner à Paris, peut-être avait-elle fait une erreur et devait-elle reprendre sa vie là où elle l'avait laissée…

Elle se ravisa lorsque la compagnie lui proposa de lui payer une chambre d'hôtel et de prendre à sa charge une voiture de location pour rejoindre Séville. L'idée de se retrouver entassée dans un bus s'éloignait. Elle ne pouvait partir que le lendemain matin tôt, mais elle fut séduite par cette solution. Même si Madrid et Séville étaient distantes de cinq cents kilomètres, elle avait le temps. Ce serait l'occasion de visiter Tolède, Ciudad Real et Cordoue en cheminant paisiblement vers la capitale andalouse. Elle téléphona à l'hôtel où elle avait réservé trois nuits pour annuler sa réservation. Elle jugerait de ses étapes au gré de ses envies.

Départ à 6 heures le lendemain. Laurene avait maintenant hâte de se lancer enfin sur les routes d'Andalousie.

Jusqu'à présent, tout s'était déroulé comme prévu. Le taxi attendait Louise et Louane à l'heure dite devant l'entrée des Roses-Pourpres. Simulant une promenade un peu plus longue que d'habitude, les deux femmes n'eurent aucun mal à atteindre le portail situé au fond du parc. Louane l'ouvrit avec son badge et elles s'engouffrèrent à l'arrière de la Mercedes noire.

— Bonjour, mesdames. À l'aéroport, c'est bien cela ? demanda le chauffeur.

— Oui, oui, confirma Louane, qui avait du mal à dissimuler son stress.

Pour l'instant, une seule chose lui importait : que le taxi démarre le plus vite possible. Mais le chauffeur paraissait prendre un malin plaisir à attendre avant de mettre le contact. Louane s'agaça.

— Nous sommes pressées ! Vous pouvez y aller, s'il vous plaît ?

— Bien sûr, ma petite dame, votre avion est à quelle heure ?

— 18 h 05, répondit Louise, qui semblait revigorée depuis que Louane avait accepté de l'accompagner jusqu'à son village de Valdehijos.

— Mais nous avons tout notre temps ! lança le chauffeur sans pour autant démarrer.

— Oui, mais... des amis à récupérer sur un autre vol avant de prendre le nôtre.

— Ah bon ? s'étonna Louise, qui comprit instantanément qu'elle venait de gaffer.

Louane lui fit les gros yeux tandis que le chauffeur se décidait enfin à enclencher la première. Il s'engagea sur la longue avenue qui longeait le parc boisé des Roses-Pourpres.

— Nos amis... Bien sûr, suis-je bête ! confirma Louise.

Louane ne put s'empêcher de se retourner à plusieurs reprises pour vérifier que personne ne s'était aperçu de leur fuite. Son inquiétude était palpable, alors que Louise paraissait plus calme. Un sourire éclairait son visage.

— Vous partez loin ? s'autorisa le taxi.

— Quelques jours de vacances... au soleil avec... ma grand-mère, répondit sèchement Louane, qui n'avait pas envie de donner plus de renseignements à ce type trop curieux.

— Vous voyagez léger. Vous n'avez pas de bagages ?

— Les amis ! rétorqua-t-elle sèchement.

— Les amis ?

— Oui, ce sont nos amis qui... transportent nos bagages.

— Ah bon... Très bien. Dans un quart d'heure je vous dépose devant l'entrée, conclut l'infernal bavard, comprenant enfin qu'il était préférable qu'il se taise.

Louise avait remarqué l'angoisse de Louane et posa doucement la main sur sa cuisse.

— Ne t'inquiète pas, tout se passera bien.

— Facile à dire, on a fait une belle connerie ! Je vais me faire tuer, chuchota Louane.

Elles arrivèrent à l'aéroport de Strasbourg avec plus d'une heure et demie d'avance. Louane, à qui Louise avait confié sa carte bleue, paya la course. Par précaution, elle retira une somme importante de liquide à l'un des distributeurs situés dans le hall. Elle acheta deux sacs et les affaires de toilette qu'elle put trouver dans les rares boutiques. Pour les vêtements, elles attendraient leur arrivée à Madrid, où une séance de shopping s'imposait.

Encore une heure avant le décollage ! Louane était terrorisée. Chaque personne qu'elle croisait la faisait sursauter. Son comportement tournait à la paranoïa, ce que ne manqua pas de lui faire remarquer Louise.

— C'est bon, calme-toi, dit-elle.

Le regard de Louane sautait d'un coin à l'autre du bâtiment. Ses jambes tressautaient nerveusement, elle n'arrivait pas à rester assise plus de cinq minutes d'affilée.

— Je vais me faire tuer, répéta-t-elle.

Louise, toujours aussi tranquille, lui répondit :

— Mais non, Louane, je t'assure que tout va bien se passer.

Elle tenta même l'humour.

— Tu es juste avec une vieille folle qui s'est enfuie de sa maison de santé. Tu ne sais pas quand je vais perdre la tête. L'aventure, quoi !

Louane triturait les deux passeports. Elle planta ses yeux dans ceux de sa compagne d'évasion et maugréa :

— Ça n'a rien de drôle, je te signale que je n'ai rien demandé !

Elle semblait regretter son choix.

Louise prit un air grave.

— Tu peux encore renoncer..., je ne t'en voudrai pas. L'important, c'est que je sois sortie de ma prison avec mon billet entre les mains.

Louane réfléchit un instant, sa respiration se calma.

— Ça va ! Imagine que tu leur racontes, à Madrid, qu'on est au XVIIIe siècle ou que tu agresses une hôtesse, tu vas faire quoi ? Bon, allez, de toute façon on est dans la même galère, alors *let's go!*

— Alors quoi ?

— *Let's go!* On y va !

Les deux femmes se mirent à rire et se levèrent. L'embarquement commençait.

Le voyage se déroula sans encombre. Louise dormit une grande partie du trajet. Son sommeil était agité, ce qui contrastait avec le calme apparent qu'elle affichait depuis le départ des

Roses-Pourpres. Louane était partagée entre deux sentiments : celui d'offrir à sa vieille amie un ultime bonheur, et une terrible angoisse à l'idée d'avoir pris une telle responsabilité.

Louise l'avait-elle manipulée ? Avait-elle profité de sa faiblesse pour parvenir à ses fins ? Louane n'arrivait pas à gommer cette idée de son esprit. De toute façon, à quoi bon ruminer ? Elle ne pouvait plus reculer, il était trop tard.

Soudain, Louise se mit à émettre des sons étranges, puis à prononcer des mots incompréhensibles.

« Oh non, pas maintenant ! », s'affola Louane, qui ne savait pas si sa vieille amie venait de se réveiller et présentait une nouvelle crise d'absence ou s'il s'agissait d'un cauchemar.

Une hôtesse s'approcha et demanda si tout allait bien. Louane la rassura en inventant une réponse.

— Quand elle voyage… ma grand-mère angoisse. Elle prend des calmants… qui lui provoquent des cauchemars.

— Très bien, n'hésitez pas si vous avez besoin de quoi que ce soit, proposa l'hôtesse.

— Bien sûr, affirma Louane, qui n'attendait qu'une chose : qu'elle s'éloigne pour tenter de calmer Louise, qui ne faisait pas un cauchemar, mais bien une nouvelle crise. Elle venait de glisser à l'oreille de Louane : « Ils sont partout, vous savez. Vous devriez faire attention. Ils sont là pour nous détruire… » Un délire sans logique…

Louane se serra contre elle, posa sa main sur sa joue. Elle savait que si elle était en confiance, la crise n'en serait que plus courte. Louise s'apaisa peu à peu et retomba dans une ultime phase de sommeil. Louane était fatiguée et s'assoupit pour la dernière demi-heure du voyage.

L'annonce de la descente réveilla les deux femmes. Louane constata que sa compagne ne s'était pas rendu compte de sa crise. Elle décida de ne pas lui en parler.

— Nous arrivons dans ton pays, ça y est ! Au fait, c'est toi qui parles, car l'anglais OK, mais l'espagnol... *comprendo nada* !

— Effectivement, je crois qu'il vaut mieux que je m'en charge. Si je perds la tête, tu poursuivras en anglais, les Espagnols sont, paraît-il, bien plus doués que les Français pour la langue de Shakespeare.

— Ça marche. Quelle équipe de bras cassés ! constata Louane, un peu amère.

— Tu crois qu'ils se sont aperçus de notre départ ? s'enquit Louise.

— Bien sûr, il est 20 h 20 et tu devrais déjà être dans ta chambre, très chère camarade de voyage, plaisanta Louane, qui voulait à tout prix dédramatiser la situation.

Louane avait réservé une chambre d'hôtel. Elle avait décidé que la fin du trajet se ferait en voiture à travers la Castille, la Manche, puis l'Andalousie. Valdehijos serait en vue le lendemain en début d'après-midi.

Louise appela Alvaro, qui, après lui avoir manifesté sa surprise et sa joie de la revoir, lui confirma qu'il avait suffisamment avancé dans la restauration de la partie habitable du moulin pour qu'elles puissent y loger. Le confort serait spartiate, mais le minimum vital serait au rendez-vous. Louane la regardait parler avec facilité dans sa langue maternelle, agitant les bras pour joindre le geste à la parole. Les boutiques de l'aéroport étaient ouvertes jusqu'à 23 heures, l'avantage des horaires espagnols. Les deux femmes en profitèrent pour se constituer une garde-robe minimale jusqu'à ce qu'elles puissent faire d'autres emplettes à Séville.

Il était près de minuit, elles partagèrent une assiette de charcuterie et une omelette au bar de l'hôtel avant de prendre la direction de leur chambre. La journée avait été riche en émotions et le repos était nécessaire avant de prendre la route le lendemain dès 6 heures, seul moment de la matinée où une voiture de location était encore disponible.

La tête à peine posée sur l'oreiller, Louise s'endormit. Elle avait décidé de prendre le traitement que lui avait prescrit le neurologue des Roses-Pourpres. Satisfaite de cette décision, Louane lui avait conseillé d'attendre d'être plus tranquille, chez elle, à Valdehijos, avant d'instaurer ce nouveau protocole de soins. Mais rien n'y avait fait. Dès que Louise avait su qu'elle ne connaîtrait pas l'enfermement du bâtiment B, elle avait eu à cœur de profiter du moindre instant. Désormais, elle souhaitait pouvoir rallonger au maximum ses moments de parfaite conscience, et cela passait bien sûr par l'observance de son traitement.

Dès la première prise, lors de leur arrivée à Madrid, les effets secondaires se manifestèrent. Louise oscillait entre euphorie et somnolence intense.

Louane profita du sommeil de son amie pour consulter sa messagerie. Bien évidemment son père, égal à lui-même, lui intimait l'ordre de rentrer à Strasbourg et de reprendre son poste au plus vite. Son ami Julien, le directeur du centre, l'avait prévenu de la fuite de sa fille avec une des pensionnaires. Comme pour le résultat de son baccalauréat, il lui répéta qu'elle était la honte de la famille Clavier et que si elle revenait rapidement aux Roses-Pourpres, les enfants de Mme Dupré ne porteraient pas plainte. Pour le reste, tout se réglerait en famille, affirmait-il. « Tout un programme », se dit Louane en levant les yeux au ciel.

Même si elle était consciente qu'elle avait aidé Louise à s'enfuir, elle savait que, juridiquement, elle ne risquait rien. Elles étaient majeures toutes les deux, Louise ne subissait pas encore la curatelle que souhaitait lui imposer sa fille Marie. Alors, à quoi s'exposait Louane ? Désertion d'emploi saisonnier ? Cela la fit sourire.

Elle décida qu'elle donnerait des nouvelles à sa mère le lendemain soir, lorsqu'elle serait installée, pas avant. Elle avait bien d'autres choses à gérer et ne souhaitait pas se polluer l'esprit avec des échanges qui auraient mobilisé son attention : elle devait garder sa lucidité et son énergie pour conduire Louise à bon port.

Le message de Mme Elmic, lui, ressemblait à une leçon de morale, avec la description de tous les risques qu'elle encourait pour avoir pris la responsabilité de fuir avec une personne atteinte de la maladie d'Alzheimer. Elle lui reprochait de ne pas avoir écouté ses multiples mises en garde et lui annonçait qu'elle pouvait être accusée de « non-assistance à personne en danger ». L'avis de Louane était plutôt inverse. Louise était en danger aux Roses-Pourpres. Alors, pouvait-on l'accuser d'« assistance urgente à personne en détresse » ? Sûrement pas.

Enfin, un dernier message de Chloé l'encourageait dans sa démarche. « J'espère que l'air espagnol te fait du bien, je suis fière de toi ! » Les larmes lui vinrent aux yeux. Comment son amie avait-elle su ? Peut-être était-elle certaine que Louane prendrait le risque d'aider une vieille femme à réaliser son dernier rêve, mais surtout celui de s'émanciper enfin d'une vie où elle se sentait de plus en plus à l'étroit.

Au fond, Louane était consciente que cette fuite représentait la liberté qu'elle ne s'était jamais autorisée. Louise était le prétexte idéal, l'excuse parfaite.

Elle vérifia une dernière fois que sa protégée respirait calmement. Puis elle ferma les yeux, apaisée par le message de son amie, et s'endormit enfin. Il était près de 2 heures du matin.

8

Le hasard n'existe pas !

Le hasard n'existe pas.

Nous sommes programmés pour rencontrer les êtres qui nous ressemblent et nous complètent.

Cela prend parfois toute une vie, mais à force d'espérer, nous finissons toujours par nous donner rendez-vous sur le chemin de la liberté.

« *Feeling my way through the darkness*
Guided by a beating heart
I can't tell where the journey will end
But I know where to start[1] »

1. « Trouvant mon chemin à travers les ténèbres
Guidé par un cœur qui bat
Je ne peux pas dire où le voyage se terminera
Mais je sais par où commencer »
Avicii, *Wake Me Up* ; album *True* ; UMSM-Universal Music, 2013.

5 h 15. Le portable de Laurene s'était mis à vibrer et hurlait les paroles entraînantes de *Wake Me Up* d'Avicii. La veille au soir, la jeune femme avait réglé le volume au maximum de peur de ne pas se réveiller. L'heure était inhabituelle, sa voiture de location l'attendait quarante-cinq minutes plus tard à l'agence de location située sur le parking principal de l'aéroport.

Les yeux encore fermés, elle tâtonna sur la table de nuit, se saisit de son Smartphone et baissa maladroitement le volume. Le téléphone tomba sur la moquette.

— Putain ! grommela-t-elle. Ça, c'est sûr, je ne sais pas où le voyage se terminera, mais pour l'instant, effectivement, je sais par où commencer : me lever !

Elle se dirigea avec empressement vers la salle de bains et prit une bonne douche froide. Elle voulait être parfaitement réveillée, car elle allait devoir conduire de longues heures sur les routes d'Andalousie. Après les émotions de la veille, elle préféra ne rien laisser au hasard. Elle s'habilla légèrement, car la température annoncée aux informations qui défilaient sur l'écran de télévision était de 23 °C à 6 heures et 37 °C en fin d'après-midi pour Tolède, première étape de son voyage vers Séville.

« Ah oui, quand même ! La grisaille parisienne est enfin loin ! », se dit-elle.

Elle n'était pas encore sortie de sa chambre qu'elle avait déjà calé ses lunettes de soleil sur son nez. Elle boucla sa valise, vérifia qu'elle n'avait rien oublié et se dirigea vers le hall de l'hôtel. Elle fit un détour rapide par la salle du petit déjeuner, grignota un croissant et but un café sans même prendre le temps de s'asseoir.

Malgré l'heure encore matinale, les portes automatiques de l'hôtel s'ouvrirent sur un ciel d'un bleu clair et limpide. Laurene ferma les yeux un instant et prit trois amples inspirations avant de s'installer dans la navette qui conduisait les clients de l'hôtel jusqu'à l'aérogare 1 de l'aéroport Adolfo-Suárez.

Elle avait remarqué que l'icône des messages clignotait sur l'écran de son Smartphone. La veille, elle s'était promis qu'elle les consulterait seulement tous les deux jours. Mais les habitudes sont parfois difficiles à lâcher et elle ne put résister : elle regarda le nom des expéditeurs.

Elle sourit en lisant le message de son amie Élise qui lui souhaitait de revenir en pleine forme et surtout de profiter pleinement de ces vacances. Mais elle ne répondit pas, même si elle en avait envie. Si elle le faisait, Élise s'attendrait à une conversation quasi quotidienne qui ne correspondait pas aux aspirations de Laurene à se couper de sa vie parisienne. « Plus tard », se promit-elle.

Laurene fut surprise de découvrir l'expéditeur du deuxième SMS : Raphaël ! Elle resta un instant sans réaction, contemplant son écran sans savoir quelle attitude adopter. Devait-elle supprimer ce message sans le consulter ? Sans doute ; à quoi bon remuer le passé quand l'espoir de réparer ses erreurs n'existe plus ? Mais la curiosité l'emporta. Tout en descendant de la navette qui venait de s'immobiliser devant l'aérogare, elle lut le message de Raphaël avant d'éteindre son portable jusqu'au lendemain soir.

> Heureux de notre soirée.
> Peut-être avons-nous besoin de temps ?

« Peut-être avons-nous besoin de temps ? » Que voulait-il dire ? Il lui avait toujours reproché d'être incapable de leur consacrer le temps nécessaire pour donner une chance à leur relation. En tout cas, contrairement à ce qu'elle avait imaginé, Raphaël ne fermait pas la porte à un avenir commun. En serait-elle capable ? À cet instant, elle n'en avait aucune idée.

Elle pénétra dans le bâtiment de la société de location de voitures.

— *¡Hola!* lança l'employée lorsqu'elle s'approcha du comptoir.

— Bonjour, je ne parle pas l'espagnol, répondit-elle. Vous parlez anglais ?

— Ne vous inquiétez pas, madame, en français ce sera très bien, déclara la jeune fille avec un adorable accent hispanique.

— Parfait. Vous devez avoir un véhicule réservé pour quatre jours au nom de Laurene Malgot. Suite à l'incident d'hier, Iberia m'a proposé de rejoindre Séville en voiture.

L'employée se saisit du dossier de la compagnie aérienne. Elle en retira la fiche de Laurene sur laquelle était collé un Post-it rouge. Elle parut embarrassée.

— Bien sûr, madame. Par contre, nous avons eu de nombreuses demandes dues à plusieurs vols annulés...

Laurene lui coupa la parole. Elle sentait qu'une mauvaise nouvelle s'annonçait. Une de plus, après le problème technique de la veille.

— Ah non, qu'y a-t-il encore ? s'exclama-t-elle.

Son interlocutrice tenta de calmer son énervement naissant.

— Nous vous avons surclassée. En revanche, nous n'avons pas assez de véhicules pour satisfaire cette demande inhabituelle.

— Et alors ?

Laurene attendait la suite avec hargne, prête à déverser toute sa mauvaise humeur matinale.

— Je suppose que cela ne vous embête pas de voyager avec d'autres personnes qui se rendent également à Séville...

— Si ! Vous supposez mal, il n'en est pas question !

— Ce sont des Françaises, précisa la jeune fille.

— Je m'en moque ! Cette satanée compagnie aérienne n'a pas été capable de me transporter à bon port. Et maintenant, je deviens une société de transports en commun ! Et puis quoi encore ?

Voyant que la discussion allait déraper, l'employée appela sa responsable pour essayer de trouver une solution. Au bout de quelques minutes, elle s'adressa à Laurene.

— Nous sommes confuses, madame, mais si vous souhaitez partir aujourd'hui, nous n'avons pas la possibilité de vous proposer autre chose.

Au moins, la situation avait le mérite d'être claire.

Assises au fond de la pièce, dans la salle d'attente, Louane et Louise assistaient à la scène. Quelques minutes auparavant, la même information leur avait été communiquée.

— Elle commence à me gonfler, la Parigote, marmonna Louane tout en sirotant le café qu'elle venait de prendre au distributeur automatique.

— La Parigote ? demanda Louise, dont le visage trahissait son état de fatigue.

— Ben oui, tu l'as vue, celle-là ? Elle se prend pour qui avec son accent pointu et ses lunettes de soleil ? Plus elle monte dans les tours, plus il me gave, son accent !

— Donc, soit je rentre à Paris par le premier vol, soit j'accepte votre proposition… bancale, poursuivit Laurene toujours sur le même ton.

La responsable de l'agence, qui avait d'autres dossiers à traiter, répondit fermement :

— Exactement, madame. Quelle est votre décision ?

— Et je transporte qui ou quoi ? interrogea Laurene.

Louane n'attendit pas la réponse et réagit avec le naturel et la franchise de son âge. Elle se leva et se dirigea à grands pas vers le comptoir.

— D'abord, tu te calmes. On n'a pas fait tout ce foin quand on a su qu'il y avait eu des changements. Et tu ne transportes pas « quoi ». C'est nous qui allons devoir te supporter !

Un ange passa... Laurene tourna la tête vers Louane. Derrière ses lunettes de soleil, elle la fusilla du regard, et s'adressa de nouveau à la responsable de l'agence.

— Ce sont elles ?

— Oui, madame Malgot, vous voyagerez jusqu'à Séville avec ces deux personnes.

Louane bouillait intérieurement. Elle tendit néanmoins la main à Laurene.

— Enchantée ! Moi, c'est Louane Clavier, et la personne que j'accompagne, c'est Louise Dupré. Vous, je crois que c'est... Laurene Malgot, c'est bien ça ? Vous parlez suffisamment fort pour que, malgré l'heure matinale, nos tympans aient bien imprimé votre nom.

Laurene hésita un instant et serra rapidement la main de Louane. Elle concéda une excuse minimale.

— Désolée, toutes ces contrariétés depuis hier... J'aurais dû atterrir à Séville. Vous aussi, peut-être ?

— Ah non ! Nous, on avait bien prévu de voyager en voiture. Et là, c'est cool : grâce à vous, on bénéficie d'un véhicule haut de gamme, ironisa Louane.

Laurene décida de ne pas insister. Elle ne maîtrisait pas la situation. Son périple touristique et les différents arrêts qu'elle avait envisagés jusqu'à la capitale andalouse ne faisaient désormais plus partie de ses plans pour ses premiers jours de vacances. Il lui paraissait préférable de passer le moins de temps possible avec ses compagnes de voyage. Elle ferait du tourisme plus tard. Pour l'heure, il valait mieux calmer le jeu.

— De toute façon, nous n'avons que quelques heures à passer ensemble. Alors, entre adultes, tout devrait bien se passer, dit-elle avec une légère condescendance.

— « Entre adultes », vous avez raison. Vu notre différence d'âge, je n'ai pas trop la pression ! précisa Louane.

— Bien joué, concéda Laurene.

— Merci.

Laurene récupéra les clefs ainsi que les papiers de la voiture.

— Si cela ne vous dérange pas, je prends le volant pour commencer, proposa-t-elle.

— Pas de souci, nous pourrons nous relayer.

Depuis quelques minutes, Laurene n'arrêtait pas de regarder Louise, toujours assise dans la salle d'attente. Elle interrogea Louane.

— Votre... grand-mère ne conduit pas ?

Louane marqua un temps d'arrêt et balbutia à voix basse sa réponse.

— Ce n'est pas ma grand-mère, c'est... une amie que... je conduis chez elle. C'est les vacances... j'ai du temps libre. C'était l'occasion de découvrir l'Andalousie.

Laurene sentit un certain malaise chez la jeune fille, et elle n'insista pas. Ça ne la regardait pas et puis, quelle importance ? En début d'après-midi, elle n'aurait plus à supporter cette cohabitation forcée.

— Elle a l'air… fatiguée.

— Le voyage d'hier. C'était la première fois qu'elle prenait l'avion.

— Très bien, je vais récupérer la voiture. Je vous attends devant l'agence.

C'est alors que Louise s'approcha d'un pas lent.

— Bonjour, madame, avec ma petite-fille, nous sommes confuses de vous causer du souci.

— Bonjour. Votre petite-fille ? s'étonna Laurene.

Louane prit le bras de Louise et le serra. Elle répondit à sa place.

— Ma grand-mère ! Quelle blagueuse tu fais ! Bon, allons-y, nous avons de la route. Allons chercher nos bagages.

Louane entraîna Louise vers la salle d'attente où elles avaient déposé leurs maigres valises tandis que Laurene prenait la direction du parking.

— Mais que lui as-tu dit ? s'enquit Louise.

— La vérité… Enfin, à quelques détails près… J'ai dit que nous étions amies et que nous allions passer quelques jours chez toi.

— J'ai peur, j'espère que je n'aurai pas de crise avant notre arrivée.

Louane caressa le visage de Louise et la rassura.

— T'inquiète ! Je gère. Et quand bien même, tu as le droit d'être malade.

Laurene s'installa dans le monospace. En voulant les déposer sur le tableau de bord, elle fit tomber les papiers par terre. Tout en reclassant le dossier, elle découvrit que seule Louise avait été déclarée conductrice autorisée du véhicule et Louane simple passagère. Cela l'interpella, car Louise ne paraissait pas en état de conduire. Elle prit la direction du bureau de la société de location afin de récupérer ses compagnes de voyage.

Louane s'assit à l'avant, tandis que Louise s'installait confortablement sur les larges sièges à l'arrière.

Le GPS indiquait cinq cent dix kilomètres jusqu'à Séville pour un temps de parcours de cinq heures et vingt minutes. Laurene constata que l'itinéraire indiqué, certes le plus rapide, ne passait par aucun des lieux qu'elle avait envisagé de visiter. Elle soupira et démarra.

Le contournement de Madrid fut ponctué de quelques ralentissements sans incidence majeure sur la durée du trajet. Puis ce furent les longues lignes droites des autoroutes A5 et A66 qui descendaient vers l'extrême sud de la péninsule Ibérique.

Après une demi-heure de route, Louise s'endormit. Sa maladie, le contrecoup du stress de son séjour aux Roses-Pourpres et son traitement la plongeaient dans un état léthargique dont Louane n'avait pas l'habitude et qui l'inquiétait.

Depuis leur arrivée à Madrid, Louise n'était plus la même. Ses médicaments l'assommaient et elle somnolait la plupart du temps. Louane se rendait compte que sa responsabilité devenait bien plus importante que ce qu'elle avait pu imaginer. Elle espérait que les effets secondaires du traitement s'atténueraient rapidement.

Durant la première heure de trajet, le regard caché derrière ses lunettes de soleil, Laurene ne prononça pas le moindre mot. À plusieurs reprises, Louane eut envie de lancer la conversation pour alléger l'ambiance pesante qui régnait dans la voiture, mais elle n'osa pas. Elle commençait à s'assoupir lorsque Laurene prit la parole.

— Vous êtes étudiante ?

Timidement, Louane répondit.

— Non, j'ai... raté mon bac.

— Ce sont des choses qui arrivent.

— Oui, je recommencerai l'année prochaine, dit la jeune fille en haussant les épaules de dépit.

Laurene tourna la tête vers sa passagère à plusieurs reprises.

— Pourquoi me regardez-vous comme cela ?

— Je me demandais où était passée la lionne de ce matin...

— Désolée, mais... ce n'est pas évident pour moi en ce moment.

— Ne vous inquiétez pas pour votre bac, ce n'est que partie remise. Dans vingt ans, vous n'y penserez plus, la rassura-t-elle.

La monotonie du voyage, la fatigue du lever matinal, la fuite des Roses-Pourpres, sa famille et ses amis qui lui manquaient, et surtout la responsabilité de Louise plongèrent Louane dans une nostalgie qui l'incita à se confier.

Elle pensa à Patrice, son confident du lycée : que lui dirait-il à cet instant ? De ne pas s'en faire, que la vie réserve de belles surprises… Un discours simple, mais qui lui ferait tant de bien. Mais Patrice n'était pas là…

Parler à une inconnue lui donnait l'impression de dédramatiser une situation qu'elle tournait en boucle dans sa tête.

— S'il n'y avait que mon échec à l'examen…

— Vous paraissez bien soucieuse pour quelqu'un qui part en vacances, lui fit remarquer Laurene.

— Fatiguée, c'est sûr… Soucieuse, aussi… Oui, vous avez raison. Pour être franche, je ne pars pas exactement en vacances. J'accompagne Louise dans son village natal. Elle ne peut pas s'y rendre seule.

— Elle n'a pas de famille ? Des enfants, peut-être ?

— Deux enfants, mais leurs relations ne sont… comment dire… pas évidentes.

— Ah, je vois, les histoires de famille… Et vous êtes proches ? Vous connaissez Louise depuis longtemps, je suppose ?

Que pouvait dire Louane : la vérité, un mensonge ? La franchise de ses dix-huit ans s'imposa.

— À peine un mois !

Laurene ne put s'empêcher, une nouvelle fois, de la dévisager avec étonnement.

— Un mois, c'est tout ?

— La route, s'il vous plaît.

— Pardon ?

— Au lieu de me fixer, regardez la route ; ce serait mieux. Je préférerais arriver entière à Séville.

— Bien sûr, mais vous êtes… comment dire… étranges toutes les deux. En même temps, ça ne me regarde pas. Et ce carnet que Louise garde contre elle… c'est pour…

Louane hésita et répondit laconiquement :

— Elle y… griffonne des morceaux de vie. Un journal intime en quelque sorte…

Laurene sentit l'embarras de sa passagère et préféra ne pas insister.

— Ah, très bien.

Louane, à son tour, eut envie d'en savoir un peu plus sur Laurene.

— Et vous, vous êtes en vacances ? Vous rejoignez de la famille, peut-être ?

Laurene regardait au loin un des derniers panneaux à l'effigie de Don Quichotte, fièrement posé sur une colline. La Manche s'éloignait. Mérida, la capitale de l'Estrémadure, approchait.

— C'est un voyage que j'ai décidé de faire seule, dit-elle fermement.

— Vous faites quoi dans la vie ? À part supporter deux femmes « étranges » sur les autoroutes du sud de l'Espagne ?

— Je suis employée dans un laboratoire pharmaceutique à Paris.

— Vous fabriquez des comprimés ?

Laurene éclata de rire.

— Non, pas du tout. Je suis directrice des ressources humaines, répondit-elle fièrement.

— C'est cool, ça, vous vous occupez des employés, de leur bien-être au travail ?

— ... On peut voir ça comme ça.

— Cette année, au lycée, nous avons vu un reportage sur les entreprises de la Silicon Valley. C'est trop bien, ils travaillent dans des canapés. Ils ont tout à volonté : boissons, salles de sport, cafétérias, garderies... le pied pour le personnel !

— Rien n'est gratuit, vous... tu sais, si ça ne te dérange pas, ce sera plus simple...

— *No problem*, affirma Louane, qui se détendait peu à peu.

Elle surveillait régulièrement Louise, toujours endormie sur la banquette arrière.

— Pourquoi dis-tu que rien n'est gratuit ?

— Parce qu'une entreprise ne donne que si elle reçoit en retour. Une garderie pour les enfants, c'est bien, mais le seul objectif de la direction, c'est que les employés restent plus tard, affirma Laurene.

— Ah, tu vois ça comme ça ? s'étonna Louane.

— C'est mon métier, et effectivement, c'est le but.

Louane ne put se retenir.

— Eh ben, il est pas cool ton métier !

Laurene eut un sourire crispé. Derrière ses lunettes noires, ses yeux s'embuèrent ; elle pensait à Hector Almera.

— Tu as raison, ce n'est pas toujours facile, lâcha-t-elle dans un long soupir.

Louise venait de se réveiller, les deux femmes ne s'en rendirent pas compte.

— Et à part ça ? poursuivit Louane.

— Comment ça, « à part ça » ?

— Je t'ai demandé ce que tu faisais dans la vie, tu m'as parlé de ton activité professionnelle. C'est étonnant, cette habitude de toujours répondre à la question « Vous faites quoi dans la vie ? » par la description de son métier. On pourrait dire : « J'aime le sport, la peinture, la lecture... » ou « J'essaie d'être heureux », enfin, plein de trucs. Mais non, à chaque fois, on évoque le métier que l'on exerce, ou les études que l'on fait.

Laurene ne put cacher sa surprise, baissa ses lunettes et fixa Louane un instant.

— La route, je t'ai dit !

— Je ne m'étais jamais posé cette question. Tu es sûre que tu as dix-huit ans ? ironisa Laurene.

— Malheureusement.

— J'ai touché un endroit sensible, non ?

— Sensible, je ne sais pas trop... Parfois, j'aimerais avoir... ton âge.

— Vingt ans de plus ? Tu es folle, Louane ! Remarque, en ce moment, j'échangerais bien mes trente-neuf ans contre tes dix-huit.

— Pourquoi ?

— Pour ne pas refaire les mêmes erreurs…

— Et moi, pour être libre de mes choix !

— Nous voilà bien ! sourit Laurene.

— Tu as raison, il vaut mieux s'en amuser. Au fait, tu n'es pas fatiguée de conduire ? Tu n'as pas faim ? Le déjeuner est loin. On s'arrête à la prochaine aire de repos ?

La voix de Louise se fit entendre, claire. Elle paraissait plus reposée.

— Moi, j'ai faim ! Et votre conversation, quelle tristesse ! Je suis la plus âgée, et c'est vous qui radotez. Un comble !

Louane était rassurée de constater que Louise semblait enfin sortie de sa torpeur. Les trois femmes se mirent à rire de bon cœur. Quelques minutes plus tard, Laurene s'arrêta sur une aire de repos à une trentaine de kilomètres de Mérida.

Louise et Louane se dirigèrent vers la cafétéria pendant que Laurene achevait de faire le plein du monospace. Les deux femmes s'installèrent à l'une des dernières tables disponibles. En cette fin du mois de juillet, l'aire de repos était bondée. Les touristes qui prenaient la direction du Portugal, du sud de l'Espagne, ou des ports d'où ils rejoindraient le Maghreb, se mêlaient aux camionneurs qui envahissaient les larges parkings avec leurs imposantes remorques.

Louane engloutit avec empressement trois viennoiseries et deux tasses de chocolat sous le regard amusé de Laurene qui se revoyait vingt ans plus tôt.

C'était l'époque où elle découvrait la solitude d'une chambre d'étudiante parisienne en même temps que la liberté d'organiser sa vie comme elle l'entendait. La semaine, elle oubliait le poids de l'éducation paternelle, mais dès son retour au domicile familial, le week-end et durant les périodes de vacances, la rigidité militaire reprenait ses droits.

De ces années d'études, Laurene avait gardé une attirance magnétique pour Paris où, selon elle, tout était possible. Lorsqu'elle eut passé tous ses examens, elle se fit la promesse de trouver un travail dans cette ville et d'y construire sa vie de femme.

Grâce à son master en droit des affaires, elle n'eut aucun mal à réaliser la première partie du programme et à évoluer rapidement en se voyant confier de plus en plus de responsabilités. Quant à la seconde, Laurene pensait que, là aussi, tout serait facile et qu'il n'y aurait… qu'à attendre. Elle patienta et espéra longtemps, très longtemps. Mais pouvait-elle tout concilier ? La vie se chargea de lui rappeler qu'il faut parfois faire des choix.

Inconsciemment, Laurene sacrifia son épanouissement personnel jusqu'à ce que… Raphaël réapparaisse et ravive cette petite flamme, ce mince espoir qu'à trente-neuf ans tout est encore possible.

Le début de son parcours professionnel fut ponctué de nombreux changements de poste et d'entreprise. Ce n'était pas un problème, car à Paris, changer de société n'est pas synonyme de déménagement et de soucis de réorganisation comme en province. Il suffit bien souvent de passer d'une ligne de métro ou de RER à une autre.

Durant une dizaine d'années, Laurene occupa ainsi divers postes à des niveaux de responsabilités toujours plus élevés. Lorsqu'elle se stabilisa comme DRH du groupe Béta-Pharma, sa mère fut rassurée de voir enfin sa fille investie dans un projet à long terme. Elle pensait, naïvement, que Laurene prendrait alors le temps nécessaire pour mener sa vie de femme. Mais, une fois de plus... l'exigence du père était là, bien présente, lui rappelant que l'excellence n'est jamais atteinte et qu'il faut toujours chercher à s'améliorer.

À l'inverse de Louane, Laurene n'avait pourtant jamais tenté de se rebeller. Elle n'y avait même jamais pensé. Elle se conformait aux demandes paternelles insistantes et répétées de réussite.

Le malaise était présent, le feu couvait, mais jamais il ne s'embrasa.

« Peut-être aurais-je dû agir autrement, se dit-elle tout en sirotant son café, les yeux dans le vague. Je ne serais pas là, au beau milieu d'une autoroute espagnole, en compagnie d'une ado perdue dans ses doutes et d'une grand-mère que la vie semble avoir épuisée. »

— Ça va ? Vous paraissez ailleurs. La fatigue, peut-être ? Vous souhaitez que je conduise jusqu'à Séville ? s'autorisa Louise.

Louane, qui finissait d'ingurgiter sa dernière viennoiserie, s'empressa, en recrachant quelques miettes, de répondre à sa place.

— Je vais prendre le volant. J'ai eu mon permis il y a trois mois. Je ne suis pas trop habituée à conduire un véhicule si imposant, mais ça devrait le faire, assura-t-elle.

Laurene la regarda avec une mimique de désapprobation.

— Non, ça ne va pas le faire, comme tu dis !

— Pourquoi ?

— Parce que, pour louer une voiture en Espagne comme ailleurs, il est obligatoire d'avoir vingt et un ans et trois ans de permis. D'ailleurs, tu le sais très bien, je ne t'apprends rien.

Louane ne sut quoi répondre.

— Ah... oui...

— Et vous, Louise, si je peux me permettre, vous me paraissez trop fatiguée. Ne vous inquiétez pas, Séville n'est plus très loin, à peine deux heures de route.

Louise regarda Louane, qui baissa les yeux.

— Merci, j'accepte volontiers. C'est vrai que je préfère ne pas prendre le volant.

Une forme de gêne commençait à s'installer.

Laurene s'était rendu compte que Louane n'était pas une simple amie qui accompagnait Louise. Trop de questions s'imposaient à son esprit : Pourquoi les deux femmes avaient-elles de si maigres bagages ? Pourquoi Louane était-elle toujours en éveil, surveillant Louise comme si elle craignait quelque chose ? Pourquoi lui avaient-elles menti dès leurs premiers échanges ? Et ce carnet, que contenait-il donc de si important pour que Louise le conserve toujours serré contre elle ?

Au-delà de toutes ces questions, ce qui intriguait le plus Laurene, c'était le comportement de Louise. Elle paraissait si loin quelquefois...

Laurene reprit donc le volant et proposa à Louise de s'asseoir à côté d'elle sur le siège passager. Louane grimaça mais fut contrainte d'accepter devant l'entrain et le sourire de Louise.

— Au fait, je ne vous ai pas demandé : vous allez où exactement, à Séville ? interrogea Laurene.

Louane, comme une mère protectrice, tenta de répondre.

— Eh bien, nous allons à...

Louise lui coupa la parole.

— Ça va, Louane, je t'assure. Et puis j'ai envie de parler.

— Très bien, fit la jeune fille avant de s'affaler, contrariée, sur la banquette arrière.

Elle s'était mis en tête qu'elle avait une mission : conduire Louise chez elle sans que personne ne l'approche et ne sache pour sa maladie.

Louise, quant à elle, n'avait plus envie de mentir. Elle répondit à Laurene.

— Nous allons à Valdehijos, à trente kilomètres au sud de Séville.

— Le village de votre enfance, c'est bien cela ?

— Oui, j'y suis restée jusqu'à l'âge de six ans.

— Vous y avez encore de la famille, peut-être ?

Le visage de Louise se crispa.

— Malheureusement non... juste des souvenirs...

Laurene hésita.

— Louane m'a dit que vous aviez des enfants, mais que...

— Oui... deux, Marie et Paul. Ils ont leurs vies en France. L'Espagne, ils ne l'ont jamais vraiment connue.

Louise portait son regard au loin, comme si elle était déjà chez elle, là-bas, un peu plus au sud. Laurene poursuivit.

— Si je peux me permettre, votre mari...

Le visage de Louise s'éclaira.

— Mon André !

Louane, un écouteur de son portable dans l'oreille, reprit les mots de son amie.

— « Mon André » , j'adore !

Louise se tourna et posa la main sur le genou de Louane.

— Il m'a quittée il y a quelques mois. Un dimanche matin, en revenant du marché, il s'est écroulé. Il n'a pas souffert. Nous avions une vie simple et douce. Il était ma protection ; depuis, tout est si différent, si triste...

Louane tenta d'alléger une ambiance qui devenait pesante en rétorquant sur le ton de la plaisanterie :

— Merci pour moi, c'est si triste que ça depuis que tu m'as rencontrée ?

Louise se tourna de nouveau vers elle.

— C'est différent, mais... heureusement que je t'ai rencontrée.

Laurene, silencieuse depuis un moment, posa enfin la question qui lui brûlait les lèvres depuis le début de la matinée.

— Écoutez, je vais être franche et directe, mais vous êtes qui l'une pour l'autre ? Pas de la même famille, ça, c'est sûr. Il y a un mois, vous ne vous connaissiez pas, et pourtant un lien... comment dire, puissant vous unit. C'est touchant et en même temps vraiment très étrange.

Louise n'hésita pas un instant.

— À quoi bon mentir ? Nous sommes deux fugitives !

Affalée sur le siège arrière, Louane se releva d'un coup.

— Ça va pas, non ? Qu'est-ce que tu racontes ? s'écria-t-elle.

— Je raconte la vérité !

Louane se frappa le front de la paume de la main.

— Arrête, Louise, tu es lourde, là ! Tu fais quoi ?

Laurene s'immisça dans la conversation.

— Tu sais, je crois que Louise a envie de se confier. Laisse-la faire.

— Mais elle raconte n'importe quoi ! « Deux fugitives » !

Louise semblait chercher ses mots, comme si elle souhaitait être la plus précise possible.

— En fait, je suis atteinte de la maladie d'Alzheimer. Après la mort de mon André, mes enfants ont pensé que ce serait plus sécurisant que j'intègre un établissement de soins. J'ai cru que c'était la meilleure solution. J'ai donc quitté ma maison pour Les Roses-Pourpres, non loin de Strasbourg et à deux cents kilomètres de chez moi. Dès le début, ç'a été un choc. La maladie était partout, dans le regard des patients, des médecins, du personnel administratif. La pathologie progressait à grands pas, l'enfermement dans une unité spécialisée n'allait pas tarder. Quelques jours après mon arrivée, j'ai rencontré Louane. Comme tu le sais, elle venait d'échouer à son examen à Bordeaux. Les Roses-Pourpres, ce devait être sa punition pendant deux mois.

— Sa punition ? s'étonna Laurene.

Louise regarda Louane qui, résignée, lui signifia d'un mouvement de la tête qu'elle pouvait continuer. Elle ne se le fit pas dire deux fois !

— Son père pensait que ça lui ferait du bien de se confronter au monde du travail.

— Un étrange travail pour une étudiante, s'autorisa Laurene.

Louise poursuivit son récit sans faire de commentaire.

— Nous avons sympathisé, beaucoup parlé. Je ne voulais pas être enfermée et basculer définitivement dans le monde de la folie sans possibilité de retour. J'ai donc demandé à Louane de m'aider à revoir Valdehijos avant que la maladie m'empêche de m'en souvenir. Elle a hésité, mais a accepté. Elle m'a sauvée. Elle a pris d'énormes risques. Oui, nous sommes deux fugitives et à l'heure qu'il est, le branle-bas de combat doit avoir été déclenché.

— Oh oui ! J'ai eu des tas de messages, déclara Louane, contrariée.

— Tu ne risques rien, tu le sais ?

— Je sais, oui, sauf que le *father*..., soupira Louane.

Le silence s'imposa quelques minutes dans le monospace après la confession profondément sincère de Louise.

— Eh bien, je crois que nous ne sommes pas deux, mais trois fugitives ! affirma Laurene après réflexion.

La stupéfaction de Louane fut totale.

— Ah ben toi alors ! Tu ne trouves que ça à dire ?

— Que veux-tu que je dise ? Louise fuit l'enfermement qui la menaçait, toi Louane, tu fuis ce que ton père t'impose et moi... je fuis...

— Tu fuis quoi ?

— Je fuis ma vie... Alors oui, trois fugitives !

Durant le reste du voyage, chacune résuma son existence tout en se gardant bien de s'attarder sur les détails les plus intimes. Laurene ayant annulé sa réservation à l'hôtel de Séville, Louise lui proposa de loger au moulin. La rénovation, malgré les efforts d'Alvaro, était loin d'être terminée, le confort était rudimentaire, mais il était possible d'y vivre à trois.

Laurene accepta, du moins pour quelques jours. L'originalité de la situation l'attirait. Elle qui souhaitait s'éloigner et oublier sa vie parisienne, elle ne pouvait rêver mieux.

9

Vider nos cœurs

On devrait vider nos cœurs comme on vide une vieille malle.

Se débarrasser des tristesses qui débordent, des regrets trop poussiéreux qui embrument nos lendemains.

On devrait décorer nos cœurs de couleurs vives et chaudes, oublier le gris des années de pluie et accrocher un soleil au-dessus de nos portes.

Chaque matin, poser notre main sur notre poitrine et sentir notre cœur battre, signe de vie et d'espoir.

Le tableau de bord indiquait une température extérieure de 36 °C lorsque le monospace s'engagea sur le chemin de pierre qui conduisait au moulin. Laurene aperçut le mot « *Sueño* » gravé sur le tronc d'un des deux immenses oliviers qui marquaient l'entrée de la propriété.

— *Sueño* ?

Louise répondit d'une voix étranglée par l'émotion.

— Ça signifie « rêve ». C'est Maria, ma grand-mère, qui a baptisé ainsi la propriété. Elle n'a jamais voulu l'admettre, mais sa passion pour Federico García Lorca, et en particulier pour son poème « *Sueño* », est sans aucun doute la raison de son choix. C'est un nom qui n'a jamais été enregistré officiellement, il n'existe sur aucune carte, mais, avec le temps, il s'est imposé. Lorsque j'étais jeune, personne ne disait « Nous allons chez Maria et Octavio Cebrian », mais « Nous allons *al Sueño* ».

— C'est très joli, lui fit remarquer Louane. Pourquoi tu ne m'en as jamais parlé ?

Laurene pouvait deviner des larmes qui perlaient aux coins des yeux de Louise, et elle fit signe à Louane de ne pas insister. Les souvenirs submergeaient la vieille dame à mesure que le véhicule se rapprochait du moulin. Cela faisait si longtemps qu'elle n'était pas venue ici et tout se mélangeait dans son esprit : le bonheur de retrouver son chez-soi, là où elle avait passé son enfance, la tristesse de la perte de son André, la peur de la maladie, tout... trop fort, trop intense. Elle prit sa tête entre ses mains et fondit en larmes au moment où Laurene immobilisait le monospace dans la cour pavée.

— Excusez-moi, ça me bouleverse de revoir cet endroit, balbutia-t-elle.

Louane posa la main sur son épaule et tenta de détendre l'atmosphère bien trop nostalgique à son goût.

— Eh bien, voilà ! J'ai mené à bien ma mission, tu es enfin chez toi. Je vais pouvoir respirer et rentrer à Bordeaux !

Louise essuya ses larmes et se tourna vers sa jeune amie.

— Je ne crois pas qu'un jour je pourrai assez te remercier pour tout ce que tu as fait pour moi, pour les risques que tu as pris.

— Bon allez, arrête avec les remerciements ou, moi aussi, je vais me mettre à chialer.

Laurene ne disait rien. Ce voyage, c'était d'abord celui de Louise et Louane, elle respectait leur complicité. Elle ne voulait pas descendre la première et attendit que Louise les invite à s'avancer sur les lieux de son enfance.

L'ensemble se composait de deux bâtiments se faisant face, séparés par une cour pavée de pierres plates. Le bâtiment principal était constitué du moulin et de ses annexes. En face se dressait la maison d'habitation aux murs blancs, dans le pur style andalou. Derrière un muret d'enceinte, on devinait un patio où trônait fièrement un immense olivier millénaire qui apportait un peu d'ombre sur le perron.

Le moulin était en très mauvais état. La toiture s'affaissait dangereusement à cause du manque d'entretien. La maison d'habitation était en travaux. Alvaro y travaillait avec passion et abnégation. Il souhaitait rendre au moulin son charme d'antan. La tâche était rude, mais il ne ménageait pas ses efforts.

À gauche de la maison, on apercevait les premiers rangs d'oliviers que le jeune homme avait commencé à nettoyer. Mais, dès que le regard se portait un peu plus loin, les oliveraies étaient dans un état d'abandon avancé.

Louise les mit en garde.

— Attention à vous, la climatisation, c'est fini ! Bienvenue à Valdehijos !

Quand elle ouvrit la portière, un air brûlant pénétra dans l'habitacle. Il était près de 16 heures et le pic de chaleur était à son maximum.

Malgré leurs lunettes de soleil, Louane et Laurene plissèrent les yeux en se dirigeant vers les murs clairs de la demeure ; la réverbération du soleil les aveuglait. Louane gardait un œil inquiet et protecteur sur Louise tant la chaleur était assommante. Cela ne parut pas déranger son amie, qui s'avançait d'un pas sûr et régulier vers la porte d'entrée.

Louane et Laurene s'arrêtèrent un moment à l'ombre du grand olivier tandis que Louise montait lentement les quelques marches du perron. Elle toqua à la porte. Personne ne répondit. Elle attendit quelques instants et, juste avant qu'elle frappe de nouveau, la voix forte d'Alvaro se fit entendre depuis le fond de la cour.

— *¡Hola Luisa! ¿Cómo estás?*

Il s'avança d'un pas rapide dans le patio. Laurene et Louane, en quête d'un peu de fraîcheur, étaient adossées contre le tronc de l'olivier. Alvaro leur adressa un signe de tête avant de se jeter dans les bras de Louise.

— *¡Me alegro de verte!*

— *¡Yo también, Alvaro, qué placer!*

Ils restèrent ainsi enlacés un long moment sous le regard gêné des deux femmes qui tentaient de se rafraîchir en s'éventant avec leurs mains.

Alvaro se tourna, fronça les sourcils et dirigea son regard vers elles avant d'interroger Louise.

— *Me habías dicho… ¿Solo una persona, no?*

— *No te preocupes*… Au fait, ton français est toujours aussi bon ?

Instantanément, la voix d'Alvaro diminua d'intensité. Il reprit en français, soignant son expression, tel un élève appliqué qui ne voudrait pas faire de fautes.

— J'ai perdu mon travail, mais pas oublié ce que j'ai appris pendant mes études et cette langue que j'utilisais tous les jours avec les clients français.

— Alors il serait préférable que tu parles en français à mes amies. Elles ne maîtrisent pas, mais alors pas du tout l'espagnol !

Louise et Alvaro se mirent à rire et descendirent les quelques marches en direction des deux femmes qui s'éventaient toujours aussi énergiquement.

— Je te présente Louane et Laurene, dit Louise en prononçant lentement leurs prénoms.

— Lou-a-ne et Lau-re-ne, c'est bien cela ? demanda-t-il en les embrassant chaleureusement sans qu'elles aient eu le temps de réagir.

Surprises par tant de naturel, les deux femmes écarquillèrent les yeux.

— Ah oui, les filles, il va falloir vous y faire, lança Louise, amusée par leur réaction. Vous n'êtes ni à Bordeaux ni à Paris ! En Espagne, la convivialité s'exprime sans retenue.

— Excusez-moi, fit Alvaro.

— Pas de souci, lui répondit Louane en fixant ses chaussures, intimidée.

Quant à Laurene, elle ne disait rien, mais elle avait immédiatement été frappée par la beauté sauvage d'Alvaro. Elle tentait de deviner son âge. « Il doit avoir une trentaine d'années, à peine plus », se dit-elle. Sa peau était tannée par le soleil et ses yeux d'un brun profond. Il portait un tee-shirt sans manches qui mettait en valeur ses épaules musclées où perlaient quelques gouttes de sueur.

— Nous n'allons pas rester ici, il fait bien trop chaud. Luisa, entre avec tes amies… Tu connais la maison. Tu verras, elle a un peu changé. Je m'occupe de vos bagages.

— Luisa ? s'étonna Louane.

— En fait, mon vrai prénom, c'est Luisa. Il a été francisé en Louise lorsque, avec mes parents, nous sommes arrivés à Sochaux. Ici, Louise n'existe plus, c'est Luisa !

— Et… je dois…, bafouilla la jeune fille.

— Comme tu veux, Louise ou Luisa, peu importe.

Les trois femmes entrèrent dans la maison, tandis qu'Alvaro se dirigeait vers le monospace afin de récupérer l'ensemble des bagages.

Louane et Laurene se tenaient en retrait et laissèrent Louise découvrir son « nouveau » chez-elle. Même si Alvaro lui avait régulièrement fait parvenir des photos de l'avancement des travaux, la réalité dépassait ses espérances.

La cuisine qui, quelques mois auparavant, n'était plus qu'un alignement de vieilles poutres sombres et vermoulues, de tomettes recouvertes de suie et de bouts de plâtre tombés du plafond, avait été restaurée avec goût. Alvaro avait conservé l'ensemble des matériaux d'origine, mais tout avait été nettoyé, décapé, poncé, enduit, peint. Même le vieux chaudron de cuivre posé dans l'âtre avait retrouvé son éclat naturel. Le jeune homme avait également refait à neuf l'installation électrique qui menaçait à tout instant d'anéantir ses efforts tant le risque de court-circuit était élevé.

Alvaro avait pu sauver la table en bois d'olivier qui trônait au milieu de la pièce. Malheureusement, le buffet que Louise avait tant de fois dépoussiéré et ciré avec sa grand-mère n'avait pas résisté aux assauts du temps. Alvaro avait dû se résigner à brûler les quelques éléments restés intacts au milieu des pièces de bois transformées en poussière.

Louise ne disait rien. Ni Louane ni Laurene n'osèrent troubler son silence. L'émotion ne semblait pas la submerger, mais une forme de sérénité l'envahissait. Elle voyait revivre cet endroit et cela semblait la combler de joie.

Louise se dirigea vers la porte qui donnait sur le couloir. Le sol n'était plus de niveau et présentait de nombreux creux et bosses qui nécessitaient de faire attention à ne pas trébucher malencontreusement.

Elle s'avança doucement et, d'un simple signe de la main, mit en garde ses deux amies afin qu'elles fassent attention à l'endroit où elles posaient les pieds.

Alvaro déposa les valises sur les bancs et s'adressa à Louise.

— *¿Te gusta?* Pardon… ! Ça te plaît, Luisa ?

— C'est superbe, Alvaro !

— Et encore, tu n'as pas tout vu. Ouvre donc les portes des chambres et de la salle de bains. Je viens juste de terminer les peintures, l'odeur est encore présente. Tu n'as pas eu de photos de cette partie, j'allais te les envoyer quand tu m'as prévenu que tu… revenais. J'ai préféré te faire la surprise.

Louise sourit et conclut :

— Alors, c'est à toi de les ouvrir !

Alvaro se recula d'un pas.

— Non, Luisa, c'est chez toi.

— S'il te plaît.

— Si tu veux.

Il poussa la première porte. Celle de la chambre des grands-parents de Louise. À part le plafond qui avait été refait à neuf, tout le reste avait été rénové avec les matériaux d'époque. Seule concession à la modernité, une fenêtre aux contours en aluminium blanc avait pris la place des anciens carreaux de verre. Un lit, un bureau et une commode chinés chez les revendeurs de la région finissaient de décorer les lieux.

Louise se prit la tête entre les mains, comme si elle tentait de contenir toute cette joie qui ne demandait qu'à jaillir. Elle invita Alvaro à ouvrir la deuxième chambre, celle où, enfant, elle dormait avec ses parents.

Louane et Laurene contemplaient la scène. Le regard de Laurene s'attardait surtout sur une « partie » bien précise de cette scène : Alvaro ! Elle ne le quittait pas des yeux. Louane s'en était aperçue et elle mit un coup de coude appuyé à Laurene tout en lui adressant un clin d'œil malicieux.

— Aïe !

Alvaro se retourna et saisit Laurene par le bras.

— Faites attention, je n'ai pas encore eu le temps de niveler le sol. Vous avez dû trébucher sur le coin d'un carreau.

Louane crut bon de rajouter une couche de malice.

— Oui... un carreau... un peu plus gros que les autres...

Laurene fronça les sourcils en signe de désapprobation.

— Vous ne vous êtes pas fait mal, au moins ? demanda Alvaro.

Telle une petite fille, elle répondit sans relever la tête :

— Non, merci.

Alvaro lâcha son bras et ouvrit la dernière porte.

— Voilà la salle de bains, Luisa. Tu ne dois rien reconnaître. La coiffeuse, le vieux miroir et les brocs à eau sont au grenier. Ils n'étaient pas récupérables, mais je n'ai pas pu me résoudre à les jeter. Donc, tout est neuf ! Il faut bien succomber au modernisme, quelquefois.

Louise posa sa main sur la joue d'Alvaro, sa joie teintée d'émotion était perceptible. Elle lui dit simplement :

— Merci, Alvaro... Mais tout ça m'a un peu remuée. J'ai besoin de repos. Je m'installe dans la chambre de mes grands-parents. Les filles, j'espère que ça ne vous dérange pas, mais vous devrez cohabiter.

Louane et Laurene répondirent en chœur :

— Bien sûr que non !

Malgré la joie de retrouver ses origines, Louise était exténuée par le long périple depuis Strasbourg. Même si elle commençait à s'habituer à son traitement, les effets secondaires étaient toujours redoutables.

Alvaro posa son sac sur la commode. Elle ferma la porte et s'allongea sur le lit.

Laurene et Louane se retrouvèrent dans la cuisine face à Alvaro et son fier regard d'Andalou.

Il sentit de l'embarras s'installer chez les deux jeunes femmes et engagea la conversation.

— Vous souhaitez visiter le moulin ? La partie où était extraite l'huile d'olive, l'*almazara*. Comment dit-on déjà en français ? Je n'y ai encore fait aucun changement. Juste quelques poutres calées, çà et là, pour que la charpente ne s'affaisse plus.

— Avec plaisir, fit Laurene qui accompagna sa réponse d'un large sourire.

Louane n'attendait que ça. Elle n'avait pas envie, dès son arrivée, de se lancer dans une visite qui ne manquerait pas d'être longue et détaillée.

— La surveillance de Louise m'a épuisée. Je suis la plus jeune, mais je vais aller me reposer. J'en profiterai pour ranger mes affaires et répondre à la kyrielle de messages que je dois avoir. S'il y a de la connexion… Comment dit-on en espagnol ?

— *El móvil banda ancha*, répondit Alvaro.

— Euh…, hésita Louane.

Il se mit à rire.

— Bien sûr que vous avez du haut débit pour votre mobile ici.

Tout à coup, Louane se sentit un peu idiote. Certes elle se retrouvait au fin fond de l'Andalousie, mais bien loin du bout du monde comme elle l'avait maladroitement laissé supposer.

— Désolée, fit-elle avant de se diriger vers la chambre avec ses bagages et ceux de Laurene.

Alvaro tendit son bras pour inviter Laurene à le suivre. Et celle-ci sentit son cœur battre un peu plus fort. Un mélange de gêne et de désir.

— Vous êtes sûre que vous n'êtes pas fatiguée ? Le voyage a été long et je crois que vous avez été la seule à conduire depuis Madrid. Si vous préférez, nous pouvons faire la visite ce soir quand la chaleur sera tombée.

— Tout va bien, ne vous inquiétez pas, affirma Laurene.

— Parfait. Alors suivez-moi.

Tandis qu'Alvaro poussait l'épaisse porte de bois, il précisa :

— Je ne maîtrise pas parfaitement le français, n'hésitez pas à me corriger si je m'exprime mal.

Elle éclata de rire.

— Vous ne maîtrisez pas parfaitement le français ? Vous plaisantez, je suppose ! Venez dans nos banlieues, vous pourriez être leur professeur sans aucun problème. Et puis vous avez…

— Je vous écoute.

— Ce léger accent que vous tentez d'effacer en ralentissant le débit de vos paroles, c'est… agréable.

— Merci. Vous savez ce qui me ferait plaisir ?

— Non. Dites-moi !

— Vous l'ignorez peut-être, mais en espagnol, le vouvoiement est rare. Ça ne vous dérange pas que nous nous disions « tu » ?

— Non, bien sûr, ça ne me dérange pas. Si vous voulez… Pardon, si tu veux.

Alvaro lui offrit son plus beau sourire et pénétra dans le moulin.

Le bâtiment paraissait encore plus grand vu de l'intérieur. La luminosité était faible ; seules quelques fenêtres en hauteur permettaient à la lumière naturelle d'éclairer les vieilles meules de pierre. Les poutres, les machines et le matériel agricole, figés, attendaient depuis des dizaines d'années que quelqu'un vienne les libérer de leur inutilité.

Laurene avançait avec prudence de peur de trébucher sur le sol jonché de débris de bois. Alvaro progressait lentement vers le cœur du moulin : les meules de pierre. Chaque fois qu'il passait à la hauteur d'une des fenêtres, les rayons de soleil éclairaient ses épaules et mettaient en valeur les muscles de son dos. Laurene était troublée.

Alvaro était séduisant, et Laurene n'était pas insensible à son charme. Elle se forçait cependant à ne pas basculer en mode chasseuse et consommatrice d'hommes, dont elle avait tant abusé.

— Tu ne crains pas les toiles d'araignées, j'espère, lui demanda-t-il en lui tendant la main avant d'enjamber un passage difficile.

Elle lui prit le poignet.

— Les toiles, non, même si j'en ai des tas sur les mollets et sur mon short. En revanche, heureusement que la lumière n'est pas plus forte. Au moins, je ne vois pas les araignées grimper le long de mes jambes ! Ce genre de bêtes, je ne suis pas forcément fan !

Quand ils arrivèrent près des meules, Alvaro s'adossa à l'épais socle de pierre et invita Laurene à l'imiter. Puis il commença à lui conter l'histoire du moulin et à lui expliquer le fonctionnement des meules qui, en broyant les fruits, produisaient le fameux nectar : l'huile d'olive vierge.

Laurene l'écoutait avec attention. Elle se sentait en confiance et voulait en savoir plus sur Alvaro. Comment ce jeune homme pouvait-il, depuis près d'un an, se consacrer à la restauration d'un moulin ? Avait-il une famille ? Quels étaient ses liens avec Louise ?

— Je peux me montrer... indiscrète ? J'aimerais savoir...

Alvaro ne la laissa pas terminer. Il sourit, embarrassé, et lui répondit :

— Indiscrète, tu peux l'être... Après, c'est à moi de décider si j'ai envie de te répondre ou non !

— Bien sûr ! J'ai cru comprendre que tu avais le projet de restaurer le moulin. C'est titanesque comme travail ! Tu n'as pas un métier ? Et puis... comment dire... tu es jeune, et tu restes ici... Tu t'y plais ?

Alvaro hocha la tête en souriant.

— Eh bien, dis-moi, ça en fait des questions ! Je vais tenter d'assouvir ta curiosité.

Le jeune homme se lança dans une explication qu'il souhaitait la plus complète possible. Pour ne pas se tromper, il parlait parfois si lentement que Laurene avait envie de finir ses phrases. Elle, la *working girl* habituée aux décisions rapides et aux réunions qui se déroulaient à la vitesse d'un TGV lancé à vive allure, découvrait que la lenteur avait aussi du bon. Elle se sentait bien dans cette forme d'apaisement.

Alvaro était âgé de trente-trois ans. Il avait fait des études supérieures et occupé un poste de banquier d'affaires pour un établissement financier espagnol. Il était alors en constante relation avec la France, où de nombreux clients fortunés investissaient massivement dans des programmes immobiliers de luxe. C'est à l'issue de cette expérience de près de cinq ans qu'il avait acquis son niveau de français d'une fluidité presque parfaite. Mais la crise financière que l'Espagne avait traversée au début des années 2010 avait mis fin à cette situation et, en 2014, son employeur l'avait remercié.

N'ayant touché que les indemnités légales, peu élevées comparées à ce qu'accordait le régime français, Alvaro s'était aussitôt mis à chercher un nouveau poste, persuadé qu'avec sa formation et son expérience sa période de chômage deviendrait rapidement un mauvais souvenir.

Mais deux ans passèrent et il ne trouva rien. Comme de nombreux jeunes Espagnols, il retourna vivre chez ses parents, originaires, comme Louise, de Valdehijos. Les premiers mois, il s'ennuya, ne sachant que faire de ses journées. Mais il devait gagner sa vie ; ses indemnités étaient épuisées et ses parents avaient déjà le plus grand mal à subvenir à leurs propres besoins et à ceux de sa grand-mère maternelle, Alma.

Alvaro se résigna alors à effectuer des petits boulots sur des chantiers de Séville ou dans des fermes voisines ; des travaux souvent journaliers et payés sous le manteau.

C'est alors que sa grand-mère lui apprit que son amie Louise était à la recherche de quelqu'un qui pourrait entretenir les alentours du moulin. Alvaro lui offrit son aide et Louise, qui le connaissait bien, accepta volontiers.

Dans un premier temps, il ne fit qu'entretenir l'extérieur du lieu, mais, chaque fois qu'il se trouvait face à la bâtisse, son cœur se serrait. Comment pouvait-il laisser se détériorer plus longtemps ce moulin ? Il eut l'idée de proposer à Louise de le restaurer.

Comme ses maigres revenus ne lui permettaient pas de financer l'achat des matériaux, Louise décida de lui faire parvenir régulièrement un peu d'argent. Et c'est ainsi que leur entente se transforma en une confiance absolue.

La récente vente de la maison d'André donna même une idée à Louise, celle de revoir un jour les meules grincer et produire cette huile que ses grands-parents élaboraient avec passion et abnégation. C'était sans aucun doute un vœu pieux, tant la quantité de travail était gigantesque et le temps qu'il restait à Louise limité, mais c'était son projet. Le dernier.

— C'est touchant ! fit Laurene.

— Merci.

— Mais comment fais-tu pour concilier ton travail ailleurs, la restauration du moulin et… ta vie de famille ?

Elle avait hésité à se montrer indiscrète, mais la curiosité l'avait emporté.

— Mes multiples contrats ne m'occupent que deux à trois jours par semaine, cela me laisse du temps pour le moulin. Quant à ma vie de famille, elle se résume à me faire dorloter par mes parents. Comment dites-vous déjà, en français ? Ah oui : « Nourri, logé, blanchi. »

— Et ta vie d'avant ne te manque pas ? interrogea Laurene.

— Tout le stress qui entourait mon métier, je m'en passe, ça, c'est certain, c'était devenu presque insupportable. Par contre, les copains, les sorties, la vie dans une grande ville me manquent parfois. Il y a bien Séville, de nouveaux amis et ceux qui sont restés au pays que j'ai revus avec plaisir, mais ce n'est pas pareil.

Laurene retrouvait dans le récit d'Alvaro les tourments et questionnements qu'elle était en train de vivre. « Et si c'était ça, la solution, un changement radical d'existence ? », se dit-elle.

Durant de longues minutes, ni l'un ni l'autre ne prononcèrent la moindre parole. Alvaro triait quelques planches tandis que Laurene réfléchissait. Une question la taraudait.

— Tu regrettes ?

Alvaro parut surpris.

— Regretter ? Quoi donc ?

— Eh bien, ta vie d'avant, l'effervescence, un bon salaire, je suppose ?

Le jeune homme esquissa un sourire et posa contre le mur les quelques planches qu'il venait de ramasser. Il s'essuya les mains l'une contre l'autre et s'avança vers Laurene. C'était la première fois qu'ils se trouvaient si près l'un de l'autre. Alvaro planta ses yeux dans ceux de Laurene.

— Jamais ! Je ne regrette rien ! Je ne vivais pas, je m'étourdissais !

— Et pourtant, tu viens de dire que tes copains, les sorties te manquaient.

— Oui, mais la vraie vie... je crois qu'elle est ici. En fait, je ne m'en rendais pas compte. D'une certaine façon, avec le temps, j'ai compris que mon licenciement était peut-être une chance.

— Mais financièrement ? s'étonna Laurene.

Alvaro mit les mains dans les poches de son pantalon et déclara calmement :

— Je crois que la véritable richesse n'est pas celle des billets.

Laurene fronça les sourcils.

— Ça aide, non ?

— C'est certain, mais la priorité n'est pas là !

Laurene paraissait dubitative.

— Tu as peut-être raison.

— Et toi, Laurene, que fais-tu là ?

— Moi, eh bien, je suis en vacances pour trois semaines.

— Waouh, trois semaines, eh bien... Pas mal, les congés en France !

— Normalement, j'avais prévu de visiter Tolède, Cordoue, enfin, de prendre mon temps jusqu'à Séville, et puis... il a fallu faire plus vite. Il n'y avait pas assez de voitures de location. J'ai dû voyager avec Louise et Louane.

— Je te retourne ta question : tu regrettes ?

— Bien joué ! Non, je ne regrette pas. Je vais rester quelques jours ici ; Louise me l'a proposé, j'ai accepté. Ensuite, je pourrai reprendre tranquillement mon périple et profiter des beautés de l'Andalousie.

— Parfait. Bon allez, arrêtons de philosopher. Rejoignons Louane, elle doit s'ennuyer. Peut-être que Louise est sortie de sa chambre.

— Allons-y, je te suis.

10

Des envies d'enfance

Des envies d'enfance, de rire aux éclats
De courir sous la pluie et de désobéissance
Se dire que rien n'a vraiment d'importance
Sortir des clous, embêter les passants
S'enfuir et s'amuser à les entendre crier
Balancer ses godasses, se faire mal aux pieds
Se déchirer les genoux dans la cour de l'école
Chaparder des regards et des sourires
Laisser s'enfuir l'ennui, et vivre, vivre
Oh oui, des envies d'enfance, d'effacer le mot « triste »
Regarder le ciel et se moquer du gris qui insiste
Alors maintenant et fort, fort, comme des enfants…

Assise sur la dernière marche du perron, Louane consultait ses messages lorsqu'elle entendit les rires de Laurene et Alvaro. Elle leva la tête et les observa. Ils entraient dans le patio quand ils se rendirent compte de sa présence.

— Tu es là ? Je ne t'avais pas vue ! fit Laurene, un peu gênée.

— Je consultais mes messages... C'est la cata !

— « La cata » ? s'étonna Alvaro.

— Oui, « la cata », enfin, la catastrophe, quoi ! Mon père est dans une rogne terrible, ma mère pleurniche, et le pire... Enfin bref, ça fait chier !

Au lieu de finir sa phrase, Louane se leva brusquement et retourna à l'intérieur. Elle alla coller son oreille contre la porte de la chambre de Louise pour vérifier si elle dormait encore.

— Alors ? demanda Alvaro d'un ton inquiet.

— Rien, aucun bruit. Cela fait maintenant près d'une heure et demie qu'elle est enfermée. Je pensais qu'elle commençait à s'habituer, mais son traitement l'assomme. C'est terrible, fit la jeune fille, l'air navré.

Louise avait mis au courant Alvaro de sa pathologie et de sa fuite avec Louane, mais sans entrer dans les détails. Lors de leurs conversations téléphoniques, il n'avait jamais osé lui demander des précisions sur son état de santé. Il s'en inquiéta auprès de Louane, qui lui raconta par le menu son arrivée aux Roses-Pourpres, sa rencontre avec Louise, la naissance de leur complicité... jusqu'au départ vers Séville. Elle termina son récit par cette question qui la tourmentait depuis deux jours :

— Je ne sais pas si j'ai eu raison. Je ne sais même pas si je l'ai fait pour elle ou... pour moi !

Comme si la maladie de Louise était un prétexte pour m'enfuir de cette vie de fou ou de ma vie tout court. Je ne sais plus où j'en suis.

Et elle s'effondra.

Laurene l'enlaça.

— Tu as pris une décision et tu t'y es tenue, c'est le principal. À ton âge, je ne crois pas que j'aurais été capable d'assumer une telle responsabilité. Toi et Louise, je ne vous connais que depuis... ce matin, mais je l'ai vu tout de suite, je vous l'ai d'ailleurs dit : un lien puissant vous unit, c'est troublant !

Louane se calmait peu à peu. Tout en étouffant ses derniers sanglots, elle reprit son récit.

— Le pire, c'est que j'ai reçu un message de Marie, la fille de Louise. Ça craint ! Elle menace de m'attaquer en justice. Je fais quoi ? Je ne peux pas en parler à Louise, elle a assez de ses soucis et je ne veux pas gâcher la joie qu'elle a de se retrouver ici, chez elle !

Tandis que Laurene tendait un mouchoir à Louane, Louise ouvrit violemment la porte du couloir. Elle avait entendu la fin de la conversation.

Elle se mit à hurler.

— Qu'est-ce qu'elle m'emmerde, celle-là ! Elle ne se soucie plus de sa mère, l'abandonne dans un mouroir pour les fous, vend la maison de son père sans aucun regret et maintenant, c'est à toi qu'elle vient s'en prendre ?

Alvaro se précipita.

— Du calme, Luisa, du calme, répéta-t-il.

— Prêtez-moi un de vos téléphones ! Et où est mon carnet ?

Laurene fit signe à Alvaro de ne rien dire. Elle régla son téléphone en appel masqué et le tendit à Louise, qui chercha le numéro de sa fille dans son carnet. Louane observait la scène avec appréhension.

Louise s'isola à l'extérieur, à l'ombre du mur du patio. Elle s'exprimait si fort que des bribes de la conversation parvenaient jusqu'à la cuisine.

— ... tu la laisses tranquille... ma décision... peu importe l'avis des médecins... là où j'ai envie... ton père... abandon... je ne sais pas quand...

Louise revint après une dizaine de minutes. Elle balança son carnet sur la table, s'assit sur le banc et regarda fixement Louane.

— Tout va bien, ne t'inquiète pas, tu ne risques rien. Je suis contrariée des ennuis que je crée. Si tu le souhaites, je peux contacter ta famille et leur dire que...

— Stop ! fit Louane.

Elle s'approcha de Louise et posa les mains sur ses épaules.

— Stop, répéta-t-elle à voix basse. Mon père, ma mère, je m'en fous. Je rentrerai quand j'en aurai envie.

Louane ne pouvait pas voir les yeux de Louise qui, tout à coup, devinrent comme transparents. Elle se mit à mâchonner tel un automate. Alvaro et Laurene échangèrent un regard circonspect.

Louise se leva brusquement, faisant trébucher Louane qui se rattrapa sur le bord de l'évier derrière elle. Elle se mit à déambuler sans logique dans la pièce. Son mâchonnement se fit plus intense. Elle ânonnait quelques mots sans aucun sens, presque des cris de bête blessée. Laurene et Alvaro étaient pétrifiés. Ils avaient compris qu'ils assistaient pour la première fois à une crise de Louise, mais ils ne savaient que faire. La crise s'intensifia, et Louise devint agressive envers Laurene.

— Qui êtes-vous ? Que faites-vous là ? André va arriver, vous allez voir. Vous me voulez du mal, partez ! André, viens vite ! hurla-t-elle.

Louise tournait autour de la table. À chaque coin, elle s'arrêtait et tapait avec force sur le bois.

Ni Laurene ni Alvaro n'osèrent réagir. Louane se précipita sur Louise et bloqua ses deux bras de peur qu'elle ne se blesse à force de frapper avec ses poings.

— Lâchez-moi ou j'appelle la police ! Vous me voulez du mal, je le sais. Vous êtes là depuis toujours, je vous connais, vous êtes le mal !

— Calme-toi, calme-toi, répéta la jeune femme avec une douceur qui contrastait avec la violence des gestes et des propos de Louise.

Louane avait du mal à contenir les mouvements de son amie tellement ils étaient violents et désordonnés. Alvaro s'approcha, Louise hurla encore plus fort.

— Le mal et le diable. Andréééééé !!!!!

Louane fit signe à Alvaro de reculer et de ne rien dire.

— Ça va aller, Louise, je suis là. Souviens-toi, nous sommes chez toi, à Valdehijos, ton moulin.

— Vite, vite, je veux m'enfuir. Le mal est parmi nous !

Dans un dernier soubresaut, Louise tenta d'ouvrir la porte donnant sur la cour. Alvaro s'interposa et bloqua le passage.

Peu à peu, Louise cessa de se débattre pour échapper à l'emprise des bras de Louane. Celle-ci demanda à Laurene d'avancer une chaise. Louise s'assit. Elle était livide. Louane s'accroupit devant elle et continua à lui parler lentement, avec des mots simples et rassurants. Elle lui caressa la main de longues minutes.

Louise ne disait toujours rien, perdue dans un monde connu d'elle seule. Son visage reprit quelques couleurs. Elle sourit, ses traits se détendirent. Le calme était revenu, mais pour combien de temps ?

— Aidez-moi à la conduire dans sa chambre, nous allons l'allonger, demanda Louane.

Laurene les précéda pour ouvrir les portes. Alvaro tenait le bras de Louise et marchait doucement à côté d'elle. Tout à coup, un sourire éclatant éclaira le visage de la vieille dame. À quoi pouvait-elle penser pour, en quelques minutes, passer de la plus terrible des terreurs à une quiétude enfantine ? Louane rabattit le dessus-de-lit et l'aida à s'étendre.

— Je vais rester avec elle, ne vous inquiétez pas, la crise est finie... jusqu'à la prochaine, fit la jeune femme.

Alvaro et Laurene virent une larme couler sur la joue de Louane qui posa sa tête sur le ventre de Louise et ferma les yeux.

Quand Louane sortit enfin de la chambre, le soleil commençait à se coucher derrière les oliveraies. Laurene avait préparé le repas avec les quelques courses qu'avait faites Alvaro. Ils discutèrent de ce qui s'était passé. Alvaro était traumatisé d'avoir vu Louise dans un tel état. Ce n'était pas la personne qu'il connaissait et cela l'effrayait. Mais la présence de Louane le rassurait ; elle était la seule à avoir déjà assisté à ce genre de crise et elle avait su gérer la situation avec le calme et la sérénité qui s'imposaient.

Laurene resta plus en retrait, ne sachant comment réagir face à des personnes qu'elle connaissait depuis si peu de temps. Elle se disait que ça ne la regardait pas. L'impasse des émotions, comme toujours. Mais en même temps, elle ne savait pas pourquoi, elle ressentait le besoin de protéger Louane qui semblait si forte et sûre d'elle pour gérer la maladie de Louise et si fragile lorsque le calme revenait. Peut-être que cette jeune femme d'à peine dix-huit ans lui rappelait celle qu'elle était vingt ans auparavant. À une différence près, c'est que Louane avait osé s'extraire du carcan que son père avait taillé pour elle et dont elle ne voulait pas. Et avec quel courage ! Qui oserait partir avec une grand-mère rencontrée depuis à peine un mois et atteinte de la maladie d'Alzheimer au fin fond de l'Espagne ? Bien peu de gens, sans doute. Louane, elle, l'avait fait.

Laurene, la femme d'affaires accomplie et sûre d'elle, vouait une forme d'admiration à cette jeune fille qui venait d'échouer au bac. Elle se dit que la vie était terrible quelquefois. Là, elle lui renvoyait à la figure ce qu'elle n'avait jamais osé faire : remettre en cause l'ordre familial.

Alvaro était inquiet et, une fois le repas terminé, il proposa de rester pour la nuit. Les deux femmes refusèrent. Il n'osa pas insister. Laurene l'accompagna jusqu'à son 4 × 4 garé le long du chemin tandis que Louane finissait de débarrasser la table tout en les regardant se dire longuement au revoir.

« On dirait deux ados qui n'osent pas basculer dans le monde des adultes. Un jeu dangereux », se dit-elle.

Après une journée chargée en émotions, Louane préféra passer la première partie de la nuit aux côtés de Louise. Ce n'est que vers 2 heures du matin qu'elle rejoignit Laurene dans leur chambre.

10 heures sonnaient à l'église du village lorsque Alvaro toqua à la porte. Il entendit derrière lui, venant de la cour, le pas lent de Louise.

— *¿Cómo estás hoy, Alvaro?*

— *Bien, Luisa*... Et toi ?

— Ça va... mieux. J'ai fait une crise hier ? demanda-t-elle.

— Oui... mais ça a l'air d'aller, maintenant.

— Jusqu'à la prochaine fois. La petite m'a veillée la moitié de la nuit. Je ne bougeais pas, je lui ai fait croire que je dormais.

Une question brûlait les lèvres du jeune homme.

— Mais, comment dire, tu t'en rends compte quand...

— Je plonge dans un monde où je me sens agressée. Comme des hallucinations. Vous étiez là, mais je ne savais plus qui vous étiez. Vous étiez comme des ennemis qui me menaçaient.

Il tenta de la rassurer.

— Regarde, ça va mieux à présent. Louane nous a dit que tes crises étaient rares. Et puis, désormais, tu as ton traitement.

— Ce qui m'inquiète le plus, c'est que l'évolution de ma maladie n'est pas classique.

— C'est-à-dire ? s'étonna-t-il.

— Les symptômes d'hier sont ceux que présentent les malades en phase finale. Je ne devrais pas avoir ces phénomènes hallucinatoires alors que je suis encore capable de manger, me laver, m'habiller seule. Cela signifie, en tout cas, que la phase finale approche : l'oubli et la folie sans période de conscience. La fin, quoi !

— Au contraire, peut-être que ça signifie qu'il te reste encore beaucoup de temps à profiter de ton moulin.

Louise haussa les épaules, abattue.

— Tu as peut-être raison. Tu sais... il me manque, il était mon rempart.

Alvaro s'approcha et prit Louise par le cou.

— Je sais, André n'est plus là physiquement, mais il est présent à chaque instant à tes côtés, j'en suis sûr !

Louise préféra changer de conversation ; les émotions de la veille lui avaient suffi.

— Allez viens, allons réveiller ces deux dormiasses !

— Ah, au fait, ma grand-mère est à Séville, chez sa sœur, pour quelques jours. Dès qu'elle a appris ta présence, elle a décidé d'écourter son séjour. Je me suis permis de lui dire de venir dîner avec nous samedi soir. Il y aura également mes parents.

— Alma, mais bien sûr ! Je me souviens, elle s'asseyait aux pieds de ma grand-mère lorsqu'elle récitait ses poèmes préférés sur la place du village. Elle devait avoir… Je ne sais plus. Tu vois, j'oublie tout. Quel âge a-t-elle maintenant ?

— Nous avons fêté ses quatre-vingt-dix ans l'année passée.

— Allons… aide-moi, je n'y arrive pas.

Alvaro fit un rapide calcul mental ; la détresse de Louise était palpable. Il ne voulait pas qu'elle s'énerve.

— Vous avez treize ans d'écart avec Alma. Tu es partie vivre en France à l'âge de six ans. Donc, elle devait avoir environ dix-neuf ans. Enfin… je crois. Tu vois, moi aussi je m'y perds !

— C'est ça, oui, c'est ça, sourit Louise, pas dupe de l'hésitation feinte d'Alvaro. C'était déjà une jeune femme, alors que je n'étais encore qu'une enfant. Bon, allez, fini de radoter. Regarde : la porte s'ouvre enfin !

Laurene et Louane apparurent, les yeux encore pleins de sommeil. Elles portaient de vieux tee-shirts qui leur tombaient aux genoux. Alvaro parut embarrassé et baissa le regard.

Louane s'approcha de Louise et lui demanda :

— Que fais-tu déjà debout ?

— Je dors depuis hier après-midi... ça suffit ! J'avais envie de faire le tour du... propriétaire.

Tout le monde se mit à rire. Louise s'assit pendant que Louane et Laurene s'occupaient du petit déjeuner. Alvaro se proposa pour préparer le café. Les courses qu'il avait faites avant l'arrivée des trois femmes étaient bien maigres. Le petit déjeuner se limitait à une immense brioche sous plastique et à un bol de café pour tout le monde. Laurene et Louane décidèrent que des réserves plus consistantes s'imposaient. Ce serait leur occupation de la matinée.

Alvaro servit le café. Lorsqu'il s'approcha de Laurene, son geste devint tout à coup moins sûr. Il devinait ses seins qui pointaient à travers le fin tee-shirt de coton. Laurene s'en aperçut mais ne fit rien pour l'aider. Au contraire, elle leva la tête et planta ses yeux dans les siens.

— Merci, dit-elle doucement en se redressant comme pour mieux tendre le tissu sur sa peau.

Laurene redevenait la chasseuse qu'elle avait toujours été. Louane, tout en ingurgitant la moitié de la brioche à une vitesse supersonique, jugea son comportement déplacé et le lui fit remarquer en fronçant les sourcils.

Laurene ne s'en offusqua pas et lui répondit par un clin d'œil. Avait-elle décidé qu'Alvaro serait sa nouvelle proie ?

— C'est quoi ce cirque avec Alvaro ? Tu as peut-être vingt ans de plus que moi, mais tu es une vraie… ! s'indigna Louane lorsque les deux femmes se retrouvèrent seules dans la salle de bains.

Laurene s'en amusa.

— Une vraie quoi ? Assume ce que tu penses !

Laurene ne croyait pas qu'elle oserait.

— Une allumeuse ! Et même… une pute !

— Tu ne le trouves pas beau ? ironisa Laurene.

— Ce n'est pas la question ! Tu m'énerves. Je comprends que tu ne sois pas mariée. Tu es comme ça avec tous les hommes ?

Louane venait de toucher une corde sensible qui eut le mérite de calmer chez Laurene ses envies de séduction provocante.

— Non, pas tous…

— Mais encore ? fit Louane.

La voix de Laurene se voila.

— Il s'appelle Raphaël, lui, j'aurais souhaité le garder.

— Et c'est terminé, vous deux ?

— C'est compliqué. Je l'ai revu il y a quelques jours. Après huit ans !

— Et ?

— Et… nous avons replongé.

— C'est plutôt bien, non ? s'étonna Louane.

— Pas forcément, car là aussi… j'ai peut-être trop tendu mon tee-shirt. Enfin, façon de parler… Et je crois qu'il aurait préféré que je lui laisse un peu plus de temps.

L'émotion dans la voix de Laurene était palpable et sincère.

— Vous avez de nouveau rompu ?

— Je ne sais pas, il m'a laissé un message. Je dois le rappeler.

Louane déclara avec la franchise de la jeunesse :

— Mais alors, qu'est-ce que tu fous avec Alvaro ? C'est quoi ce comportement ambigu ?

— Je ne sais pas, j'ai toujours été comme ça. Inconsciemment, j'ai besoin de dominer les hommes, avoua Laurene.

— Il faut savoir ce que tu veux ! C'est chelou, ton truc.

— Sans doute, mais c'est plus fort que moi. J'aime… « Dominer » n'est peut-être pas le mot juste, j'ai envie de « conquérir » les hommes. Comme j'ai besoin de réussir dans mon métier.

— Et tu vas rappeler Raphaël ?

— Oui, je pense. Ce soir, car je dois réfléchir à ce que je vais lui répondre.

— Tu l'aimes ? demanda abruptement Louane.

Laurene finissait de lisser ses cheveux, elle sourit à la question de Louane.

— Aimer… je n'y crois pas trop. C'est quoi, l'amour ? Puiser dans les ressources de l'autre pour y trouver sa propre satisfaction ?

— C'est peut-être aussi un échange, une alchimie qui se crée entre deux êtres…

— Arrête ! C'est que des conneries, tout ça ! Tu l'apprendras avec l'âge. Les relations humaines ne sont basées que sur une seule chose : le profit ! Profiter des sentiments, des attentes, des opportunités, de la crédulité. Nous vivons tous pour obtenir quelque chose de l'autre, et cela n'a rien à voir avec l'amour. Tu vis dans le monde des Bisounours ! conclut Laurene, sûre d'elle.

Louane n'en revenait pas que l'on puisse avoir une telle vision de la vie. Comment une femme d'à peine quarante ans pouvait-elle avoir perdu toute foi en l'être humain ? Elle pensa à ses parents, et en particulier à sa mère, qui acceptait tout sans rechigner : le rôle de femme au foyer, de potiche lors des soirées mondaines et d'épouse trompée, mais qui se contentait de son état ou plutôt, qui faisait semblant de s'en contenter. Est-ce que c'était ça, vieillir ? se demanda-t-elle. Traverser l'existence comme un fantôme, renoncer à ses rêves, un à un ?

— Tu me fous le bourdon, tu me fais penser à ma mère.

Laurene s'amusa.

— Ta mère est une « croqueuse d'hommes » ?

— Oh non, ça non ! Elle est l'inverse de toi. Aussi réservée et obéissante que tu es superficielle et délurée.

Laurene accusa le coup, mais au fond, elle savait que Louane avait raison. L'image qu'elle donnait était celle d'une personne creuse, sans consistance. Prête à tous les excès pour satisfaire des plaisirs éphémères qui ne débouchaient que sur une solitude de plus en plus intense.

— Alors pourquoi dis-tu que je te fais penser à ta mère, si elle est l'inverse de moi ? Tu peux m'éclairer ? J'ai dû rater un épisode...

— Votre comportement est tout à fait différent, mais vous traversez toutes les deux l'existence comme des robots. En fait, vous n'attendez rien de la vie, affirma Louane.

Laurene haussa les épaules, à la fois dépitée et résignée.

— Tu as peut-être raison...

— Tu sais, je crois que ça te ferait du bien de rencontrer Patrice et Chloé. Ils te redonneraient foi en l'homme et en la vie. Ce sont mes amis... des vrais.

Laurene sentit une forme de mal-être l'envahir. Elle décida de changer de sujet.

— Si tu le dis... Et toi, les amours ?

— Ouh là là, une vague histoire... terminée, heureusement. Enfin, pour moi. Pour lui, j'en sais rien et je m'en fous ! Ce n'est pas ma priorité en ce moment.

— Louise ? demanda Laurene.

— Quoi Louise ?

— Ta priorité, c'est Louise ?

— Oui !

— Je peux te donner mon avis ? Enfin, il s'agit plutôt de faire une constatation : c'est bien, ce que tu as fait.

— Je l'ai fait pour Louise, affirma Louane sans hésitation.

Laurene mit fin à la conversation avec une boutade.

— Pas forcément, quand tu seras vieille comme moi, tu comprendras que tu l'as surtout fait pour toi !

— Peut-être... Je me suis déjà posé la question.

— Tu vois, nous ne sommes pas si différentes l'une de l'autre. Allez, va donc commencer la liste des courses, j'arrive !

— OK la vieille ! fit Louane avant de partir en ricanant.

Elles passèrent le reste de la matinée dans une grande surface de la banlieue de Séville. Laurene en profita pour déposer le monospace à l'agence sévillane de la société de location. Alvaro vint les récupérer pour les ramener au moulin.

À mesure que les jours passaient, chacun trouvait sa place. Laurene, qui, à son arrivée, pensait ne s'arrêter que quelques jours, accepta avec plaisir de rester aux côtés de ses nouvelles amies et... d'Alvaro.

Celui-ci était présent presque tous les jours, travaillant à la rénovation du moulin. Ou alors, il se transformait en guide touristique pour les deux jeunes femmes. Mais même si Louane appréciait de découvrir les charmes des paysages et des monuments andalous, elle préféra bientôt les laisser seuls. Elle ne savait pas ce que Laurene comptait faire avec Alvaro. Elle lui avait fait part de son avis, mais ça ne la regardait plus, Laurene était adulte et Louane ne souhaitait pas intervenir dans sa façon de vivre.

Elle passa dès lors beaucoup de temps soit seule à réfléchir, soit avec Louise. Cela leur rappelait leurs longues discussions aux Roses-Pourpres, mais sans la pression du personnel soignant et la peur du fameux bâtiment B. Leurs conversations partaient bien souvent dans tous les sens. Elles échangeaient sur leurs vies. Louane sur celle qu'elle souhaiterait avoir et Louise sur ses regrets et ses dernières attentes.

Lorsque, le soir, Alvaro et Laurene rentraient de leur périple à la découverte de Cadix, Malaga, de l'Alhambra de Grenade ou des arènes de Ronda, Laurene se joignait à ses amies, et la conversation reprenait. Même si Louise, inconsciemment, se dévoilait moins en présence de Laurene, les trois femmes n'arrêtaient leurs bavardages qu'à la tombée de la nuit.

Alvaro, quant à lui, avait toujours quelque chose à terminer ou de nouveaux travaux à entreprendre. Il avait conscience de la complicité qui s'était instaurée entre les trois femmes et ne souhaitait pas les déranger. Certains soirs, pour ne pas gêner leur intimité, il les saluait de loin avant de grimper dans son 4 × 4 et de disparaître sur le chemin de terre qui conduisait à la route de Valdehijos.

La santé de Louise était fragile. Même si, la plupart du temps, elle se reposait et ne recevait que de courtes visites de quelques amis du village, son état se dégradait. Elle n'avait pas refait de crise hallucinatoire, mais les absences et les pertes de mémoire, malgré le traitement, étaient nombreuses.

Laurene, à l'image de Louane, avait appris à ne plus paniquer face à ces incidents de parcours et faisait comme si... comme si tout était normal. Elles tentèrent de convaincre Louise que les pertes de mémoire n'étaient pas forcément révélatrices de l'avancement de la maladie, mais celle-ci n'était pas dupe. Elle aussi faisait comme si... comme si le bien-être qu'elle ressentait quelquefois depuis son arrivée *al Sueño* allait durer éternellement. Personne n'y croyait, mais chacune jouait le jeu, se laissant emporter dans la douceur des jours qui défilaient.

On aurait dit que Louise avait enveloppé ses deux amies dans une couverture de protection. Son « chez-elle » était devenu le leur. Louise ne leur avait pas simplement ouvert sa porte, elle leur avait ouvert son cœur et donné cette soif de vivre qui imposait le respect.

Quand elles se laissaient aller, c'était comme si toutes trois avaient le même âge. Trois adolescentes, l'esprit plein de rêves, qui avaient la force de les concrétiser. Puis trois femmes au milieu du chemin qui cherchaient, encore et toujours, le sentier qui les conduirait vers la réalisation de leurs espérances. Enfin, quand la nuit tombait et que le moral n'était pas forcément au rendez-vous, Louane et Laurene devenaient des « Louise ». Les « 3L », comme elles se plaisaient à le répéter. Dans ces moments-là, les regrets et les bonheurs passés se mêlaient à la nuit. Elles se blottissaient alors les unes contre les autres et elles prêtaient « le serment des 3L ». Quelques phrases du chanteur sévillan Diego Valdivia que Louane avait entendues à la radio et dont elle avait demandé la signification à Louise. C'était devenu leur serment, celui qui effaçait toutes les tristesses. La tête posée sur l'épaule de sa voisine, chacune laissait couler des larmes silencieuses.

Louise débutait.

« *Dile a tu pasado que ya no toque a la puerta,* »

Laurene poursuivait.

« *que ya no llame a media noche, que ya no eres la misma,* »

Louane, d'une voix posée, terminait.

« *dile que ahora sonríes, que ya estás a mi lado*[1]. »

Alors, les pleurs s'estompaient. C'était leur moment de profonde communion, elles se sentaient unies et invincibles. Trois femmes, trois solitudes, trois générations, trois histoires, mais un seul destin, celui de croire à l'espoir du lendemain.

---

1. « Dis à ton passé qu'il ne frappe plus à la porte,
qu'il n'appelle plus au milieu de la nuit, que tu n'es plus la même,
dis-lui que maintenant tu souris, que désormais tu es à mes côtés. »
Diego Valdivia, (Facebook ; 5 mars 2016).

11

À chacun de décider !

Emprisonnés dans la toile de nos habitudes, nous passons notre temps à espérer, mais au fond presque toujours à renoncer.

Et puis un jour, certains d'entre nous atteindront l'autre rive, celle des prairies épaisses et verdoyantes. Ils goûteront au nectar sucré de mille fleurs multicolores et inconnues.

Alors, le choix s'imposera : revenir sur ses pas ou tenter l'aventure ?

À chacun de décider !

Si, à Valdehijos, les jours se succédaient paisiblement, à Bordeaux, Strasbourg et Sochaux, les esprits s'échauffaient.

Marie et Paul, les enfants de Louise, étaient entrés en contact, par l'intermédiaire du directeur des Roses-Pourpres, avec les parents de Louane.

Une dizaine de jours s'étaient écoulés depuis la fuite de Louise et Louane, et personne ne se doutait de l'endroit où les deux femmes pouvaient se trouver.

À l'exception de Paul, ni les uns ni les autres n'imaginaient qu'elles étaient encore ensemble.

Que pouvait faire une jeune fille de dix-huit ans avec une grand-mère malade ? Rien, bien évidemment !

Depuis l'appel de Louise à sa fille, Paul en était intimement convaincu : sa mère était retournée à Valdehijos. Il avait questionné longuement sa sœur au sujet de cette conversation. Il n'obtint qu'un simple « Oui, ça avait l'air d'aller », vite accompagné d'expressions plus énergiques comme « Cette peste a dû obliger notre mère à s'enfuir » ou « S'il lui arrive le moindre problème, elle va avoir de mes nouvelles ».

L'énervement de Marie ne faisait que s'amplifier. Elle alla jusqu'à insulter le personnel des Roses-Pourpres pour leur manque de professionnalisme. Elle les menaça d'un procès. Elle en avait le droit et sans doute aurait-elle obtenu gain de cause. Mais Paul dissuada sa sœur de s'embarquer dans une procédure aussi longue qu'inutile.

Lorsque la décision avait été prise, Paul n'était pas forcément d'accord pour que sa mère soit placée aux Roses-Pourpres. Il aurait préféré une solution moins radicale. Il pensait que sa mère, avec une aide appropriée, aurait pu rester encore un peu chez elle. Mais Marie avait mené tambour battant la vente de la maison de son père à Belkangffolsheim et l'admission de Louise en résidence spécialisée. Paul, comme d'habitude, avait abdiqué devant l'insistance de sa sœur et la certitude des médecins. Aujourd'hui, il se rendait compte qu'il avait eu tort.

Le père de Louane était hors de lui. Il avait activé tous ses réseaux. Mais que pouvait-il faire ? Sa fille était majeure et avait parfaitement le droit de voyager à sa guise sans autorisation parentale. Pour la première fois depuis dix-huit ans, il ne pouvait pas « contrôler » Louane, et cela le plongeait dans un état de colère permanent peu commun. Il avait décrété que sa femme était responsable de la fugue de leur fille, car elle n'avait pas su détecter ses « envies d'ailleurs ». Lui, bien évidemment, n'était responsable de rien. Se remettre en cause aurait été un aveu d'échec, et il n'en était pas question. Le mot « échec » ne faisait pas partie de son vocabulaire.

Sa femme, quand elle ne pleurnichait pas, passait son temps à cajoler Jules, son jeune fils, qui commençait à être exaspéré par ces effusions de tendresse compensatrices.

De nombreux échanges téléphoniques eurent lieu entre les deux familles. Plus exactement entre Marie et M. Clavier, le père de Louane, qui s'indignaient, pestaient, organisaient une « contre-attaque », mais n'évoquèrent jamais la question qui, aux yeux de la mère de Louane et de Paul, était essentielle : Pourquoi ?

Pourquoi une jeune fille de dix-huit ans et une grand-mère de soixante-dix-sept ans atteinte de la maladie d'Alzheimer avaient-elles pris la décision de s'enfuir ?

Contrairement à Marie et à M. Clavier, Paul et la mère de Louane étaient intimement persuadés que l'enfermement, la peur et l'éloignement ne suffisaient pas à expliquer cette fuite. Sans se concerter, tous deux avaient compris qu'un mal bien plus profond était à l'origine de ce bouleversement.

Laurene, de son côté, avait averti ses parents qu'elle avait avancé ses vacances. Cette année, elle ne passerait qu'un week-end avec eux, à la fin du mois d'août, dans leur maison du sud de la France. Durant son séjour en Espagne, quelques SMS suffiraient à satisfaire leur curiosité.

La seule personne qui lui rappelait, un peu trop souvent à son goût, cette vie dont elle avait souhaité se couper pendant ses trois semaines de vacances, c'était bien évidemment David Leicester, le P-DG du groupe Béta-Pharma. Il avait fait promettre à Laurene de consulter sa messagerie régulièrement, ce qu'elle faisait, mais la définition de « régulièrement » pour le P-DG était très différente de celle de sa directrice des ressources humaines. Laurene ne s'en offusqua pas, mais décida que M. Leicester devrait se satisfaire du rythme qu'elle avait décidé.

Par ailleurs, elle ne pouvait plus retarder le moment de répondre au SMS de Raphaël. S'il lui avait écrit après ce rendez-vous qui aurait pu sonner la fin définitive de leur relation, c'était sans aucun doute qu'il espérait encore qu'un avenir était possible. Elle pianota sur son Smartphone, effaça, puis recommença. Laurene n'arrivait pas à exprimer ce qu'elle ressentait. Raphaël était le seul homme qui avait su deviner ses blessures et qui était prêt à attendre qu'elle ne confonde plus sentiments et faiblesse. Elle rédigea un message neutre et énigmatique qui ne pouvait que renforcer les doutes de Raphaël. Elle préférait attendre d'être rentrée à Paris pour que, peut-être, ils tentent de se retrouver dans une relation sincère et apaisée.

> Je suis en vacances. Besoin de faire le point.
> Je t'appelle à mon retour. Je t'embrasse.

Lors de leurs longues conversations, les trois femmes évoquaient souvent le sujet : Louane et Louise devaient-elles appeler leurs familles et tenter de leur expliquer pourquoi elles avaient fui ? À chaque fois, Laurene les incitait à modérer leurs propos parfois excessifs.

Louane s'inquiétait, elle avait envie que sa famille soit rassurée. Bien sûr, elle avait aidé Louise à s'enfuir, mais elle avait surtout éprouvé le besoin de s'émanciper d'un carcan familial bien trop rigide. Elle avait peur de la réaction de ses parents, surtout de celle de son père. Alors, elle repoussait inlassablement le moment où elle composerait leur numéro.

Pour Louise, la situation était différente. Elle comprenait que ses enfants s'inquiètent, mais l'urgence l'avait obligée à agir vite. À l'inverse de Louane, elle n'avait aucune justification à donner sur son choix. André n'était plus là, il lui manquait terriblement et la maladie progressait inéluctablement. Elle savait qu'il ne lui restait que quelques mois, au mieux, pour profiter en toute conscience de l'endroit où, sans lui, elle se sentait chez elle.

Avant de donner son avis, Laurene les avait longuement écoutées toutes les deux. Un soir, elle se décida.

— Vous devriez appeler vos familles, assura-t-elle.

Louane, assise sur l'escalier du perron, tourna lentement la tête et demanda :

— Tu crois ?

Louise poursuivit :

— Est-ce qu'ils le méritent ?

Laurene eut un rire agacé.

— « Tu crois ? », « Est-ce qu'ils le méritent ? ». Arrêtez donc de vous poser mille questions ! Je vous écoute depuis notre arrivée au moulin et, même si vos situations sont différentes, vous n'arrêtez pas d'en parler ! Alors agissez, vous aurez l'esprit tranquille.

— Tu as sans doute raison, concéda la jeune fille.

— Tu dois le faire, Louane. Tu leur dis simplement que tu vas bien et que tu rentreras…

je ne sais pas… au plus tard pour la rentrée, début septembre.

— Et si… je ne rentrais pas ? chuchota Louane d'une voix presque inaudible.

— Pardon ? s'étonna Laurene.

— Si… je ne rentrais pas à Bordeaux ?

Louise et Laurene se lancèrent un regard ahuri.

— Que veux-tu dire ? s'enquit Louise.

Louane tenta de faire passer sa réponse sur le ton de l'humour, mais elle ne pouvait cacher une forme de sincérité dans ses propos.

— Et si je partais rejoindre Chloé ?

Le silence s'installa. Louane était-elle sérieuse ou grisée par cette sensation de liberté qui l'envahissait depuis sa fuite des Roses-Pourpres ?

— Je plaisante. Ça me tente, c'est sûr, mais je vais plutôt rester ici un mois et rentrer à Bordeaux affronter le peloton d'exécution, fit-elle dans un long soupir.

— Ils comprendront, laisse-leur un peu de temps. Mais il faut absolument que tu les rassures ! insista Laurene.

Louane répondit avec une moue dubitative :

— Oui… Je vais les appeler, mais pour ce qui est de comprendre, ma mère peut-être, mais mon père jamais. Il ne comprendra jamais, insista-t-elle.

— Mais si…

— Mais non… S'il ne me fout pas dehors, ce sera déjà ça… Quant à me pardonner, jamais ! Mais au fond, je crois que je le mérite, répondit Louane, désabusée.

Laurene, trouvant que l'ambiance devenait trop pesante, décida de prendre les choses en main et de se montrer plus directive afin que ses deux amies ne sombrent pas dans une mélancolie qui ne déboucherait sur rien de positif.

— Bon, toutes les deux, vous allez me faire le plaisir de contacter vos familles et de leur dire que vous allez bien. Expliquez-leur que vous êtes ici, à Séville. Cela va rassurer tes enfants, Louise, car tu es dans un endroit que tu connais. Quant à toi, Louane, tes parents seront tranquillisés de savoir que tu n'es pas… encore… à l'autre bout du monde.

Depuis quelques minutes, Louise paraissait absente. Elle mâchonnait tout en triturant son carnet. Louane s'approcha.

— Ça va, Louise ?

Sa vieille amie sembla se réveiller.

— Oui, oui, bien sûr, affirma-t-elle en sursautant.

Laurene ne savait pas si Louise avait suivi la conversation.

— Tu… devrais…

— Oui, je vais appeler mes enfants, c'est mieux. Paul comprendra, Marie… peu importe, fit-elle avec un geste de dépit.

— C'est vraiment préférable, Louise. Tu seras plus tranquille. Tu verras, cela t'apaisera ; tu en as besoin.

— J'ai besoin de bien plus que ça ; j'ai de plus en plus de pertes de mémoire. Ce matin, par exemple, je regardais Alvaro qui débroussaillait l'oliveraie qui longe le chemin… Eh bien… je ne me souvenais pas d'avoir embauché un ouvrier. J'ai failli me lever et lui dire de s'en aller. C'est effrayant ! Un garçon dont je connais toute la famille ! Alors, j'ai noté sur mon carnet : « Alvaro restaure le moulin. Il est grand, il est brun, il habite au village avec sa famille. » Tout cela ne rime à rien.

— Pourquoi dis-tu cela ? s'enquit Laurene.

— À quoi ça sert de tout noter sur un carnet ? Lorsque je plonge dans les ténèbres, je ne sais même plus qu'il existe. Et quand bien même je m'en souviendrais, je ne comprendrais rien à ce que j'ai écrit.

— Ton traitement va faire effet. Attends un peu, soit patiente, fit Louane.

Louise sourit.

— Vous êtes gentilles… Mais il ne faut pas se voiler la face… plus rien ne peut ralentir la maladie. Elle est là, de plus en plus présente. Je ne souhaite qu'une chose : qu'elle me laisse le temps de…

Louise s'arrêta net, elle paraissait nerveuse.

— Le temps de quoi ? demanda Laurene.

— De choisir…

— Que veux-tu dire ? s'agaça Louane.

— De pouvoir choisir le moment de partir avec encore un minimum de conscience !

Le silence s'imposa. Désormais, la nuit recouvrait toute la campagne alentour. Seules les lumières du village scintillaient dans la vallée.

Ni Louane ni Laurene ne surent quoi dire. Louise poursuivit sur le ton de l'ironie pour tenter de détendre l'atmosphère pesante qu'elle venait d'instaurer.

— Allez, je vais les rassurer, ces chers enfants qui ne pensent qu'à moi et à la disparition de leur père. Tu me prêtes ton téléphone, Laurene ?

— Bien sûr.

Louise s'isola. La conversation fut étonnamment tranquille. Marie semblait résignée ; sa mère était dans son droit et rien ne pouvait la faire changer d'avis, elle le savait.

Puis Louise appela son fils. Il était heureux d'entendre sa voix. Désormais, il avait la confirmation de son intuition : elle était bien retournée à Valdehijos. Il ne dit rien, mais il avait l'intention de venir la voir. Non pas pour la convaincre de rentrer en France, mais pour se rendre compte de son état de visu et pas simplement par l'intermédiaire d'un combiné qui peut cacher bien des choses lorsqu'on ne veut pas inquiéter son interlocuteur.

Louane contacta sa famille. C'est Jules, son jeune frère, qui décrocha. Lorsqu'elle entendit sa petite voix, Louane ne put retenir son émotion, mais elle se reprit rapidement. Elle lui posa des tas de questions, lui ne cessait de répéter : « J'ai envie de te voir. Dis, tu reviendras ? », ce qui ne faisait que renforcer la détresse de sa sœur.

— Bien sûr que je reviendrai ! Mais dis-moi, tu n'es pas encore couché, toi ? Il est tard…

— Ben non, c'est les vacances. Papa a dit que tu étais avec une vieille folle. C'est vrai ?

— Je suis avec une vieille dame, oui, mais elle n'est pas folle. Elle est malade et... je l'aide un peu avant de rentrer à Bordeaux.

Jules poussa un hurlement de joie.

— Maman, Louane va rentrer à la maison !

Sa mère se précipita et arracha le téléphone des mains de son fils.

— Mais enfin, où es-tu ?

Louane lui expliqua le plus calmement possible sa situation, l'endroit où elle se trouvait et sa décision d'aider Louise. Sa mère ne comprit pas son choix, cela lui correspondait si peu. Mais l'important pour elle était de savoir que sa fille allait bien et qu'elle avait l'intention de rentrer au plus tard à la mi-août.

Louane demanda :

— Et... papa ?

— Il est à une réunion à l'hôpital. Il... se fait beaucoup... de souci... tu sais.

— Je sais. Enfin, je me doute. Vous me manquez. Ne vous inquiétez pas. À bientôt.

— Si, on s'inquiète ! À bientôt, ma fille.

Après ces appels à leurs familles respectives, Louise et Louane parlèrent peu. Elles paraissaient ailleurs, comme si elles n'étaient plus totalement à Valdehijos, mais chacune dans ses habitudes. À Bordeaux pour Louane et à Sochaux pour Louise.

Laurene, quant à elle, pensait à Raphaël. Que faisait-il ? Était-il dans son appartement de Neuilly avec sa fille ? Était-il dans les bras d'une autre femme, plus sereine, prête à lui offrir ce qu'il désirait ?

Laurene servit un dernier verre d'eau à ses amies. Elles profitèrent un peu de la fraîcheur de la nuit après la chaleur écrasante de cette journée d'été. La soirée avait été difficile. Louise fut la première à aller se coucher. Avec la maladie, le traitement et les températures étouffantes, elle avait besoin de repos.

Laurene et Louane ne tardèrent pas à faire de même. Elles se glissèrent sous les draps et éteignirent la lumière sans prononcer un mot, désireuses de plonger dans un sommeil qui eut du mal à venir.

12

Il nous manquera toujours…

On peut bâtir sa maison tout au fond d'une crique bercée par le cliquetis des flots, profiter du sable blanc et fin qui s'étale jusqu'aux rochers.

Et le soir, contempler le soleil à l'horizon qui disparaît lentement comme s'il s'enfonçait dans la mer.

On peut faire tout cela et rêver de recommencer chaque jour.

Mais il nous manquera toujours la saveur de ces soirées d'enfance assis par terre, le menton sur les genoux, à écouter la voix des anciens…

Ce jour-là, Louise était nerveuse, non que la maladie se fît plus présente que d'habitude, mais les parents d'Alvaro et sa grand-mère venaient passer la soirée au moulin.

Pour Louise, c'était un mélange de joie et d'appréhension. Joie de retrouver ses souvenirs d'enfance, et peur des émotions trop intenses que cela pourrait provoquer.

Alvaro et Laurene s'occupèrent de la préparation du repas, Louane se chargea de dresser la table. Elle y prit beaucoup de plaisir et apporta un soin particulier à la décoration. Elle disposa çà et là des petits rameaux d'olivier qu'elle avait cueillis sur les arbres bordant le chemin.

Tous trois tenaient à ce que tout soit parfait pour Louise. C'était sa soirée, celle des retrouvailles avec Alma. Sans doute s'agissait-il d'une des dernières occasions pour elle de renouer avec son amie d'enfance.

Lorsque Louane posa les assiettes sur la table, Louise s'approcha et se mit à tourner en rond.

— Que se passe-t-il, Louise ? On t'a dit que l'on s'occupait de tout. Tu me donnes le tournis à faire les cent pas.

Louise s'arrêta, croisa les mains dans son dos et se planta devant Louane.

— Eh bien, j'aimerais que tu rajoutes… deux assiettes, demanda-t-elle d'une voix étouffée.

La jeune fille releva la tête et lui adressa un large sourire.

— Tu as invité d'autres amis ? C'est super !

Louane vit de l'embarras sur le visage de Louise.

— Non, en fait… C'est idiot. Je n'ai rien dit !

Alvaro revenait de la cave où étaient entreposés les légumes. En montant les marches du perron, il avait entendu la fin de la conversation. Il avait compris et fit signe à Louane de rajouter deux couverts avant de s'adresser à Louise.

— Pas de souci, la table est assez grande. Et puis ils sont chez eux, ce sera toujours leur maison. C'est normal qu'ils soient avec nous ce soir.

En fait, Louise souhaitait que deux places soient réservées à Maria et Octavio. Alvaro avait tout de suite compris, car sa grand-mère lui avait conté à de multiples reprises les liens qui existaient entre la petite-fille et ses grands-parents.

Louise s'approcha d'Alvaro et l'embrassa.

— Merci, fit-elle.

Rassurée, elle partit se reposer. Dans une heure, Alma et les parents d'Alvaro seraient là.

Lorsque, à l'âge de six ans, Louise dut s'exiler en France avec ses parents, ce fut un véritable déchirement pour la petite fille qu'elle était. Son grand-père Octavio, comme à son habitude, ne montra aucune émotion et se plongea encore plus dans le travail. De cette façon, il oubliait ou, du moins, il tentait d'oublier. Quant à Maria, d'habitude si joviale, elle avait perdu son entrain, que ce soit au travail ou, le soir venu, sur la place du village. Le cœur n'y était plus et la nostalgie des poèmes de Federico García Lorca devint son refuge.

Aux yeux de Louise, ce moulin représentait bien plus qu'un bien transmis par sa mère. Il ne lui appartenait pas, c'était pour toujours celui de ses grands-parents. Elle disait rarement « mon moulin » ou « chez moi », mais « la demeure de mes grands-parents » ou « chez ma grand-mère ». Cette femme l'avait marquée.

Louise avait vécu peu de temps à Valdehijos. Elle y était retournée régulièrement au début de l'exil de ses parents, puis les visites s'étaient espacées. Mais elle restait viscéralement attachée à ces vieilles pierres et à ces quelques hectares d'oliviers. Sa vie d'enfant puis d'adolescente en France, de femme avec André et de mère avec Paul et Marie l'avait comblée, mais le lien indestructible entre elle et cette demeure sur les hauteurs de Valdchijos subsistait. C'était son refuge secret, vers lequel elle s'évadait lorsque les difficultés ou les doutes se faisaient trop présents. Même « son » André n'y avait pas accès ; elle lui en parlait peu. Cet endroit l'apaisait. La disparition d'André et la maladie n'avaient fait que renforcer ce besoin de revenir sur cette terre, là où tout avait commencé et là... où tout finirait.

Louise savait qu'après sa mort ses enfants s'empresseraient de vendre *el Sueño*. Bien sûr, ça la peinait, mais elle comprenait qu'ils ne s'intéressent pas à cette demeure. Ils y avaient très peu séjourné, le voyage depuis la Franche-Comté était long, et l'Andalousie ne représentait rien pour eux.

Depuis quelques mois, une idée trottait dans la tête de Louise. Elle en avait discuté avec son mari quelques jours avant sa mort. Il lui avait répondu qu'elle était la seule à décider et que, quel que soit son choix, il la soutiendrait. Louise savait, désormais, qu'après sa propre mort le moulin n'appartiendrait plus à sa famille. Elle ne voulait pas qu'il tombe entre des mains qui transformeraient ce lieu en maison de vacances pour touristes fortunés ou, pire, en hôtel de luxe, mode très répandue désormais dans l'arrière-pays andalou. Si c'était le cas, l'âme de ses grands-parents disparaîtrait à jamais, et ça, elle ne pouvait le supporter.

Elle avait peu de temps pour sauver le moulin. En fait, son idée était simple. Elle souhaitait qu'Alvaro rachète *el Sueño* et reprenne l'exploitation des oliveraies. Elle le lui avait déjà proposé. Alvaro l'avait remerciée d'avoir pensé à lui, c'était une belle preuve de confiance. Mais, même s'il ne lui avait pas opposé de refus catégorique, sans doute pour ne pas la décevoir, elle sentait que ce plan ne lui convenait pas vraiment. Alvaro ne se projetait pas forcément dans une vie où il resterait à Valdehijos. L'économie espagnole redémarrait. Il comptait bien en profiter, même s'il ne souhaitait pas reprendre un poste aussi stressant que celui qu'il occupait auparavant. Il aspirait à une existence plus tranquille.

Un autre problème auquel Louise n'avait pas pensé se posa lorsqu'elle lui proposa le rachat du moulin. Cette demeure, malgré son état, représentait un investissement considérable et, bien évidemment, Alvaro n'avait pas les moyens d'assumer ce financement. Pour Louise, ce n'était pas un souci, elle était prête à lui faire donation du moulin et de l'ensemble des terres. Alvaro lui expliqua que ce n'était pas possible ; cela pourrait être considéré comme un détournement d'héritage qui léserait ses enfants, car la valeur du moulin dépassait le montant de la quotité disponible dont elle pouvait user à sa guise dans son testament. Elle insista et proposa de lui vendre *el Sueño* à un prix qui défiait toute concurrence. Là aussi, la loi était claire : Paul et Marie auraient pu légitimement contester cette vente une fois leur mère disparue.

Mais Louise n'avait pas dit son dernier mot. Alvaro était le seul à s'investir dans la rénovation du lieu. L'unique espoir de voir le moulin reprendre la production d'huile d'olive était donc de le convaincre. Louise savait que si l'aspect financier se réglait, le jeune homme l'écouterait d'une oreille plus attentive.

Comme lors du décès d'André elle ne s'était pas opposée à la vente de la maison de Belkangffolsheim, elle espérait que Paul et Marie, de leur côté, accepteraient que le moulin soit vendu au profit d'Alvaro pour un montant bien inférieur au prix du marché. En échange, elle leur ferait donation, à parts égales, de la somme qu'elle avait perçue à l'issue de la vente de la maison d'André. Désormais, Louise n'avait plus besoin de cet argent, sa retraite lui suffisait et elle savait que le temps lui était compté. Alors, à quoi bon des économies qui moisiraient sur un compte en banque ?

La partie n'était pas gagnée, loin de là. Mais pour Louise, c'était un devoir, elle se devait de proposer la transaction à ses enfants. Ce qui l'inquiétait le plus, c'était ce que lui avait dit sa fille lors de leur conversation téléphonique.

Marie avait abdiqué devant l'exigence de sa mère de ne pas revenir aux Roses-Pourpres. En revanche, elle l'avait prévenue que, étant donné son état qui empirait, elle allait lancer une procédure de mise sous tutelle pour « éviter que des personnes mal intentionnées s'attaquent à son argent et ses biens ». La sincérité du motif avancé paraissait discutable, mais l'intention de Marie ne faisait pas de doute.

Dans ce cas, Louise ne serait plus maîtresse de rien, seuls les médecins jugeraient si elle était encore capable de gérer ses intérêts. Au vu de ses dernières évaluations neurologiques, de ses crises de paranoïa et de ses pertes de mémoire qui s'intensifiaient, elle se devait de réagir vite.

Il était 20 heures lorsque la voiture des parents d'Alvaro s'engagea sur le chemin du moulin. Louise venait de se réveiller mais semblait encore dans un demi-sommeil. Son comportement contrastait avec la joie qu'elle affichait en début d'après-midi. Louane s'interrogeait. Désormais, elle connaissait suffisamment les réactions de sa vieille amie pour savoir qu'il ne s'agissait peut-être pas d'un simple réveil d'une sieste trop tardive dont Louise aurait eu du mal à émerger.

Elle fit part de son inquiétude à Laurene et Alvaro qui finissaient de préparer un gaspacho, plat typiquement andalou.

Alvaro eut l'air contrarié et s'approcha de Louise, assise sur une chaise dans un coin de la cuisine. Il s'adressa à elle en espagnol, d'abord lentement, puis, voyant que ses réponses étaient parfaitement logiques, en reprenant un débit plus rapide. Elle parut surprise et ne tarda pas à le lui faire savoir.

— Dis donc, mon petit Alvaro, pourquoi me parles-tu en espagnol alors que nous sommes en présence de Laurene et Louane ? Et pourquoi si lentement ? Je ne suis pas gaga... Enfin, pas encore.

Il parut confus et en même temps apaisé.

— Non, mais... c'était un réflexe, Luisa...

Louane échangea un regard avec Laurene et poussa un soupir de soulagement.

Louise poursuivit :

— De toute façon, on a intérêt à être en forme tous les deux, non ?

— Et pourquoi donc ? s'étonna Alvaro.

— Parce que nous allons faire office de traducteurs toute la soirée !

— Bien sûr, Luisa, d'ailleurs je crois que notre mission commence. On vient de toquer à la porte.

À travers le fin rideau, Louise pouvait deviner les silhouettes d'Alma et des parents d'Alvaro. Son cœur se serra, elle ouvrit la porte.

Alma était de petite taille et s'appuyait sur une canne en bois d'olivier. Son dos était voûté, mais son allure fière. Elle était totalement vêtue de noir, comme la plupart des femmes âgées dans les campagnes andalouses. Lorsque les épouses devenaient veuves, la coutume voulait qu'elles honorent la mémoire de leur défunt mari en s'habillant de la couleur du deuil. Il n'y avait pas de limite de durée à cet hommage. Bien souvent, dans les petits villages, la tradition devenait une habitude.

Malgré ses quatre-vingt-dix ans, Alma avait toujours le même regard, pétillant et d'un vert puissant. Elle imposait le respect. Plantée sur le seuil, elle balayait la pièce des yeux. Laurene et Louane se faisaient les plus discrètes possible. Elles avaient l'impression qu'un tableau se dessinait devant elles sans qu'elles y aient leur place. Alma et Louise se fixaient sans parler.

Enfin, Alma s'avança et tendit sa canne à son gendre. Elle ouvrit grands ses bras et Louise fit de même. Les deux femmes se trouvèrent bientôt réunies dans une accolade sincère mais pleine de retenue. Car, même si elles ne s'étaient pas revues depuis de nombreuses années, elles contrôlaient leurs émotions. La fierté andalouse reprenait le dessus.

Louise, à cet instant, redevenait la petite Luisa qui déambulait avec son amie Alma, son aînée de treize ans, dans les rues de Valdehijos. Le soir, les enfants avaient la permission de se balader à leur guise dans les innombrables ruelles du village.

Louise rompit le silence et s'exprima dans sa langue maternelle. Alvaro recula de quelques pas et commença son travail de traducteur. Il rapporta en chuchotant la conversation des deux femmes à Laurene et Louane.

— Quel plaisir de te voir, Alma !

— Luisa ! Tu t'es enfin décidée à revenir ! Tu voulais me laisser mourir sans que je te revoie une dernière fois ?

Louise esquissa un sourire. Alma n'avait pas changé, toujours cet humour provocateur.

— Je suis là, tu vois. Comment aurais-je pu t'oublier ?

Alma fit un pas en arrière et serra chaleureusement les mains de Louise.

— Alvaro nous a dit pour tes soucis de santé et pour la mort d'André. Tu as souffert, tu es parmi les tiens maintenant. Tu as pris la bonne décision.

— Nous verrons bien, Alma. Seul l'avenir décidera si c'était la bonne décision. Allons, ne restons pas plantées là. Viens, installons-nous sous l'olivier.

Alma acquiesça d'un signe de tête.

— Attends, je voudrais te présenter deux amies.

Elles se dirigèrent vers Laurene et Louane qui n'en menaient pas large devant l'aura qui semblait flotter autour de la vieille dame. Comment devaient-elles réagir ? Alvaro leur fit signe de ne pas s'inquiéter.

— Voici Louane et Laurene, deux amies sans qui… je ne serais pas là.

Alma leur serra la main et les examina des pieds à la tête, tel un scanner à la recherche de la moindre anomalie.

En s'approchant de Louane, qui n'osait pas bouger, Alma s'adressa à son petit-fils.

— C'est elle qui a aidé Luisa à revenir ici ?

Alvaro acquiesça d'un signe de tête.

Alma posa alors sa main sur l'avant-bras de Louane et déclara gravement :

— C'est bien, petite, tu as eu du courage.

Puis, d'un pas lent, elle rejoignit le patio pour aller s'asseoir sous l'olivier. Les parents d'Alvaro prirent le temps de saluer chaleureusement Louise, puis Laurene et Louane avec quelques mots de français qu'ils avaient appris pour l'occasion.

Alors que tout le monde gagnait la table dressée à l'extérieur, Louane en profita pour glisser à l'oreille de Laurene :

— Putain, impressionnante, la mamie !

Laurene confirma.

— Effectivement, tu n'as pas envie de la contrarier. Mais elle me plaît, c'est une femme de caractère.

La soirée et le repas se déroulèrent dans une bonne ambiance, même si Alma semblait inquiète. Elle avait remarqué que son amie d'enfance paraissait parfois absente.

Les parents d'Alvaro, Emilio et Teresa, s'évertuèrent à mettre à l'aise Louane et Laurene qui, peu à peu, se décontractèrent. Chacun apprécia le repas préparé par Laurene et Alvaro : un gaspacho, un pâté à base d'olives et des pâtisseries. Alma, qui avait l'œil à tout, remarqua la complicité qui semblait s'être installée entre son petit-fils et cette femme fraîchement débarquée de France.

Son regard se porta à plusieurs reprises sur les assiettes « réservées » à Maria et Octavio. À chaque fois, elle eut la même réaction : un large sourire de satisfaction.

*
**

À la fin du repas, à la demande de Louise, Alma se leva dignement pour leur réciter, d'une voix grave et ample, « *Sueño* », le poème de Federico García Lorca, dont la musique des mots suffit à émouvoir Laurene, qui n'en comprenait pourtant pas le sens.

Soudain, se souvenant d'une ancienne coutume et désirant chasser un peu de la nostalgie que ces vers avaient inspirée, Alvaro fit une proposition surprenante.

— Vous savez, il paraît que lorsque le poème « *Sueño* », est lu en public, eh bien, les personnes qui invitent doivent raconter à leurs hôtes leur plus beau rêve.

— Louise, c'est à toi, je crois, fit Louane, qui semblait trouver cette coutume amusante. Sauf que...

Louise regarda sa jeune amie et lui répondit avec un petit air de défi :

— D'accord, Louane, mais vous êtes ici chez vous avec Laurene. Donc, nous allons nous plier à l'exercice toutes les trois. Qu'en dites-vous ?

Louise traduisit aux parents d'Alvaro et à Alma la proposition qu'elle venait de lancer. Tous trois semblaient ravis de cette idée.

Louane et Laurene se regardèrent, aussi surprises l'une que l'autre. Telles deux écolières, elles pouffèrent de rire. Un rire nerveux. Elles haussèrent les épaules en signe d'approbation. Le « jeu » leur paraissait plaisant. Depuis le début du repas, elles n'avaient pas pu s'exprimer autant qu'elles l'auraient souhaité. C'était l'occasion. Ce que n'avaient pas prévu les deux amies, c'est que, l'alcool aidant, leur situation allait peut-être les entraîner à lâcher des confidences qu'elles n'avaient pas forcément imaginé faire. Presque par amusement, elles acceptèrent néanmoins le défi.

— Alors, qui commence ? demanda Alvaro qui se rapprocha de sa grand-mère et de ses parents afin de traduire les propos de chacune.

— Allez, honneur à la plus jeune ! fit Louane, toute fière d'elle.

— OK. On t'écoute, dit Alvaro. Par contre, parle lentement pour que j'aie le temps de te comprendre et de traduire le plus fidèlement possible.

Laurene sentit une certaine inquiétude l'envahir. Elle se demandait ce qu'elle allait bien pouvoir répondre à la question : quel est ton plus beau rêve ?

Louane, tout sourire, se leva, puis se lança avec une certaine désinvolture.

— Eh bien, pour moi, le plus beau rêve serait de rencontrer le prince charmant, beau et riche, bien sûr, et puis...

Alvaro l'interrompit.

— Louane, pas « le » plus beau rêve, mais « ton » plus beau rêve !

Tout à coup, la jeune fille sembla moins à l'aise.

— D'accord, mais ce n'est pas évident.

— C'est comme tu veux, tu sais. Tu n'es pas obligée, annonça Alvaro, qui avait bien noté son embarras naissant.

— Pas de souci, on y va, répliqua crânement Louane.

— Prends ton temps, fit Laurene, attentive aux mots de sa jeune amie.

Et Louane reprit :

— Mon plus beau rêve, c'est difficile. Des rêves, j'en ai des tas ! Pas évident de dire quel est le plus beau… Je crois que je vais réfléchir à haute voix, ce sera plus simple. Désolée si je raconte quelques bêtises, je suis gaffeuse parfois. Alors, dans le désordre. D'abord, que ma famille soit en bonne santé, surtout Jules, mon petit frère. Il me manque ; depuis que je suis partie, je pense souvent à lui. Que Chloé, ma meilleure amie, profite à fond de son voyage au bout du monde. Que… mon père comprenne ma fuite ici, à Séville, avec Louise, et ne considère pas cela comme un simple caprice d'adolescente mal dans sa peau. C'est autre chose, j'espère qu'il l'admettra un jour. Vous savez ce que m'a dit mon père avant que je parte pour Strasbourg ? Que j'étais la honte de la famille Clavier !

Des larmes commencèrent à perler sur ses joues. Laurene saisit son bras et lui proposa d'arrêter là sa confession. Les émotions risquaient de déborder et de prendre le pas sur ce qui devait être une simple distraction de fin de soirée.

— C'est bon, tu es gentille... mais j'ai envie de poursuivre, affirma Louane en essuyant ses larmes du revers de sa manche... Donc, je suis la honte de la famille. Vous vous rendez compte ? Comment un père peut-il dire ça à sa fille ? J'ai raté mon bac, d'accord, mais je ne comprends rien aux maths ! J'aimerais m'orienter vers des études d'histoire, mais mon père s'y oppose... D'un autre côté, j'aimerais bien rejoindre Chloé en Australie. Oui, c'est peut-être ça, mon plus beau rêve ! Je crois que si j'avais le pouvoir de transformer mon existence d'un claquement de doigts, j'irais la retrouver dans son périple. Mais pour ça... il faudrait que mon père... Et ça... Mais bon, je crois que nous avons dit « rêve », et un rêve ne se vit pas, au mieux il s'espère, alors j'espère... voilà, c'est tout.

Louane se rassit, triste et soulagée à la fois. Elle demanda à Alvaro :

— Ça va, je n'ai pas raconté trop d'âneries ? Tu as eu le temps de traduire ?

— Oui, ne t'inquiète pas, fit-il, encore sous le coup de l'émotion que Louane venait de susciter.

Alma s'adressa alors à son amie Louise, qui esquissa un sourire. Alvaro s'apprêtait à traduire ses propos lorsque Louise lui fit signe qu'elle souhaitait s'en charger.

— Louane, tu sais ce que vient de me dire mon amie Alma ?

— Bien sûr que non, je ne comprends pas grand-chose à l'espagnol, alors, à cette vitesse, c'est du chinois !

— Eh bien, elle m'a dit que tu étais une belle personne et que ça ne l'étonnait pas que tu aies pris des risques pour m'aider.

Louane se tourna vers Alma mais ne put soutenir son regard puissant.

— *Gracias,* fit simplement la vieille femme.

Les confessions de Louane avaient instauré une ambiance étrange. On n'était plus dans la nostalgie, mais on n'était pas non plus dans l'euphorie. Chacun cherchait un sujet de conversation, ou plutôt de diversion. Emilio, le père d'Alvaro, proposa de porter un toast à cet excellent repas, ce que s'empressa de relayer sa femme qui commençait à lever son verre. Tout à coup, Laurene intervint.

— Eh bien, je crois que c'est mon tour, non ?

Alvaro la regarda, contrarié. Il n'avait pas envie qu'elle bascule dans des confessions trop intimes comme venait de le faire Louane. Mais Laurene avait accepté de participer à cette coutume locale et l'intervention de Louane l'avait incitée à se confier. Bien sûr, elle le ferait moins directement. Le privilège de l'âge ! Vingt ans de plus lui permettaient d'avoir plus de recul. Mais elle ressentait le besoin de parler. Et puis, que risquait-elle ?

— Avant d'évoquer mon plus beau rêve, pour ceux qui ne me connaissent que depuis quelques heures, je voudrais me présenter. Je m'appelle

Laurene Malgot, j'aurai bientôt quarante ans. Je travaille à Paris dans une société pharmaceutique où mon métier me conduit à... m'occuper du personnel. Je devrais plutôt dire « devrait me conduire », car si certains s'interrogent sur ma présence ici, la réponse est assez simple : je ne pouvais plus supporter la pression que je subissais et tous les objectifs que me fixait ma direction. J'ai donc fui au hasard vers l'Espagne et croisé la route de Louise et Louane. Pour être exhaustive, sur un plan plus personnel, je ne suis pas mariée ni divorcée, je n'ai pas le bonheur d'être mère. J'ai un ami, enfin peut-être, je ne sais pas... ma vie se résume presque exclusivement à mon travail.

Laurene se tut soudain, car Alvaro, sans s'en rendre compte, avait cessé de traduire. Emilio et sa femme avaient remarqué que leur fils avait buté sur la traduction du mot « ami ». Il se reprit.

— Désolé, Laurene, tu peux poursuivre.

— En fait, j'ai ressenti le besoin de partir vite ; j'étouffais. Je suis... en partie ou totalement, je ne sais pas, responsable de la mort d'un homme !

Toute l'assistance ouvrit de grands yeux. Louane ne put se retenir.

— Qu'est-ce que tu racontes ?

— La vérité, Louane ! N'ayez pas peur, je ne suis pas une criminelle. Mon métier m'a conduite à licencier du personnel, et un homme qui avait des problèmes de santé mais qui faisait parfaitement son travail ne l'a pas supporté ; il a mis fin à ses jours.

— Putain, ça craint ! Excusez-moi, fit Louane.

— Tu as raison, ça craint. J'en arrive enfin à mes rêves… C'est bien le sujet du jour ? dit-elle avec un sourire crispé. En fait, ce serait peut-être de revenir à ton âge, Louane, et de ne pas refaire les mêmes erreurs. J'ai toujours voulu satisfaire la soif de réussite de mon père et je me suis perdue. Tu vois, Louane, les pères, quelle horreur ! Je plaisante, bien sûr ; chacun est différent. J'ai oublié ce que je désirais au plus profond de mon être ; j'ai vécu à travers ses attentes. Mon père est un ancien militaire, pour lui, la vie est un éternel combat. Mais… à presque quarante ans, je n'ai plus envie de me battre. J'éprouve le besoin de déposer les armes, de me laisser glisser dans autre chose… mais je ne sais pas quoi. Mon rêve serait de trouver cet « autre chose » au cours de mes vacances, mais évidemment, c'est impossible. Alors, plus humblement, je tenterai de modifier ma vision de la vie. Peut-être changer de poste ou de métier… En fait, je n'ai pas de rêve à réaliser puisque je ne sais plus trop où j'en suis.

Laurene réfléchit un instant.

— Ah si ! Mon plus beau rêve serait non pas de changer de vie, mais de comprendre ma vie. Bon, je m'arrête là. Alvaro va s'épuiser à force de traduire des nuances qui ne concernent que moi !

De la même façon que Louane, Laurene était allée bien au-delà de ce qu'elle imaginait dans l'expression de son mal-être et de ses questionnements. Elle paraissait soulagée, même si l'embarras l'emportait. Son regard fuyait celui des autres convives, surtout celui d'Alvaro.

Pour rompre le silence qui s'installait, Emilio s'adressa à Louise.

— Eh bien, Luisa, tes amies ont joué au jeu de la vérité. Je crois que c'est à toi maintenant.

— Effectivement, confirma Louise.

Elle se leva. Alvaro intervint, il craignait chez elle un discours encore plus intime que ceux de Louane et Laurene. Et dans son état d'instabilité émotionnelle, il pensait que ce n'était pas une bonne idée que Louise se confie. Il sentait qu'il avait fait une bourde en proposant de respecter cette coutume et ne savait plus comment rattraper son erreur.

— Écoute, nous sommes tous fatigués, peut-être une autre fois ? Qu'en penses-tu ?

— Non, dit Louise très calmement. Ce serait irrespectueux de ma part de ne pas me prêter au jeu. C'est moi qui ai demandé à Louane et Laurene de se livrer, alors je ne me défausserai pas.

Alvaro tenta d'insister.

— Mais…

Louise lui coupa la parole.

— Et puis j'en ai envie !

— Très bien, comme tu veux, abdiqua Alvaro.

Louise se lança.

— « Le plus beau de mes rêves »… Quelle belle expression ! En fait, la maladie m'a appris à voir la vie différemment. Je sais que je ne vais plus très longtemps avoir conscience de ce que je fais, de ce que je suis, de mes souvenirs. En réalité, mes rêves, je les ai tous réalisés, une enfance et une adolescence heureuses, une vie avec André qui m'a comblée, Marie et Paul, mes enfants...

Elle hésita puis poursuivit :

— Nous ne sommes pas toujours en phase, mais y a-t-il une famille où tout le monde est d'accord ? Non, bien sûr ! J'ai une petite-fille, je la vois peu, mais elle est là et c'est le principal. Oui, je n'ai plus beaucoup de temps...

Louane l'interrompit.

— Arrête de dire ça, tu es chez toi maintenant, ça va aller.

— À quoi bon se mentir ? La maladie progresse de jour en jour. Mes souvenirs s'estompent, alors... Le plus beau de mes rêves, ça, je ne sais pas, mais le dernier serait d'avoir le temps de choisir ma fin !

Louise fit une pause. Teresa, la mère d'Alvaro, attendit que son fils ait terminé la traduction pour s'adresser à son amie.

— Que veux-tu dire ?

— Il m'arrive de plus en plus souvent de ne plus savoir si je suis dans la réalité ou dans ce monde parallèle où m'entraîne la maladie. Et... je veux... enfin, je souhaite, avant de sombrer dans la folie qui ne me laissera plus aucun moment de lucidité...

— Mais enfin, encore une fois, que veux-tu dire ? insista Emilio.

— Je veux dire que mon dernier rêve serait de pouvoir choisir de... partir dignement ! Et je partirai d'ici, ça, c'est certain !

L'ambiance était lourde, personne n'osa demander à Louise de préciser sa pensée.

La soirée se termina dans une ambiance plus légère ; chacun en avait besoin. Alvaro s'en voulait. Il n'aurait jamais dû proposer que les trois amies se confient. Tout cela était allé trop loin. Mais contrairement à lui, Louane, Laurene et Louise ressentaient une forme de soulagement.

Alma et Louise s'étaient isolées, entrecoupant leur conversation de moments de silence. De l'autre côté du patio, Laurene et Louane s'adonnaient à un cours d'espagnol dispensé par Alvaro et ses parents. Ceux-ci riaient beaucoup, s'amusant des intonations maladroites des deux femmes.

Parfois, le regard d'Alvaro cherchait celui de Laurene. Ils s'étaient assis l'un à côté de l'autre, et leurs mains se frôlèrent à plusieurs reprises. Observant leur jeu de séduction, Louane s'agaçait de la situation.

Il était près de 3 heures du matin. Louise était épuisée et semblait parfois absente, Alma le remarqua et dit à son fils qu'il était temps qu'ils regagnent le village. Tout le monde se salua chaleureusement, les parents d'Alvaro lancèrent une invitation pour une soirée chez eux, à Valdehijos, dès la semaine suivante, ce que tout le monde accepta avec joie.

Avant de partir, Alma demanda à Alvaro de traduire une dernière fois ses propos, ce qu'il fit avec la plus grande attention malgré la fatigue.

La vieille femme regarda successivement Louane et Laurene, puis ses yeux s'arrêtèrent sur le visage de Louise.

— Je ne parle pas aussi bien que vous. Vos mots étaient touchants. Tout cela m'a rappelé quand Maria récitait ce fameux poème sur la place du village. Je m'asseyais à ses côtés et je l'écoutais chaque soir. Un jour, je lui ai demandé pourquoi elle choisissait toujours ce poème. Elle m'a répondu d'une phrase qui n'était pas véritablement une réponse, mais qui m'a marquée à jamais. Vos récits, à chacune, m'y ont fait repenser. Ce soir-là, Maria m'a dit : « Cours après tes rêves, ma petite, cours après tes rêves… »

13

Faire comme si...

L'existence est une suite d'épreuves.

Certaines nous font avancer et d'autres nous incitent à abandonner. Alors, nous avons tendance à faire comme si... elles n'existaient pas.

C'est une erreur, car nous ne pouvons changer que si nous apprenons de nos erreurs et de nos souffrances.

Faire comme si... ne fait que retarder l'échéance.

Al Sueño, les jours défilaient dans une apparente tranquillité. Chacun à sa façon s'appliquait à faciliter la vie de Louise, dont l'état se dégradait. Même si le traitement paraissait avoir une certaine efficacité sur les crises de paranoïa et les hallucinations, ses pertes de mémoire et ses périodes d'absence se multipliaient. Ses nuits étaient parfois ponctuées de longues insomnies. Au cours de la journée, elle passait des heures enfermée dans sa chambre, allongée sur le lit, à fixer le plafond comme si elle y cherchait une réponse à toutes les questions qui la hantaient.

Louane restait souvent à ses côtés ; Louise trouvait auprès d'elle une forme d'apaisement. Elles parlaient peu. Quelquefois, Louane ne savait pas si Louise était totalement avec elle ou si elle basculait dans ce monde qui l'engloutissait peu à peu. Elle ne se formalisait pas de ces symptômes déroutants et de ce va-et-vient entre la réalité et le néant. Elle savait, depuis leur première rencontre aux Roses-Pourpres, que la meilleure chose à faire était de réagir comme si tout était normal.

Laurene et Alvaro, eux, vivaient mal cette alternance. Laurene faisait ce qu'elle pouvait, mais la folie l'effrayait. Elle préférait se concentrer sur toutes les activités annexes. Pourtant, lorsque le calme revenait, elle appréciait de discuter et de passer du temps seule avec Louise. Mais l'inquiétude était toujours présente.

Quant à Alvaro, la tristesse l'envahissait à la vue de cette femme qui lui avait fait confiance et qui devenait tout à coup une autre. Il n'arrivait pas à accepter l'idée que, dans quelques semaines ou quelques mois, Louise ne serait plus consciente de rien. Il avait également peur pour Alma, sa grand-mère. Elle était âgée : comment réagirait-elle lorsqu'elle verrait disparaître son amie réapparue depuis peu ? L'alternance d'émotions fortes, positives puis négatives, ne lui serait-elle pas fatale ?

Personne ne savait comment la situation allait évoluer, personne n'osait l'imaginer, et les décisions de chacun dépendaient un peu de la santé de Louise.

Louane était tiraillée entre le désir de ne pas quitter son amie et le fait qu'elle devait, au plus tard à la fin du mois d'août, rentrer à Bordeaux. Laurene avait renoncé à partir au hasard sur les routes du sud de l'Espagne. Même si la maladie de Louise la terrorisait, elle n'imaginait pas quitter cet équilibre fragile qu'elle avait trouvé auprès de Louane, Louise et… Alvaro. Elle appréhendait déjà le jour où sa période de congés serait terminée et où elle devrait quitter ce cocon au sein duquel la bienveillance régnait en maître. Pour elle, ce serait comme une forme d'abandon : elle abandonnerait Louise à sa maladie et Louane à des responsabilités trop importantes pour elle.

Alvaro s'investissait toujours autant dans la rénovation du moulin. À l'arrivée des trois femmes, il avait terminé quelques chantiers en cours et depuis, il ne partait plus travailler à l'extérieur. La journée, il était au moulin. Et à la nuit tombée, il peinait à quitter les lieux. Il était de retour à l'aube le lendemain. Inconsciemment, il souhaitait protéger Louise comme une deuxième grand-mère, Louane comme une petite sœur et Laurene comme… il ne savait pas trop.

Il éprouvait des sentiments diffus pour cette femme, elle l'attirait, mais la crainte l'emportait. Il ne savait pas si Laurene jouait avec lui, si son seul but était de passer quelques instants agréables avec un jeune homme rencontré pendant les vacances ou si ses sentiments à son égard étaient plus sincères.

Laurene, contrairement à son comportement du début du séjour, n'était plus dans la séduction directe, presque brutale. Ils passaient de longs moments ensemble. Elle le raccompagnait tous les soirs à sa voiture. Ils parlaient longtemps avant qu'Alvaro démarre enfin. Laurene le perturbait. Que cherchait-elle ? Depuis qu'il avait appris qu'un homme l'attendait à Paris, il ne savait plus où il en était, mais le trouble l'emportait sur la peur.

Pour Laurene, Raphaël représentait un avenir « raisonnable » et l'occasion de sortir de cette spirale dont elle ne voulait plus, de cette habitude de tout dominer, y compris les hommes.

Alvaro, au contraire de Raphaël, représentait un avenir sans doute impossible, mais bien plus attirant et plus ensorcelant. Laurene se laissait du temps. Elle avait envie d'une épaule sur laquelle s'appuyer. Malgré les aléas de son séjour, elle avait redécouvert la tendresse et l'amitié sincère que l'on pouvait éprouver envers l'autre. Elle s'y était plus ou moins habituée et cela lui faisait du bien, une sorte de lâcher-prise l'envahissait.

— Bonjour, monsieur. Je suis bien au moulin de Mme Dupré ? Excusez-moi, je ne parle pas espagnol, j'espère que vous me comprenez ?

Alvaro posa ses outils sur la murette et se tourna pour faire face à cet homme qui lui expliqua aussitôt en français qu'il était à la recherche de Louise. Il resta sur ses gardes et tenta d'en savoir un peu plus. Qui était cet inconnu ? Un médecin venu évaluer l'état de santé de Louise pour l'enfermer de nouveau ? Un émissaire envoyé par la famille pour tenter de la récupérer ? Il examina cet étranger de la tête aux pieds. Ce qui était certain, c'est qu'il n'était pas habitué au climat de la région, il devait être fraîchement débarqué de France, où les températures étaient quand même plus clémentes. Sa peau était blanche, il avait posé sa veste sur son bras, dégoulinait de sueur et s'essuyait régulièrement le front à l'aide d'un mouchoir déjà trempé.

L'inconnu réitéra sa question.

— Mme Dupré, c'est bien ici ? Vous… vous me comprenez ?

— Pas de problème, je parle français. Mais d'où arrivez-vous dans cet état ?

— Dieu soit loué, vous parlez français ! J'arrive de l'aéroport de Séville. Un taxi m'a laissé en bas, au village. Des paysans m'ont indiqué la direction du moulin, mais je ne suis pas sûr d'être au bon endroit.

Alvaro restait sur le qui-vive.

— Et vous lui voulez quoi, à Mme Dupré ?

— Donc, c'est bien ici, enfin !

— Je n'ai jamais dit ça ! Mais qui êtes-vous ?

— Paul Dupré, le fils de Louise.

Alvaro ne put cacher sa surprise. Il s'attendait à tout sauf à ça.

— Ah… Je vais voir si elle est réveillée.

— Mais il est déjà plus de 11 heures ! s'étonna Paul, qui avait gardé l'habitude des réveils matinaux de sa mère.

Alvaro se rendit compte instantanément de sa bourde et tenta de se reprendre.

— Oui, bien sûr, je ne vois pas le temps passer. J'ai commencé très tôt ce matin. Eh bien, suivez-moi.

Ils traversèrent la cour et se dirigèrent vers le patio où Louise et Louane étaient installées. Louise griffonnait encore sur son éternel carnet. Les pieds sur une chaise, Louane lisait un roman. Par la fenêtre de la cuisine, Laurene vit les deux hommes approcher. Elle sortit sur le perron et lança :

— Tiens, nous avons de la visite !

Louise et Louane levèrent la tête.

— Paul, mais que fais-tu là ? s'étonna Louise qui se redressa instantanément.

— Eh bien, j'avais envie de voir comment tu allais. Tu nous as fait peur. J'avais deviné que tu étais ici avant que tu nous le dises.

— Mais ta sœur ? balbutia Louise.

— Elle n'est pas au courant, personne ne sait que je suis ici, pas même Catherine. Je suis venu seul. J'ai prétexté un déplacement professionnel.

Louise fondit en larmes et tomba dans les bras de son fils qui la serra très fort.

Alvaro et Louane, comprenant que Louise et Paul avaient besoin d'intimité, s'éclipsèrent et rejoignirent Laurene dans la cuisine.

— Comment vas-tu, mon fils ? Mon Dieu ! Ça me fait tellement plaisir de te voir !

— Ça va, mais toi surtout ? Dis-moi tout. Tu sais, je ne suis pas venu pour te convaincre de rentrer et de retourner aux Roses-Pourpres ou ailleurs. Tu as fait ton choix. Je le respecte et… je le comprends.

— Et Marie ? s'enquit Louise.

— C'est magnifique ici. Je n'en avais aucun souvenir… ou peut-être l'entrée du chemin, mais pas plus…

Louise l'interrompit.

— Et ta sœur, Paul ! insista-t-elle.

Il hésita, l'air triste.

— Eh bien, nous ne sommes pas d'accord, mais je suppose… que je ne t'apprends rien.

— Non, bien sûr. Assieds-toi et raconte-moi tout.

Laurene vint déposer deux verres et un pichet de citronnade fraîche sur la table. Elle s'adressa à Paul.

— Je crois que vous en avez besoin.

— Effectivement, vous êtes gentille. Je ne suis pas habitué à ces températures.

Laurene se tourna vers Louise.

— Je vous laisse. Si tu as besoin de quoi que ce soit… nous sommes là.

— Je sais ! affirma Louise.

Tandis que Laurene remontait les marches du perron, Paul demanda à sa mère :

— C'est elle qui t'a aidée à… t'enfuir ?

— Non, elle, c'est Laurene, un hasard et une belle rencontre. Louane, c'est la jeune fille qui était près de moi lorsque tu es arrivé.

— Mais, elle est très jeune ?

— Dix-huit ans... et des tonnes de bonté et de gentillesse.

— Très bien. De toute façon, je ne lui en veux pas, elle t'a aidée à revenir ici, elle a veillé sur toi. Comment pourrais-je lui en vouloir ?

— Merci, mon fils.

— Mais tu as l'air épuisée, maman.

— Je ne suis pas dans une forme... olympique, c'est certain. Mais je tiens le coup.

— Si tu savais comme j'ai eu peur pour toi.

Louise prit la main de son fils.

— Allons, ne rabâchons pas, cela ne sert à rien. Raconte-moi comment ça se passe... en France.

Paul lui rapporta dans les moindres détails les événements tels qu'il les avait vécus depuis qu'il avait appris la fuite de sa mère. Les contacts avec la famille de Louane, les relations de plus en plus tendues qu'il entretenait avec sa sœur, car désormais, il osait lui tenir tête ! Louise aurait dû être satisfaite de constater que Paul s'émancipait enfin de l'emprise de Marie. Au lieu de quoi, elle était triste. Elle ne verrait jamais ses enfants unis dans une harmonie qui aurait pu adoucir ses dernières semaines. Louise aurait souhaité que la disparition de son André puis sa maladie soient l'occasion de souder des liens qui n'avaient jamais vraiment existé. Désormais, tout cela n'était plus qu'une illusion, une de plus. Louise avait naïvement cru que sa famille pouvait se rapprocher à la suite des tristes événements qui venaient de se dérouler.

Au lieu de cela, les liens se distendaient, chacun restait campé sur ses positions et ne faisait aucun effort pour comprendre celles de l'autre.

Louise préféra se concentrer sur ce que ses enfants avaient décidé, et demanda à Paul de le lui expliquer.

Il aborda d'abord les contacts avec la famille de Louane. Louise ne fut pas surprise d'apprendre que le père de Louane et Marie, s'ils avaient pu, auraient lancé toutes les polices aux trousses des deux « fugitives ». Louise aurait alors retrouvé Les Roses-Pourpres et Louane, la honte de la famille Clavier, serait vite rentrée dans les clous. Paul fit part à sa mère de son avis plus nuancé, en accord avec le ressenti de la mère de Louane.

Paul retardait le moment où il devrait annoncer à sa mère une décision qui allait, sans aucun doute, lui faire très mal. Il ne savait pas comment elle allait le prendre, il craignait sa réaction et cherchait du regard une aide extérieure. Chacun vaquant à ses occupations, il se lança.

— Maman, il faut que je te dise…

— Marie, sans aucun doute, affirma-t-elle, presque détachée.

— Mais comment as-tu deviné que j'allais te parler de Marie ?

— Je connais ma fille ! Elle n'a pas la possibilité de me faire réinterner, donc je suppose qu'elle a trouvé une autre solution pour maîtriser une situation qui lui échappe. N'hésite pas, mon fils. Quelle que soit sa décision, désormais peu m'importe.

Malgré ses propos, Louise accusait le coup. Elle ne savait pas encore ce qu'avait décidé Marie, mais son malaise était palpable. Son visage s'assombrissait. Elle porta les mains à ses tempes et posa ses coudes sur la table.

— Tu es sûre que ça va, maman ? s'enquit Paul.

— S'il te plaît, poursuis, mon fils.

— Nous pouvons continuer plus tard, proposa Paul, de plus en plus soucieux. Il tournait la tête dans tous les sens, à la recherche d'une aide qui ne venait pas.

— Finissons-en ! imposa Louise.

— Comme tu veux. Eh bien, Marie, s'appuyant sur le témoignage de plusieurs médecins, a lancé une procédure de mise sous tutelle. Elle craint que tes nouvelles connaissances profitent de ton état de faiblesse pour te soutirer de l'argent ou, pire, te fassent signer des papiers à leur profit concernant tes biens.

Louise n'avait pas relevé la tête. Elle chuchota :

— Mise sous tutelle… Elle m'a déjà prévenue, mais je pensais qu'elle attendrait un peu pour le faire. D'autant que… la curatelle aurait peut-être suffi.

— Écoute, maman, je suis contre tout cela. Évidemment, je m'inquiète pour ton état de santé. Je sais qu'il y a des moments où tu n'es plus en mesure de décider de quoi que ce soit, mais… pour moi… tout cela est bien trop violent. Il y a sans doute une autre solution…

— Laquelle, mon fils ?

Paul soupira.

— Je ne sais pas, mais tout cela est terrible, confirma-t-il.

— Et qu'en disent les médecins ?

Il hésita.

— Que... la tutelle... s'impose.

Louise se redressa. Elle se raidit et déclara :

— Tant que je suis en Espagne, rien de tout cela ne peut se décider !

— Les délais seront plus longs, bien évidemment. Je ne sais pas si c'est une consolation, mais ce genre de procédure dure au minimum six mois en France... ça te laisse le temps de t'organiser...

Louise lui adressa un léger sourire. « Le temps de t'organiser »... Que voulait dire Paul ? En tout cas, il ne pouvait pas apprécier l'ironie amère de cette formule, vu ce qu'elle avait décidé. Six mois ! Elle avait tout le temps de s'« organiser », en effet... À la grande surprise de son fils, comme soudain ragaillardie, elle changea de sujet.

— Allez, viens, que je te présente mes trois acolytes.

— Avec plaisir ! dit Paul en se levant aussitôt.

Même si Marie n'était pas là, Louise était heureuse d'avoir la visite de son fils. Il était venu, non pas pour des remontrances ou des critiques, mais simplement pour prendre des nouvelles de sa mère. Louise connaissait bien ses enfants et elle se disait que Marie n'était pas aussi intransigeante et dure que ses actions pouvaient le laisser penser. Les décisions qu'elle prenait, parfois sans aucune concertation avec son frère, n'étaient peut-être que le reflet de son inquiétude. C'est ce que Louise voulait croire, en tout cas. De toute façon, désormais, peu lui importait ; elle savait que le temps n'était plus son irrémédiable ennemi. Six mois ! Peut-être cela suffirait-il à convaincre Alvaro de rester au moulin.

Paul passa trois jours *al Sueño*. Le soir, Alvaro le reconduisait à son hôtel près de Séville, où il le récupérait le lendemain matin. Malgré l'insistance de sa mère, Paul avait refusé de loger au moulin. Il ne voulait pas troubler l'harmonie qui s'était instaurée entre les trois femmes. Ce court séjour lui permit cependant de se conforter dans l'idée que sa mère allait de plus en plus mal. Pour mettre un terme à ses incessantes questions, Louise lui fit la promesse qu'elle rentrerait en France se faire soigner si son état se dégradait. Il fut le témoin de plusieurs pertes de mémoire aussi imprévues que fugaces. Il supportait mal de la voir dans cet état. Quant aux crises auxquelles il assista, ce fut pire. Comme à chaque fois, Louane prenait Louise en charge. Paul se réfugiait alors dans les paroles réconfortantes de Laurene, qui trouvait les mots pour apaiser la douleur d'un fils assistant, impuissant, au lent déclin de sa mère.

Le jour de son départ, tandis qu'Alvaro l'attendait pour le conduire à l'aéroport, il remercia et salua longuement Louane et Laurene. Louise l'accompagna jusqu'à la voiture. Ni la mère ni le fils ne prononcèrent la moindre parole jusqu'à ce que Paul ouvre la porte du 4 × 4. Il prit alors sa mère dans ses bras.

— À bientôt, maman. Tu es entre de bonnes mains, je repars rassuré.

— Merci, mon fils... Dis à tout le monde que tu es venu me voir. Tu sais, les secrets, ça ne sert à rien. Un jour ou l'autre, ça t'explose à la figure, alors... Embrasse-les tous de ma part, surtout... Marie. À bientôt.

— Ce sera fait, assura Paul, le regard brouillé par l'émotion.

Quand la voiture eut disparu au bout du chemin, Louise revint à pas lents vers le patio. Elle fit signe à Louane, installée sur le banc, qu'elle avait encore besoin de se reposer.

Elle ne ressortit de sa chambre que le lendemain matin. Toute la nuit, ce « À bientôt » avait résonné dans sa tête. L'espoir de se revoir... Un espoir qu'elle savait très fragile.

Il était 23 heures, Louane venait de se coucher. Laurene n'avait pas sommeil et s'était allongée sur le banc au milieu du patio. Elle rêvassait et regardait les étoiles à travers les branches de l'olivier. Son esprit divaguait, elle pensait à Caroline, son assistante, qui devait crouler sous les demandes et injonctions répétées de M. Leicester. Laurene n'avait pas dérogé à la règle qu'elle s'était fixée : elle ne consultait ses mails que rarement. Ses réponses étaient précises et concises afin de réduire au maximum les nouvelles questions en provenance de Béta-Pharma.

Elle envoya un message à son amie Élise. Elle en avait déjà reçu deux de sa part et n'avait toujours pas répondu. Elle lui assura que tout allait bien, qu'elle se reposait et qu'il lui tardait de la retrouver dès son retour à Paris.

Elle répondit également à ses parents qui, sans la harceler, se montraient un peu trop pressants à son goût. La réponse de Laurene fut brève et assez sèche. Elle voulut la corriger, mais, après réflexion, elle n'en fit rien et appuya sur la touche « Envoyer ». Elle éteignit son portable et se remit à rêvasser en contemplant le ciel sans nuages qui donnait aux étoiles un scintillement puissant. Elle sentit ses paupières s'alourdir, ses yeux commençaient à se fermer, la fatigue l'envahissait. Il était l'heure d'aller se coucher.

Elle montait les premières marches du perron lorsqu'elle entendit une voiture s'engager sur le chemin. Elle ne pouvait distinguer que la lumière de deux phares puissants. Qui cela pouvait-il être à cette heure tardive ? Laurene s'avança dans la cour et vit le 4 × 4 d'Alvaro se garer près de la porte de la grange.

Il pensait que le moulin était déjà endormi et prenait garde à ne pas faire trop de bruit. Il ne remarqua pas que Laurene se dirigeait vers lui.

Quand il ouvrit doucement l'immense porte de la grange, Laurene était déjà derrière lui.

— Tu travailles même la nuit ? lui dit-elle en posant la main sur son épaule.

Surpris, Alvaro fit un bond en arrière et se retrouva collé contre Laurene. Il se dégagea aussi rapidement qu'il put.

— Tu m'as fait peur ! Tu ne dors pas ?

— J'allais me coucher. Et toi, que fais-tu là ?

— J'ai oublié de récupérer la tronçonneuse avant de partir pour l'aéroport. Je dois aiguiser la lame pour demain matin. Je le ferai à l'atelier de mon père au village avant de venir ici.

Laurene ne le quittait pas des yeux. Elle portait une jupe courte de lin beige et un chemisier assorti qui laissait deviner par transparence l'absence de soutien-gorge. Alvaro paraissait gêné de se retrouver seul avec cette femme qui le troublait terriblement depuis son arrivée. Il savait qu'ils n'avaient pas d'avenir ensemble, mais il ne pouvait s'empêcher de penser trop souvent à elle. Il se décida enfin à ouvrir la bouche.

— Tu... m'accompagnes... ?

— Pour quoi faire ? demanda-t-elle, un grand sourire aux lèvres.

Il balbutia quelques mots.

— Eh bien... récupérer...

— ... la tronçonneuse, compléta Laurene.

— Oui, fit-il comme un collégien apeuré par son premier rendez-vous amoureux.

— Alors donne-moi la main, je n'ai pas envie de trébucher en enjambant les tas de sable, les sacs de ciment et tous tes outils.

Alvaro accéda à sa demande. Il se retenait, il avait envie de la serrer dans ses bras et de découvrir sa peau. Mais il ne devait pas, il le savait, cela n'aurait pas de sens. Quand ils arrivèrent au pressoir, Alvaro lâcha la main de Laurene et voulut se diriger vers l'espace réservé à ses outils. Mais elle le retint fermement par la taille. Ils se retrouvèrent l'un contre l'autre. Laurene fixait Alvaro d'un regard ardent qui laissait peu de doutes sur ses intentions. Elle n'attendait qu'une chose, mais pour une fois, elle ne voulait pas décider. Elle avait envie de se laisser porter et envahir par le désir d'Alvaro. Celui-ci ne put résister plus longtemps. Il l'embrassa d'abord doucement, posant juste ses lèvres sur les siennes. Peu à peu, ses gestes devinrent plus fougueux. Les lèvres de Laurene ne lui suffirent plus, leur baiser s'éternisa... Puis sa bouche s'attarda dans le cou de la jeune femme, goûtant à ce parfum sucré dont il avait si souvent humé les effluves. Il mordillait sa peau.

— Mais que faisons-nous ? dit-il soudain, comme affolé par son audace.

— Ce dont nous avons envie depuis si longtemps, affirma-t-elle en agrippant la chevelure d'Alvaro.

Leurs mains s'égaraient, cherchant le corps de l'autre. Alvaro voulut entraîner Laurene vers la petite prairie située derrière la grange. Elle refusa.

— Non, Alvaro, fais-moi l'amour ici ! imposa-t-elle.

Il s'abandonna aux ordres de sa partenaire. Il la souleva pour l'asseoir sur le rebord de pierre du pressoir. Elle fit glisser ses dessous à terre, dégrafa le pantalon d'Alvaro et lui enserra la taille de ses jambes. Elle sentit le désir d'Alvaro en elle. Leurs gestes furent brusques. Ses ongles griffant le dos d'Alvaro, Laurene accéléra les mouvements de son bassin. Elle voulait que son partenaire cède vite. L'espace d'un instant, elle redevenait la dominatrice de Paris. Elle désirait le posséder le plus rapidement possible. Ils jouirent ensemble dans un long gémissement de plaisir. Puis tous deux poursuivirent la découverte de leurs corps. Alvaro caressa longuement les seins de Laurene, qui fermait les yeux en laissant glisser ses doigts sur la musculature puissante du dos d'Alvaro.

La douceur de leurs caresses contrastait avec la fougue presque animale qui venait de les emporter. Leurs gestes étaient tendres et attentionnés. Laurene vint poser la tête sur l'épaule d'Alvaro. Ils continuèrent à se caresser, et quelques larmes glissèrent sur la joue de la jeune femme, qui tenta de cacher son émotion. Mais Alvaro sentit la tiédeur de ses pleurs sur sa peau. Il se recula et découvrit le visage grave de Laurene.

— Quelque chose ne va pas ? s'enquit-il.

Laurene sourit et baissa les yeux.

— Au contraire, je suis bien. Je ne comprends pas pourquoi je réagis de la sorte. Je suis bien, répéta-t-elle.

Alvaro tenta l'humour.

— Je ne savais pas que les Françaises pleuraient lorsqu'elles étaient heureuses.

Laurene le serra fort contre elle.

— Des larmes de bonheur, sans doute.

Alvaro ne put s'empêcher de lui reposer la question.

— Qu'avons-nous fait, Laurene ?

— Nous venons de passer un moment hors du temps. Seule la Lune en a été témoin et pourrait nous trahir, dit maladroitement Laurene, comme si elle souhaitait garder leur relation secrète.

— Sans aucun doute, répondit Alvaro sans conviction.

Chacun caché derrière sa pudeur, ils n'osaient pas s'avouer leurs sentiments. Ils savaient que leur relation ne pouvait pas durer. Le moment qu'ils venaient de vivre devait rester une merveilleuse parenthèse.

À eux de faire comme si… comme si rien ne s'était passé.

14

Tout finit par passer

Tout finit par passer : les bonheurs, les matins chagrins, la douleur et les soirées d'espoir.

Tout, absolument tout : les bonnes nouvelles, la peur, les sourires, le repos, les erreurs et les éclats de rire.

Alors, pourquoi regretter que tout s'efface puisque, au bout du chemin, on ne pourra rien emporter ?

Tout finit par passer.

Dans quelques jours, le voyage de Louane et Laurene allait prendre fin. Ses trois semaines de vacances terminées, Laurene allait retrouver son poste chez Béta-Pharma.

Elle était partagée entre deux sentiments : le désir de retourner à sa vie de femme d'affaires, celle pour laquelle elle avait été formatée, et la sensation que cette parenthèse inattendue l'avait changée. Le séjour à Valdehijos avait remis en cause toutes les certitudes qui l'habitaient depuis son plus jeune âge.

La réalité allait reprendre ses droits. Caroline allait, de nouveau, débouler dans son bureau les bras chargés de dossiers plus importants les uns que les autres. M. Leicester lui demanderait, une nouvelle fois, de mettre en application la politique de gestion des ressources humaines décidée par le comité de direction de Béta-Pharma. Ses parents, surtout son père, se réjouiraient à l'annonce de sa prime de résultats, car, tel un bon soldat, sa fille réussirait à mener à bien la mise en place de la nouvelle mission que lui aurait confiée sa hiérarchie.

Laurene savait tout cela, mais, dans un coin de sa tête, elle garderait le souvenir de cette terre d'Andalousie où, malgré la tristesse qu'imposait l'état de Louise, une forme de sérénité avait pris place dans son esprit et lui avait laissé croire qu'une autre vie était possible. Alvaro resterait le parfait résumé de ce qu'elle avait vécu durant son séjour à Valdehijos. D'abord, une proie de plus tombée dans les filets de sa séduction, puis, peu à peu, un homme qui s'intéressait à elle, non pas pour ce qu'elle représentait, mais pour ce qu'elle était. Laurene n'était pas habituée à cela. Alvaro se moquait de savoir qu'en tant que directrice des ressources humaines elle gérait des milliers de salariés. Ce qui l'intéressait et l'intriguait, c'était la femme qu'elle était, avec sa beauté, ses qualités et ses failles.

Si, au début, Laurene avait refusé de se laisser décoder, les jours passant, elle avait apprécié de partager le fardeau de ses interrogations, la tête posée sur l'épaule d'un homme solide et attentif. C'était nouveau, déstabilisant, mais tellement apaisant qu'elle se demandait si un jour elle s'autoriserait le lâcher-prise nécessaire à une profonde remise en question de ses priorités.

Louane, elle, aurait souhaité prolonger sa présence auprès de Louise jusqu'à la fin des vacances scolaires, mais, sur les conseils de Laurene et d'Alvaro, la raison l'avait emporté. Sa famille l'attendait et elle avait déjà assez mis les nerfs de ses parents à l'épreuve. Elle repartirait donc en même temps que Laurene. Les billets d'avion étaient réservés jusqu'à Paris, puis le TGV en direction de Bordeaux.

Quant à Louise, sa décision était désormais sans appel : elle resterait à Valdehijos, chez elle, là où étaient ses racines.

Elle avait dit à son fils qu'elle rentrerait en France si son état de santé se dégradait sérieusement : elle lui avait menti. Ses derniers mois ou semaines se dérouleraient ici, sur ses terres. Louise n'avait pas été totalement sincère avec Paul, elle s'en voulait, mais il n'était pas question qu'elle réintègre la chambre déprimante et les couloirs lugubres des Roses-Pourpres. Elle ne voulait pas d'une fin de vie où elle se verrait diminuer de jour en jour jusqu'à finir comme un animal en cage qui attendrait la mort.

Depuis qu'elle était revenue *al Sueño*, Louise, dans le plus grand secret, organisait patiemment et méthodiquement sa fin, celle qu'elle estimait la plus douce, la moins pénible, pour elle et pour les siens.

Pour l'instant, seules quelques lignes dans son carnet témoignaient de ses dernières volontés. Elle ne souhaitait pas plomber l'ambiance de la fin du séjour de ses deux amies. Elle avait donc prévu de n'en parler à Louane et Laurene que la veille de leur départ. Elle ne savait pas comment elles réagiraient, mais peu lui importait : c'était SA décision et, avec ou sans l'aide des deux jeunes femmes, elle mettrait son projet à exécution. Un choix tranché, brutal, mais c'était le dernier qu'elle pouvait maîtriser avant que sa conscience soit trop floue et ne lui permette plus de décider.

Pour l'heure cependant, un souci plus pratique occupait l'esprit de Louise, son ultime souhait : celui de voir le moulin reprendre du service, comme du temps de ses grands-parents. Elle ne pouvait imaginer de voir ces vieux murs de pierre se transformer en club de vacances pour touristes fortunés.

Elle savait que ses enfants vendraient le moulin au plus offrant. Les promoteurs ne tarderaient pas à s'agglutiner pour espérer remporter la mise. Cette idée la traumatisait, et malgré le refus d'Alvaro de racheter le moulin et de poursuivre son œuvre, Louise ne pouvait s'y résoudre.

— Bonjour, Louise. Vous allez bien ? demanda Laurene en revenant d'une énième balade avec Alvaro, qui trouvait toujours une bonne raison pour lui faire découvrir un nouvel endroit « magnifique ».

— Tu ne me tutoieras donc jamais ! pesta Louise.

Laurene s'assit et répondit calmement :

— Nous en avons déjà parlé, je ne peux pas. Ce n'est pas grave. Au fond, cela ne change rien.

Louise haussa les épaules.

— Tu as peut-être raison.

Laurene regardait Alvaro se diriger vers l'oliveraie qui bordait la grange. Louise avait remarqué depuis longtemps l'attirance qu'ils avaient l'un pour l'autre. Contrairement à Louane, qui n'appréciait guère cette relation et qui ne manquait pas de le faire savoir à Laurene, elle laissait faire. D'abord parce que ça ne la regardait pas, mais aussi, et elle en était persuadée, parce que Alvaro et Laurene avaient suivi un parcours similaire et qu'au fond ils cherchaient la même chose : une autre voie.

Leurs vies ne leur convenaient pas. Alvaro n'avait toujours rien construit et préférait se réfugier dans le calme et la douceur de vivre de Valdehijos. Laurene s'étourdissait pour tenter d'oublier que ses quarante ans approchaient et que l'argent et la réussite professionnelle ne cacheraient pas éternellement le vide d'une vie qu'elle comblait artificiellement en se livrant à des excès de toutes sortes.

Pour la première fois, Louise osa lui parler d'Alvaro.

— Tu sais, sans lui, le moulin serait sans doute déjà une ruine, affirma-t-elle tout en restant à l'affût de la moindre réaction de son amie.

— Une ruine, je ne sais pas, répondit posément Laurene, mais c'est certain, il a abattu un travail énorme. Vous devez être satisfaite : votre moulin est sauvé.

La réponse de Louise fusa.

— Non !

La jeune femme ne put cacher son étonnement.

— Pourquoi dites-vous cela ?

— Non, le moulin n'est pas sauvé !

Laurene s'agaça quelque peu.

— Enfin, vous avez bien vu tous les efforts d'Alvaro pour réhabiliter d'abord le bâtiment, puis les oliveraies ?

Louise baissa la tête.

— Je sais tout cela, et je le remercie chaque jour. Mais au fond... quand... tout sera fini, qu'adviendra-t-il ? Mes enfants vendront et...

Louise ne termina pas sa phrase, son regard se perdit à l'horizon. Laurene se rendit compte de sa détresse.

— Vous savez, peut-être qu'Alvaro souhaitera continuer ce qu'il a entrepris ici.

— Je lui ai proposé de rester..., soupira Louise.

— Et qu'a-t-il répondu ?

— Il a refusé, avoua Louise tristement.

— Comment ça, « refusé » ?

— Au début, je lui en ai voulu, mais après réflexion, j'ai admis qu'il avait raison. Ce n'était pas possible.

Laurene fronça les sourcils.

— Qu'est-ce qui n'est pas possible ?

— J'ai proposé à Alvaro de racheter le moulin au prix qui lui convenait, et même de lui en faire donation, mais... mes enfants s'y opposeront ou remettront la vente en cause. Alvaro ne souhaite pas entrer en conflit avec eux et... même si cela me désole, je le comprends. Et puis il a peut-être envie de reprendre sa vie et de ne pas s'enterrer ici. La crise économique s'estompe, il retrouvera du travail dans son domaine.

Laurene resta silencieuse un moment, comme si elle cherchait les mots pour exprimer au mieux sa pensée. Puis elle se lança.

— Il aurait fait tout ça pour rien ? Vous y croyez vraiment ?

— Je ne sais pas... Il a fait ça pour s'occuper, par amitié.

Laurene eut un rire agacé.

— Pour s'occuper ? Mais vous n'y pensez pas ! Alvaro s'épuise dans la réhabilitation du moulin. Il a des projets, il m'en parle très souvent !

Laurene ne s'en rendait pas compte, mais elle avait haussé le ton. Comme si elle voulait démontrer à Louise qu'elle avait tort. Qu'Alvaro ne faisait pas tous ces efforts pour abandonner le moulin et quitter Valdehijos dès qu'un nouveau poste correspondant à son expérience professionnelle se présenterait. Elle poursuivit, toujours avec la même conviction :

— Vous savez quel est l'objectif qui lui tient le plus à cœur ? Remettre en route les meules et voir l'huile couler !

— Un rêve, c'est tout..., murmura Louise.

— Non, Alvaro n'est pas comme ça ! s'insurgea Laurene.

Louise ne put s'empêcher de sourire.

— Alvaro...

Laurene ne s'en était pas rendu compte, mais elle venait de prouver qu'elle n'était pas insensible au charme du bel Andalou. Elle préféra revenir aux problèmes matériels.

— C'est dommage. Une histoire d'argent, en somme...

Devant la gêne de Laurene, Louise n'insista pas au sujet d'Alvaro.

— Oui, une simple histoire d'argent. Si j'avais les moyens de dédommager mes enfants, le problème serait réglé.

Laurene pensa à M. Almera.

— Vous savez, l'argent ne règle pas tout, loin de là.

— Bien sûr, mais je crois que, pour le moulin, cela aurait aidé Alvaro à prendre sa décision.

Louise était fatiguée, elle se leva pour regagner sa chambre mais ne put s'empêcher d'ajouter, non sans amertume :

— Tu sais, Laurene, si un jour tu reviens ici, tu découvriras un superbe complexe hôtelier. Ce sera, sans aucun doute, magnifique.

— Je reviendrai bien plus tôt, affirma Laurene.

— Tu es gentille de dire cela, répondit Louise en caressant la joue de sa confidente.

— Je ne plaisante pas, Louise : je reviendrai !

Louise n'avait pas envie de dîner et préféra, comme souvent, s'enfermer dans sa chambre alors qu'il faisait encore jour. Qu'y faisait-elle ? Tentait-elle d'apaiser son désarroi ? Basculait-elle dans ce monde inconnu qui l'envahissait à chaque fois plus longtemps, plus intensément ? Depuis quelques jours, elle avait demandé à Louane de ne plus rester aussi longtemps à ses côtés, prétextant qu'elle n'en avait pas besoin et que Louane devait se reposer. La jeune fille tenta de la convaincre de changer d'avis, mais rien n'y fit et, sur les conseils de Laurene, elle n'insista plus. Louise avait besoin de solitude.

Louane était sur le perron lorsque Louise se dirigea vers sa chambre. Elle remarqua sa profonde tristesse, mais ne lui dit rien et se contenta de caresser sa main. Louise partie, elle s'empressa de questionner Laurene.

— Ça n'a pas l'air d'aller.

— Non, elle se fait du souci pour le moulin et sa maladie progresse, elle m'inquiète.

— Moi aussi. Et dans quelques jours, elle sera seule.

— Alvaro sera là. Nous viendrons aux nouvelles régulièrement, précisa Laurene sans grande conviction.

— Je peux te demander quelque chose ? s'autorisa Louane.

— Bien sûr. Enfin, je pense, ça dépend du niveau de ton indiscrétion, dit Laurene sur le ton de la plaisanterie pour détendre une atmosphère bien trop pesante à son goût.

— Tu regrettes d'avoir « atterri » ici ?

La réponse de Laurene fusa, ne souffrant pas la moindre hésitation.

— Jamais je ne regretterai ! Même si, pour être franche, au début, je me demandais où j'étais tombée. Aujourd'hui, je suis triste à l'idée de rentrer à Paris, mais c'est comme ça : le blues de la fin des vacances, sans doute.

— Je suis parfois un peu lourde, mais...

Louane hésita puis lança :

— J'ai une autre question !

— OK : cinquante euros ! C'est bon ? répondit Laurene dans un éclat de rire.

— Tu es nulle ! Mais tu me fais bien rire. Alors, je peux ?

— Mais oui, tu peux. Allez, vas-y ! Regarde, il n'y a personne à l'horizon. Je vais t'avouer tous mes secrets, s'amusa une nouvelle fois Laurene, qui ne savait pas ce qui l'attendait.

— Alvaro ?

— Quoi, Alvaro ?

— Tu es amoureuse ou c'est un jeu ?

Laurene était stupéfaite.

— Je le savais ! Ah, on peut dire que t'es cash, toi !

— Je le suis devenue. Je ne l'étais pas.

— Tu as raison.

Louane s'énerva un peu.

— Bon, on s'en fout de moi. Alors, amoureuse ou un énième jeu comme ceux que tu me racontais fièrement, au début, le soir avant de dormir ?

— Cash, c'est bien ça ! OK, je vais te répondre et pour une fois, fais-moi plaisir, ne me fais pas la leçon, toi qui pourrais être ma fille.

— Allez, arrête avec ça, et dis-moi, s'impatienta Louane.

— Oui, je suis tombée amoureuse d'Alvaro, et non, ce n'est pas un jeu !

Ça avait le mérite d'être clair !

Un large sourire éclaira le visage de Louane avant que Laurene poursuive et refroidisse son entrain.

— Je n'aime pas cette expression : « tomber amoureuse ». Si on tombe, on devient faible, on est à la merci de l'autre et c'est peut-être ça mon problème : je ne veux pas devenir faible.

— Mais ça n'a rien à voir avec de la faiblesse ! L'amour, c'est de la force que l'on partage.

Laurene éclata de rire.

— Mon Dieu, ma pauvre ! Tu as dix-huit ans, faut arrêter avec les contes de fées.

— Tu m'emmerdes avec mes dix-huit ans ! s'énerva Louane.

— Ne le prends pas comme ça, c'est juste pour te prévenir, tenta de tempérer Laurene.

Louane poursuivit sur le même ton.

— Me prévenir de quoi ? Que si je prends le même chemin que toi, je serai pleine de fric et seule à quarante balais ? C'est ça ?

— Je ne suis pas seule ! affirma Laurene.

— Ah bon, quelqu'un t'attend chez toi, le soir ?

— Je sors, j'ai des amis et...

Louane la coupa et répéta sa question.

— Quelqu'un t'attend ?

— Non...

Louane sentit la détresse envahir son amie et préféra ne pas insister. Elle bascula en mode humour.

— Bon, tu as plein de tunes. Moi, je n'aurai peut-être rien, ni argent ni homme.

— OK. Match nul, alors ! Mais une dernière chose avant qu'on prépare enfin le dîner ; je meurs de faim.

— Je t'écoute.

— La trahison, c'est le propre de l'amour. Alors, pourquoi aimer ?

Louane ne se démonta pas, et lorsqu'elle vit Alvaro traverser la cour et se diriger vers le patio, elle opta elle aussi pour l'humour.

— Regarde, ta « trahison » approche. Je pense que lui aussi il a faim... Une faim de loup... Alors, va préparer le repas, je m'occupe de dresser la table.

Les jours précédant le départ de Louane et Laurene, Louise sortit peu de sa chambre. Ses pertes de mémoire s'amplifiaient et les épisodes hallucinatoires avaient réapparu. Tout le monde était très inquiet. Comment allait-elle pouvoir se débrouiller seule au moulin ? Alvaro serait présent la journée, ses parents et Alma avaient proposé de lui rendre visite régulièrement, mais cela ne suffisait pas. Qu'allait-elle devenir, seule, la nuit, si une crise plus forte que les autres se produisait ? Sa vie était en jeu, chacun le savait. Alvaro pourrait passer quelques nuits avec elle, mais cette situation ne pouvait être que provisoire.

C'est Louane qui prit l'initiative d'inciter Louise à consulter un médecin à Séville. Alvaro les conduisit au cabinet du Dr Gallico, spécialiste des maladies dégénératives. Emilio, le père d'Alvaro, avait pu obtenir rapidement un rendez-vous grâce à l'une de ses connaissances.

Louise avait accepté sans rechigner de se soumettre à toute une batterie de tests. Sans doute avait-elle constaté elle aussi que sa situation était alarmante et qu'il fallait qu'elle accepte une prise en charge médicale adaptée à l'évolution de sa pathologie.

Les résultats des évaluations furent sans appel. L'état de Louise s'était fortement aggravé, bien plus rapidement qu'on aurait pu le prévoir. Sans doute à la suite d'une période de stress trop intense, avait estimé le spécialiste. Malheureusement, quelle qu'en soit la raison, cette fâcheuse évolution n'était pas réversible. Le Dr Gallico réajusta son traitement en augmentant les doses et en ajoutant une molécule afin de tenter de détendre Louise, qu'il trouvait bien trop anxieuse. Il conseilla également une prise en charge en milieu spécialisé, ce que Louise refusa catégoriquement. Nul ne pouvait s'opposer à sa décision, car ni Alvaro, ni Louane, ni quiconque alentour ne faisait partie de sa famille.

Un rendez-vous fut pris pour le mois d'après, afin d'évaluer la tolérance et les effets du nouveau traitement. Mais personne ne se faisait d'illusions. Louise disparaissait peu à peu.

Pendant les deux jours qui suivirent ce premier rendez-vous médical, Louise parut plus énergique et son appétit s'améliora. Ces nouveaux médicaments étaient-ils plus efficaces que ceux qui lui avaient été prescrits aux Roses-Pourpres ? Tous en doutaient. En fait, comme ses amies s'envolaient le lendemain pour la France, Louise voulait leur montrer un meilleur visage afin qu'elles ne s'inquiètent pas trop. Une façon de les remercier de l'avoir accompagnée avec bienveillance sur ce long chemin du combat contre la maladie et l'oubli.

La veille du départ, Alvaro ne put rester dîner au moulin ; il venait d'apprendre qu'une pièce détachée pour le vieux tracteur qu'il souhaitait remettre en état était enfin disponible. Le distributeur était à Grenade, et cela l'obligeait à faire l'aller-retour dans la journée. Il reviendrait tard le soir, après cinq heures de route.

Les trois femmes se retrouvèrent donc seules pour cette dernière soirée. Louane et Laurene avaient déjà préparé leurs bagages, mais elles avaient fait en sorte que Louise ne s'en rende pas compte. Leurs derniers échanges devaient se dérouler comme tous les autres jours. Il n'était pas question de modifier leurs habitudes.

Louise s'efforça de faire honneur au gaspacho que ses amies lui avaient concocté. Alvaro avait appris à Laurene à cuisiner ce plat typiquement andalou, et Laurene était sûre que Louise serait sensible à cette attention.

Elles dînèrent tranquillement, conscientes que, dès le lendemain, tout serait différent. Louise traînerait sa solitude au moulin, peut-être avec Alvaro. Louane devrait supporter les remontrances appuyées de ses parents, elle laisserait passer l'orage, espérant qu'il ne dure pas trop longtemps. Laurene retrouverait le silence de son appartement parisien, elle irait rendre visite à Élise pour se sentir moins seule. Les deux femmes auraient encore l'esprit à Valdehijos, mais pour combien de temps ? Jusqu'au lendemain ? Pour plusieurs jours ? Ou bien la nostalgie s'installerait-elle plus longtemps ?

Le repas terminé, les « 3L » s'installèrent confortablement sous l'olivier millénaire. C'était leur endroit, celui de toutes les confidences. Alors ce soir…

La température était clémente. La chaleur caniculaire s'était atténuée depuis quelques jours. L'air devenait plus respirable une fois la nuit tombée.

— Je voulais vous remercier, dit simplement Louise.

— De quoi ? répondit Laurene d'une voix monocorde, comme si elle se forçait à ne pas se laisser déborder par ses émotions.

Louane se taisait, elle se contenait elle aussi. Du moins essayait-elle. Son cœur s'emballait, des gouttes de sueur perlaient sur son front, elle n'arrêtait pas de frotter ses mains moites l'une contre l'autre.

Laurene le remarqua et l'interpella.

— Ça va, Louane ?

Ce fut le déclencheur. À dix-huit ans, on ne peut pas tout maîtriser. C'était sans doute mieux ainsi. Elle se jeta dans les bras de Louise et l'étreignit avec force. Des cris se mêlaient à ses sanglots. Puis elle posa la tête sur les genoux de Louise, qui ferma les yeux et, elle aussi, ne put retenir ses pleurs. Elles ne bougeaient pas, la scène était irréelle. Louane n'arrivait pas à se calmer, et, au fond d'elle-même, n'en avait pas envie. Ce qu'elle vivait depuis plus d'un mois était si intense qu'elle laissait tout s'évacuer d'un coup. Louane avait changé. Elle était passée de l'adolescente qui se laissait vivre dans un confort douillet à une adulte qui, en une fraction de seconde, avait décidé de prendre en charge une malade d'Alzheimer et de gérer les conséquences de sa pathologie. C'était trop fort, alors tout sortait dans ses hoquettements qui ne s'atténuaient toujours pas : la peur, la frustration, le stress, la joie et le chagrin débordaient de tous côtés.

D'abord incrédule, Laurene comprit qu'elle assistait pour la première fois, au-delà de la peine et des cris, à l'expression d'une communion entre deux êtres. Au diable les conventions et la pudeur, elle se leva et vint se mettre derrière Louise. Lui enserrant les épaules de ses bras, elle posa son menton sur le haut de sa tête. À cet instant, les trois femmes ne formaient plus qu'un seul être.

De ce tableau se dégageait une force émotionnelle inouïe et, en même temps, une fragilité de tous les instants. Tout pouvait se figer pour l'éternité ou se casser à chaque seconde. Leur étreinte dura de longues minutes avant que chacune, sans rien dire et un peu confuse, regagne sa place. La conversation reprit comme si rien ne s'était passé. Louise revint à la question qu'avait posée Laurene.

— Merci de quoi ? dit-elle d'une voix ferme. De tout ! D'avoir été là, d'avoir supporté une vieille dame malade, d'être restées ici au moulin… De tout !

Laurene répondit avec sincérité :

— Vous savez, Louise, personne ne m'a forcée à rester ici. J'ai beaucoup appris à vos côtés avec Louane et… Alvaro.

Louane intervint.

— Et moi, ma Louise, je te remercie de m'avoir montré que la vie n'était pas toujours facile, mais qu'elle pouvait aussi être merveilleuse de complicité.

Tout à coup, le corps de Louise se raidit, son visage se fit plus grave.

— Je voulais vous faire part de la décision que j'ai prise.

Laurene pensa qu'il s'agissait de la vente du moulin. Louane imaginait qu'elle avait décidé d'intégrer un centre spécialisé en Espagne. Elles se trompaient toutes les deux.

— J'ai décidé de finir mes jours ici… au moulin.

Louane poussa un soupir exaspéré.

— Arrête avec ça, tu vas encore nous embêter un bon bout de temps, je l'espère bien !

— Que voulez-vous dire ? interrogea Laurene, qui avait peur d'avoir compris de quoi il s'agissait.

— Eh bien, quand la maladie se fera trop… insupportable, je déciderai du moment où je rejoindrai mon André. Et ce sera ici, au moulin, nulle part ailleurs.

Effectivement, l'intuition de Laurene était juste. À cet instant, l'image d'Hector Almera lui traversa l'esprit. Louane ne put retenir une remarque spontanée.

— Ça ne va pas, non ?

Laurene posa la main sur le genou de son amie. Contrairement à Louane, elle savait que les mots, quels qu'ils soient, étaient inutiles. Elle tenta cependant de dissuader Louise. Sans conviction.

— Il y a peut-être d'autres solutions…

Louise la fixa intensément, elles savaient l'une comme l'autre que, si Louise voulait conserver sa « liberté », il n'y avait aucune autre issue. Louane préféra s'isoler quelques minutes dans la cour près du hangar. Laurene voulut la rejoindre pour lui expliquer son sentiment.

— Laisse-la, elle a besoin d'être seule ! Elle comprendra, j'espère, fit Louise.

— Tout cela est tellement difficile, surtout pour vous. Nous… c'est différent.

— Parlons sérieusement, maintenant, dit Louise d'une voix ferme. Toi, je sais que tu comprendras…

— Quoi donc ? demanda Laurene, inquiète.

— Lorsque ce sera le moment. J'aimerais que toutes les deux vous soyez là ! Et qu'éventuellement tu m'aides...

Laurene frissonna. Comment pourrait-elle répondre au dernier désir de Louise ? Comment se résoudre à être la complice d'une telle décision ? Avec M. Almera, elle avait déjà provoqué la mort d'un être humain ; allait-elle accepter cette fois-ci d'assumer le décès programmé d'une amie ?

Les situations étaient différentes, pourtant. Elle avait involontairement causé le suicide de M. Almera en le privant de son métier ; là, il s'agissait d'éviter à Louise une fin intolérable. Et Laurene imaginait bien l'insupportable solitude que sa vieille amie ressentirait si elle n'accédait pas à sa demande.

Sa décision était prise : même si les conventions, la justice de Dieu et des hommes l'interdisaient, elle serait là !

Et, la voix tremblante, elle promit.

— Je serai là, Louise, je serai là.

— Merci. Personne ne sait, il n'y a que toi. Pour Louane, finalement, je me dis que ce serait peut-être trop difficile.

— Sans aucun doute, elle a déjà beaucoup subi. Et puis, à dix-huit ans, quelles que soient sa forme et ses raisons, la mort, on la refuse. C'est normal.

— Je sais, elle a tellement donné pour moi.

À partir de cet instant, les deux femmes se turent, laissant leur regard se perdre en direction de la silhouette de Louane, appuyée contre la porte de la grange.

Laurene et Louane tenaient à saluer les parents d'Alvaro et Alma avant de quitter l'Andalousie. Le décollage du vol au départ de Séville et à destination de Paris était prévu à 11 heures, ce qui leur laissa le temps de faire un détour par chez eux, au village. Elles tentèrent de bafouiller quelques mots en espagnol, ce qui eut le mérite de détendre l'atmosphère et de rendre les au revoir plus légers.

Sur la route de l'aéroport, Laurene était assise à côté d'Alvaro. Ils avaient du mal à se quitter des yeux, ce qui donnait quelques sueurs froides à Louane, assise à l'arrière avec Louise, et qui sentait les petits coups de volant d'Alvaro afin de redresser la trajectoire de la voiture.

Chacun, à sa façon, tentait de soulager l'émotion et la peine des autres. Louane, avec son humour parfois caustique, taquinait les « amoureux », qui, pour une fois, prirent du plaisir à entendre les blagues et remarques plus ou moins légères qu'elle ne manquait pas de distiller.

Louise se donnait beaucoup de mal pour masquer sa fatigue. Louane ne lui lâchait pas le bras.

L'embarquement débutait trente minutes plus tard. Les quatre amis s'assirent sur un banc face au guichet de la compagnie. Laurene prit la main d'Alvaro. Même si elle savait qu'elle le reverrait au moins une fois à cause de la promesse qu'elle avait faite à Louise, elle ne pouvait s'empêcher de multiplier les petits gestes d'attention pour lui prouver que leur courte histoire avait compté et n'était pas une simple aventure. Elle l'avait déjà fait, mais elle lui redonna sa carte en y notant son numéro de portable personnel tout en lui chuchotant à l'oreille : « Donne-moi des nouvelles de Louise et de... toi. » Alvaro, lui, ne disait rien, acquiesçant d'un sourire généreux. Il savait que Laurene éprouvait des sentiments pour lui, mais il n'aurait jamais cru qu'avant leur séparation elle se montrerait si aimante.

Louane était étrangement calme. Une raison simple expliquait son comportement : elle avait déjà programmé un aller-retour à Séville deux semaines plus tard pour passer trois jours au moulin. Elle s'était décidée après la discussion difficile de la veille au soir au téléphone avec ses parents. Ils seraient certainement contre, mais peu lui importait. Comme elle le disait sur le ton de la plaisanterie : « Il faut bien que les économies d'une petite-bourgeoise bordelaise servent à quelque chose. »

L'hôtesse d'accueil de la compagnie fit un premier appel annonçant le début de l'embarquement. Personne ne souhaitait faire durer l'attente. Laurene et Louane se levèrent, l'une au bras d'Alvaro et l'autre à celui de Louise. Ils se dirigèrent vers la porte d'embarquement. Tous restèrent dignes, mais les gorges étaient nouées. Louane ne put retenir son émotion en serrant dans ses bras Louise qui lui chuchota à l'oreille : « Allez, ma petite, à dans quinze jours, et n'oublie pas, on s'appelle entre-temps. » Louane acquiesça d'un clin d'œil avant d'embrasser Alvaro avec un large sourire. Elle était déjà dans le couloir d'embarquement quand Laurene, une fois de plus, prouva son attachement à Alvaro d'un baiser qui ne laissait planer aucun doute.

Enfin, Laurene alla embrasser Louise et la prit par les épaules en disant :

— Je vous l'ai promis, Louise, je serai là !

Alvaro parut surpris, mais n'attacha pas plus d'importance que cela à cette remarque. Il accompagna Laurene des yeux et la regarda disparaître derrière les vitres opaques des portails de sécurité.

Le voyage du retour se passa sans encombre. Lors du décollage, Laurene était à l'affût du moindre bruit suspect. Elle repensait à l'avarie du train d'atterrissage lors de son vol aller. Cela fit rire Louane, et les deux femmes discutèrent jusqu'à l'arrivée à Paris. Elles prirent le même taxi, qui déposa Louane à la gare Montparnasse, ,puis laissa Laurene devant son immeuble. Louane avait une heure à tuer avant le départ de son TGV pour Bordeaux. Elle avertit d'abord ses parents qu'elle serait à l'heure à la gare Saint-Jean, puis échangea une foule de SMS avec

Laurene jusqu'à l'arrivée dans la capitale aquitaine.

Toutes deux avaient encore l'esprit dans cette vallée andalouse brûlée par les puissants rayons du soleil. Il leur suffisait de fermer les yeux pour se retrouver en train de discuter avec Louise sous l'olivier millénaire.

15

À toi la vie !

À toi la vie ! Pas celle que nous regardons passer dans le miroir en cherchant à débusquer les traces du temps qui se dessinent sur notre visage.

La vie, la vraie, celle qu'il faut gagner tous les jours avec force. La sortir de sa cachette, tout prendre, le merveilleux, le bon, le mauvais, l'inavouable.

La vie, faut l'absorber goulûment, à s'en rendre malade, à s'en défoncer les tripes et les émotions.

À toi la vie ! Sans se poser de questions et sans aucune honte.

En cette fin de mois d'août, Paris était encore plongé dans une douce moiteur. La plupart des Parisiens étaient encore loin de la capitale et se jetteraient quelques jours plus tard sur les autoroutes surchargées.

Ce matin-là, Laurene retournait travailler. Elle n'avait aucune envie de se rendre dans les bureaux du quartier de la Défense, et pourtant, il le fallait ; la vie et ses habitudes reprenaient leurs droits.

Son amie Élise ne partait en vacances qu'à la fin de la semaine, elles s'étaient donc donné rendez-vous, comme chaque matin, devant la station de métro. Trente minutes de trajet et elles déboucheraient sur l'immense esplanade. Élise était heureuse de retrouver son amie. Elle n'attendait qu'une chose : que Laurene lui raconte son périple espagnol durant lequel elle lui avait donné trop peu de nouvelles à son goût.

Laurene répondit à ses questions, mais sans trop d'enthousiasme, comme si elle voulait garder pour elle cette période si particulière qu'elle venait de vivre. Elle tenta à plusieurs reprises de recentrer la conversation sur Eliot, le fils d'Élise. Sans grand succès. Son amie insista ; elle voulait tout savoir.

Mais Laurene était ailleurs, elle n'arrivait pas à chasser de son esprit l'image des plaines andalouses sous des températures qu'elle n'aurait jamais cru supporter. De Louise et de la force qu'elle dégageait malgré son état. De Louane et de ses remarques toujours directes. De la beauté du moulin, des moments d'intimité passés avec Alvaro.

Depuis son retour, elle lui avait envoyé plusieurs messages, souvent sans raison particulière, juste pour avoir l'impression d'être proche de lui.

Alvaro, comme à l'aéroport, s'étonnait de cette situation. Il répondait à ses messages mais restait sur une prudente réserve. Pourtant, leurs sentiments étaient identiques, ils tenaient l'un à l'autre. Et Alvaro l'avait assumé bien avant Laurene. Il avait fallu que le départ d'Andalousie soit effectif pour qu'enfin la jeune femme lâche prise et s'avoue qu'elle aimait cet homme. Qu'il ne s'agissait pas d'une simple attirance physique, mais bien d'un amour qui réunit les êtres et « les rend plus forts », comme le lui avait dit Louane.

— L'Espagne t'a rendue muette, lui lança Élise, qui tournait inlassablement sa cuillère dans sa tasse de café.

Laurene sembla se réveiller.

— Non, non, excuse-moi. Mais je n'ai vraiment pas envie de retourner au boulot, fit-elle en regardant la tour Béta-Pharma à travers la vitre du bar.

— Moi, je compte les jours. Vendredi, vacances ! J'ai vraiment besoin de me reposer.

— Vous partez où ? demanda Laurene, contente de changer de sujet.

— Guillaume n'a pas pu avoir ses vacances en même temps que moi, il sera en congés une semaine après moi. Alors, je vais d'abord m'aérer avec Eliot quelques jours chez mes parents en Bretagne, puis direction la Belgique et les Pays-Bas en famille. Ça fait longtemps qu'on a envie de découvrir Bruxelles et Amsterdam. Remarque, c'est super, pendant ma semaine à Vannes, Guillaume doit repeindre le salon et surtout régler les problèmes de garde pour Eliot. Nous avons des soucis avec la mairie qui ne nous donne plus la priorité pour la crèche.

Sans s'en rendre compte, Laurene fixa son amie et ne relança pas la conversation. Élise s'en étonna.

— Décidément, je crois que ton esprit n'est pas complètement rentré à Paris. Je me trompe ?

Laurene sourit. Elle pensait à ce que venait de lui dire Élise. Pour la première fois, elle éprouvait un sentiment de jalousie. Elle aussi aimerait pouvoir raconter des choses aussi simples, mais essentielles. Ces instants de vie qui construisent une existence : un départ en vacances avec son mari et son fils, un appartement à repeindre, des soucis de rentrée...

— Tu as de la chance, lâcha-t-elle dans un long soupir de lassitude.

— Tu as peut-être raison, mais toi, tu devrais penser un peu moins à ton boulot et un peu plus... à ce qui occupe ton esprit en ce moment. Je ne sais pas ce que c'est, mais... tu es revenue différente et je ne crois pas qu'il s'agisse d'un simple blues post-vacances.

— Effectivement... j'ai trop de travail. Je vais essayer de réorganiser tout cela...

Élise n'était pas dupe, elle tenta d'en savoir plus.

— Et... il a un prénom, ton blues post-vacances ?

Laurene prit sa tasse et sembla réfléchir. Elle avala la dernière gorgée de café et se leva.

— Non, pas un prénom, mais trois !

— Comment ça, trois ? s'étonna Élise.

— T'inquiète, je délire ! Allez, pour l'instant, son prénom, c'est... Béta-Pharma.

Les deux amies s'embrassèrent, se donnèrent rendez-vous pour le lendemain et prirent la direction de leurs bureaux respectifs.

À peine Laurene avait-elle franchi la porte de l'ascenseur qu'elle fut happée par la voix stressante et stressée de Caroline, son assistante.

— Vous avez une mine splendide, Laurene ! Ces trois semaines au soleil vous ont fait le plus grand bien.

— Merci, Caroline. Et vous, c'est pour bientôt, les vacances ?

— Eh bien, justement…

— Qu'y a-t-il ? s'étonna Laurene en déposant son sac à main sur son bureau.

— Vous aviez validé ma demande de congés avant votre départ et… je souhaiterais modifier mes dates. Mais si cela pose un problème d'organisation, je comprendrai…

— L'organisation s'en accommodera. Vous avez fait une autre demande ? interrogea Laurene.

— Oui, j'ai saisi mes nouvelles dates dans le logiciel de l'entreprise, mais je vous assure que si ça pose un problème…

Laurene s'assit à son bureau, son ordinateur était déjà allumé.

— Vous n'êtes pas obligée, Caroline.

— Quoi donc ?

— D'allumer mon ordinateur, de m'apporter mon café, de vous inquiéter du stock de mes bouteilles d'eau minérale. Mais puisqu'il est allumé, alors profitons-en !

En deux clics, Laurene valida les nouvelles dates de congés de son assistante.

— Voilà, c'est fait.

— Merci ! Vous avez l'air reposée, c'est bien. Je crois que vous en aurez besoin.

— Ah non, pas déjà ! Que se passe-t-il ? Le mois d'août est pourtant calme d'habitude.

Laurene n'avait aucunement envie de se replonger dès son arrivée dans des dossiers plus urgents les uns que les autres.

— M. Leicester vous expliquera. Mais je crois qu'il vous a déjà mise au courant par mail...

Tout à coup, Laurene se rendit compte qu'elle n'avait pas consulté sa messagerie professionnelle depuis près d'une semaine.

— Non, je ne suis pas au courant. Je passerai le voir dans la journée. Ça n'est pas à la minute, je suppose ? De quoi s'agit-il ?

— Du rachat de l'entreprise belge.

— Oui, et alors ? C'est la finance qui s'en occupe.

Caroline, qui voyait que Laurene paraissait complètement déconnectée de la vie de l'entreprise, hésita avant de poursuivre.

— Eh bien, demain, vous faites l'aller-retour à Bruxelles avec M. Leicester.

Laurene sursauta sur son fauteuil.

— Un déplacement le lendemain de mon retour ? Qu'il me laisse au moins le temps de respirer !

Laurene vit soudain Caroline s'éclipser dans son bureau. M. Leicester venait de débouler de l'ascenseur et se dirigeait à grands pas vers elle.

— Bonjour, Laurene, vous allez bien je vois ! Vous auriez pu répondre à mes mails.

Déconcertée, Laurene balbutia sa réponse.

— Bonjour, monsieur Leicester, merci, oui, je vais bien. Trois semaines, c'est...

Il ne la laissa pas terminer.

— Demain, nous partons pour Bruxelles !

— Je viens d'être mise au courant par Caroline. Mais le rachat doit être finalisé par la finance. Je ne vois pas pourquoi...

Une fois de plus, son P-DG l'interrompit.

— Le rachat est effectif depuis quinze jours. Nous devons désormais nous occuper de l'optimisation des effectifs. Et qui mieux que vous pour cela ?

Laurene écarquilla les yeux et ne put prononcer qu'un simple :

— Pardon ?

— Après votre réussite avec la filiale française, vous aurez en charge la gestion de la Belgique. Nous souhaitons également nous étendre au Royaume-Uni. Ce ne sera pas facile avec ce satané Brexit, mais le marché est en forte croissance sur nos produits stratégiques. Donc, nous devons y être présents. Mais une restructuration s'impose pour optimiser les coûts de production. Quelle belle opportunité pour votre carrière ! conclut-il, satisfait.

Laurene sentit son cœur s'accélérer. Elle avait envie de crier. À peine venait-elle de rentrer de vacances qu'elle avait de nouveau en charge la gestion de deux plans sociaux. Elle prit sur elle et répondit laconiquement :

— Très bien, monsieur.

— Vous n'avez pas l'air de vous rendre compte que c'est un magnifique tremplin, Laurene !

— Bien sûr. Mais... il me faut un peu de temps pour me replonger dans... tout ça...

— Parfait ! Alors étudiez les dossiers avant demain, puisque vous ne l'avez pas fait durant vos congés.

La remarque de son P-DG était cinglante et ne fit que renforcer le stress de Laurene.

M. Leicester disparut aussi vite qu'il était venu. Laurene s'effondra sur son bureau, le front sur ses avant-bras.

« Impossible » était le seul mot qui lui venait à l'esprit. Elle savait qu'elle ne pourrait pas. Que devait-elle faire ?

Elle releva la tête, but une gorgée d'eau et prit son portable. Elle avait besoin de s'évader. Elle envoya deux messages : le premier à Alvaro, pour savoir comment il allait et si Louise n'était pas trop fatiguée, le second à Louane, juste un « Bonjour, j'espère que ça s'est bien passé ».

Puis elle fit signe à Caroline que tout allait bien. Elle se dirigeait vers la machine à café quand son portable vibra sur son bureau.

Le message de Louane et son humour toujours direct lui firent du bien.

« Salut, Laurene. Pas évident ici, ça roule un peu carré... Mais je gère. Je t'appelle ce soir... À moins qu'Alvaro n'ait réservé la ligne ?... Je plaisante ! »

La notification d'un appel entrant apparut sur l'écran, c'était justement Alvaro. Elle décrocha et s'isola, s'appuyant contre la baie vitrée à côté des ascenseurs.

— Bonjour, Laurene. Tu vas bien ?

— Bonjour, Alvaro. Le boulot reprend, ce n'est pas évident. Parle-moi du moulin, de Louise, de…

Elle n'osa terminer sa phrase.

— Le moulin, ça va. J'ai enfin pu finir de nettoyer l'oliveraie qui borde la grange. Tous les arbres sont taillés. Le boulot est encore immense.

— Et Louise ? s'enquit Laurene.

Alvaro hésita un instant. Laurene entendit un soupir à travers le combiné.

— Eh bien, pour être franc, depuis votre départ, ça ne va pas très fort. Son état m'inquiète. Depuis deux jours, mes parents passent la nuit avec elle. Elle s'affaiblit, mange peu. Les seuls moments où elle semble « avec nous », c'est quand elle s'isole dans le patio avec son carnet. Je ne sais plus quoi faire. Je crois qu'il faudrait prévenir sa famille. Sa fille et son fils ont téléphoné hier, elle a pu donner le change. Ils ne sont pas conscients du réel état de santé de leur mère.

Laurene répondit aussitôt.

— Je m'en occupe !

— De quoi ?

— De contacter ses enfants. Je ne supporte pas de savoir qu'elle souffre autant !

— Très bien, acquiesça Alvaro. Tu veux que je lui en parle ?

— Non, je l'appellerai.

— Comme tu veux. Et je voulais également te dire… Marie a souhaité… me parler.

— Ah bon ? Que voulait-elle ?

L'inquiétude perçait dans la voix de Laurene.

La réponse d'Alvaro fut claire et précise. À quoi bon tergiverser ?

— Me dire que dès qu'elle le pourrait elle m'obligerait à quitter le moulin !

— Ah…

— C'est une femme dure, elle paraît dénuée de sentiments. Elle m'a expliqué que si sa mère disparaissait, je devrais quitter le moulin, mais qu'elle espérait avoir rapidement la tutelle sur ses biens, et là aussi…

— Arrête, Alvaro ! J'ai compris. Je ne veux plus rien entendre.

— Ce n'est pas évident.

— Non, mais comme je te l'ai dit, je m'en charge. Continue de t'occuper de Louise, embrasse-la pour moi.

— Bien sûr. Tu sais, Louane appelle tous les jours. Je n'ose pas lui dire la vérité sur l'état de Louise. Elle lui a parlé hier et ç'a été un gros effort pour Louise. Lorsqu'elle a raccroché, elle était épuisée et s'est isolée de longues heures.

Un moment de silence.

— Et toi, Alvaro, ça va ?

— Oui, répondit-il faiblement.

— Alvaro, dis-moi vraiment comment tu vas.

— Je vais bien, Laurene, mais... tu me manques. Je pense à toi souvent... *todo el tiempo!*

Laurene sourit, sa gorge se noua, les larmes montèrent.

— Je te tiens au courant, Alvaro... *Yo también, todo el tiempo*.

— Tu fais des progrès.

— J'essaie.

Laurene raccrocha, elle ne pouvait plus se retenir et pleura, seule, face à la vitre. Devant elle, les toits de Paris s'étendaient à perte de vue. La chaleur moite du mois d'août enveloppait la capitale d'un halo de brume qui se mélangeait à la pollution. Elle pensait à Valdehijos, aux nuits claires d'Andalousie, aux immenses espaces. Elle pensait à Alvaro...

Il était 17 h 15 quand le TGV en provenance de Paris-Montparnasse s'était immobilisé sur le quai n° 1 de la gare de Bordeaux-Saint-Jean. Louane était inquiète, elle avait le ventre noué et la gorge sèche. Même si les échanges téléphoniques qu'elle avait eus avec sa mère paraissaient plus apaisés, elle craignait des retrouvailles difficiles.

Son sac à dos sur l'épaule, elle venait de poser le pied sur le quai quand la voix de Jules, son petit frère, retentit.

— Louanneeeeee !

Elle eut à peine le temps de se retourner qu'il lui sautait déjà dans les bras. Elle le souleva et l'embrassa avec force.

— Mon petit Jules, comme tu m'as manqué !

Parmi la foule des voyageurs, Louane cherchait un autre visage connu.

— Maman et papa sont là ? s'enquit-elle.

— Juste maman. Papa avait du travail. Tu le verras ce soir à la maison.

— Bien sûr.

Louane reposa Jules à terre. Sa mère se tenait à quelques mètres devant elle. Son visage n'exprimait rien de particulier, ni colère ni joie. Louane s'approcha d'un pas lent, tête baissée.

— Bonjour, maman.

Sa mère la prit avec retenue dans ses bras.

— Bonjour, ma fille. Tu vas bien ?

— Oui, maman. Et toi… et papa ? balbutia-t-elle.

— Nous en discuterons ce soir avec ton père.

— Mais tu peux me dire au moins comment tu vas ?

— Ce soir, je t'ai dit !

Louane n'insista pas. Elle retrouvait sa mère telle qu'elle l'avait quittée un mois et demi auparavant. Une femme qui ne pouvait s'exprimer qu'à travers les avis et les choix de son mari.

Et curieusement, son stress s'effaça. Elle ne ressentit pas d'inquiétude particulière à l'idée de la discussion qu'elle aurait avec son père dans la soirée. Elle prit Jules par la main et ils se dirigèrent vers le parking souterrain. Jusqu'à l'arrivée à leur domicile du centre-ville, la discussion s'éternisa sur des sujets d'une affligeante banalité : la beauté de la ville de Strasbourg, la chaleur étouffante du sud de l'Espagne, la rapidité de la nouvelle ligne à grande vitesse. Sa mère n'aiguilla qu'une seule fois la conversation sur Louise. Elle était parfaitement au courant de son état de santé. Son mari en connaissait tous les détails grâce à son ami Julien, le directeur des Roses-Pourpres, qui n'avait pas manqué, contre toutes les règles déontologiques, de lui divulguer l'ensemble du dossier médical de Louise.

— Ton... amie... Louise... comment va-t-elle ?

Un moment d'étonnement, puis Louane répondit calmement :

— Moyen, très moyen, même. En fait, elle ne va pas bien.

Jules intervint.

— Il paraît que c'est une vieille, ta nouvelle amie ? Papa m'a dit qu'elle a... plus de cent ans !

Louane se retourna et lança à son frère en le regardant bien en face :

— Tu m'as déjà dit ça au téléphone, ou à peu près. Alors, je te le répète : d'abord, elle n'a pas cent ans, mais soixante-dix-sept, et ce n'est pas une « vieille ». Son corps n'a plus vingt ans, c'est certain, mais son esprit est très jeune.

Tout en parlant à Jules, Louane surveillait sa mère du coin de l'œil, guettant une éventuelle réaction de sa part.

— Soixante-dix-sept ? Une vieille, c'est bien ça, confirma Jules.

Louane n'insista pas, Jules ne pouvait pas comprendre.

— Si tu veux. Une vieille, une trèèèèès vieille femme !

Le frère et la sœur se mirent à rire.

— Quand même, Louane, qu'est-ce qui t'a pris ? s'agaça sa mère.

— Je ne sais pas, une envie, un besoin…

Sa mère secoua la tête, dubitative.

— Mais enfin, ça ne veut rien dire ! insista-t-elle.

— Si, maman, affirma Louane avec une sérénité dont elle ne se serait pas crue capable.

— Non, ça ne veut rien dire !

Louane acquiesça d'un signe de tête. À quoi bon insister ?

Elle savait qu'elle avait fait du mal à ses parents. Que l'inquiétude qu'elle avait suscitée était importante. Elle s'en voulait, mais n'avait aucunement l'intention de se lancer dans un mea culpa et de réintégrer le rang qu'elle n'aurait jamais dû quitter selon les souhaits de son père et de sa mère.

Mais la rencontre avec Louise et son séjour en Andalousie avec Laurene avaient eu l'effet d'un déclic. Louane n'avait aucune envie de rebrousser chemin. C'était comme si elle tendait la main vers sa liberté, et elle se devait d'avancer. Pour elle, pour Louise aussi, bien sûr, mais d'abord pour elle.

Il était près de 20 heures lorsque Louane entendit la porte du garage se refermer. Son père rentrait de l'hôpital. Installée dans sa chambre, elle avait terminé de ranger ses affaires et avait échangé quelques messages avec sa meilleure amie Chloé, qui avait atterri à Sydney quelques jours auparavant. Elle commençait son périple d'une année. Une fois de plus, Chloé lui proposa de la rejoindre, et une fois de plus, Louane refusa.

Si, jusqu'à présent, son refus était motivé par un mélange de manque de courage et de lassitude adolescente, aujourd'hui, la raison était différente. Louise l'inquiétait et son esprit était plus tourné vers le sud de l'Espagne que vers les contrées d'Australie et de Nouvelle-Zélande. Plus tard, peut-être, mais pour l'instant... elle allait devoir supporter les assauts de son père.

Elle l'entendit monter l'escalier, posa sa guitare – sur laquelle elle s'était essayée aux rythmes andalous si difficiles à reproduire –, mais fut incapable de se décider à ouvrir la porte. D'habitude, son père se serait d'abord installé dans son bureau et aurait hurlé le prénom de sa fille et appelé sa femme. Louane fut surprise de l'entendre s'arrêter devant sa chambre. Le père et la fille restèrent ainsi un instant, séparés par une porte, n'osant ni l'un ni l'autre faire le premier pas. Puis Louane entendit une voix inhabituellement incertaine demander :

— Je peux entrer ?

— Bien sûr, papa.

Il poussa la porte et resta sur le seuil. Assise sur son lit, Louane était à quelques mètres de lui. Sa mère montait les rejoindre et s'arrêta sur la dernière marche de l'escalier, observant cette scène tellement inhabituelle.

— Je vous attends dans le bureau, dit-elle.

— Si tu veux, répondit son mari sans quitter sa fille des yeux.

Louane n'y tenait plus. Brusquement, elle se leva, s'approcha de son père et lui enlaça la taille. Elle respira sur sa veste un parfum de femme, et ce n'était pas celui de sa mère. La chorale, sans doute. Qu'importe, à cet instant, l'essentiel n'était pas là.

— Pardon, papa.

M. Clavier posa maladroitement ses mains sur les épaules de sa fille et lui proposa de se diriger vers le canapé du bureau. Louane en était persuadée : le conseil de famille allait débuter ; la honte de la famille était de retour.

Louane s'était assise sur le canapé, les genoux serrés l'un contre l'autre. Son angoisse était palpable. Sa mère, debout derrière elle, attendait que son mari entame la discussion.

Il regarda sa femme.

— Chérie, que penses-tu de tout cela ?

La mère et la fille ne purent cacher leur étonnement. Louane écarquilla ses yeux bleus et ouvrit la bouche. Sa mère, qui se tenait d'habitude le dos voûté, comme accablée par sa condition de femme soumise, se redressa, mais ne put que bafouiller quelques mots.

— Eh bien… je ne sais pas. Tu as des choses… à dire à ta fille, je crois.

Il s'assit à son bureau, se servit un scotch et réitéra sa demande.

— J'ai réfléchi et j'aimerais ton avis.
— Mon avis... mais...
— Oui, ton avis ! insista-t-il.

Elle ne pouvait s'exprimer, désarçonnée par la bienveillance de son mari. Était-ce de la sincérité exprimée avec maladresse ou de la provocation pour, une fois de plus, prouver son emprise ? Le trouble était palpable. Louane n'attendait qu'une chose : que son père prenne la parole et mette fin à ce suspense qui la mettait mal à l'aise.

— Bon, je vais parler sous le contrôle de ta mère. Chérie, interromps-moi si tu n'es pas d'accord.

Toujours la même hésitation et la même surprise.

— Euh... oui.

— Ce que tu as fait est impardonnable, Louane... Non, ce n'est pas le bon mot, « inconcevable » serait plus approprié. En fait, je ne sais pas s'il nous faut t'excuser ou essayer de te comprendre. Tu dois te douter que, quand j'ai appris ton départ avec cette dame malade, j'étais hors de moi. Comment as-tu pu être capable de t'enfuir des Roses-Pourpres ? Aujourd'hui encore, je n'ai pas d'explication. Comment as-tu pu imaginer que tu lui serais d'une aide quelconque ? Ça n'a pas de sens ce que tu as fait, Louane. Aucun sens, insista-t-il.

Il s'adressa à sa femme.

— Quel est ton avis ?

Cette fois, la mère de Louane osa s'exprimer.

— Je lui en ai déjà parlé dans la voiture. Cette Louise, je ne la comprends pas. Je suis d'accord avec toi ! affirma-t-elle d'un ton inhabituellement assuré.

Son mari l'écouta mais ne tarda pas à reprendre l'ascendant. Le naturel ne se chasse pas si facilement.

— On s'en fiche un peu de cette Mme Dupré, non ? Elle est gravement atteinte, mais elle a une famille qui doit s'en occuper. Les contacts que j'ai pu avoir avec eux sont d'ailleurs très clairs à ce sujet. J'ai échangé avec sa fille Marie, c'est une personne responsable. Et toi, Louane, tu n'es pas une garde-malade. Ce n'est pas de ton âge. Qu'en penses-tu ?

Louane ne se démonta pas et profita du comportement ambigu de son père.

— Je ne suis peut-être pas une garde-malade, mais tu n'as pas hésité à m'envoyer chez les fous pendant deux mois, non ?

Il parut surpris par la repartie de sa fille et la regarda avec un sourire crispé.

— Effectivement, je l'avoue, ce n'était pas une très bonne idée. D'ailleurs, mon ami Julien me l'a confirmé. Tu as eu beaucoup de mal à supporter cette ambiance et nous en sommes convenus, c'était une erreur. Mais de là à t'attacher à une Alzheimer en évolution rapide... Enfin, Louane !

— Pour moi, ce n'était pas une malade et encore moins une « Alzheimer en évolution rapide ». Elle avait besoin d'aide, je ne supportais plus l'atmosphère qui régnait dans cet établissement. Je n'ai eu que très peu de temps, j'ai décidé très vite. Je l'ai conduite chez elle ; c'était son dernier souhait. Seule, elle n'aurait jamais pu.

Sa mère décida d'intervenir.

— Mais enfin, tu aurais pu rencontrer mille problèmes !

— Oui, mais à ce moment-là, on ne ferait jamais rien.

— Louane, je ne te comprends pas !

— Je sais, maman.

— Tu ne te rends pas compte du souci que j'ai pu me faire. Et Jules, tu as pensé à ton petit frère ?

— Si, maman, je me doute de l'inquiétude que ma fuite a pu provoquer. Et Jules… j'ai pensé à lui tous les jours.

Son père décida d'arrêter cette partie de ping-pong entre la mère et la fille qui, selon lui, n'aboutirait à rien de constructif.

— Bon, maintenant que tu es là, peux-tu nous dire ce que tu comptes faire ? Il est temps d'avancer après cette période bien trop confuse et stressante.

Louane pensait aux deux sujets qui lui importaient : d'abord, cet aller-retour qu'elle avait promis à Louise de faire au tout début du mois de septembre. Pouvait-elle en parler maintenant à ses parents ? Non, évidemment. Elle attendrait un moment plus propice pour, cette fois, les avertir qu'elle serait absente trois jours pour un voyage à Séville alors que la rentrée se profilait. Elle avait déjà réservé les billets.

Le deuxième sujet d'importance, c'était son changement d'orientation. Louane ne souhaitait pas réintégrer une terminale scientifique. À cet instant, elle pensa très fort à Chloé pour se donner le courage d'exprimer son désir, ou plutôt, de l'exprimer à nouveau, puisqu'elle l'avait déjà fait, mais en vain.

Elle le savait, c'était le moment ou jamais, quitte à ce que la situation explose. Elle prit une ample inspiration et se lança.

— Maman, papa, il faut que je vous dise... que...

— Quoi donc ? s'enquit sa mère.

— Parle, ma fille, l'encouragea son père.

— Eh bien, je ne souhaite pas recommencer une terminale scientifique. J'aimerais me diriger vers des études d'histoire.

C'était dit ! Il ne restait plus qu'à attendre la sentence qui allait probablement s'abattre rapidement et lourdement sur elle.

À sa grande surprise, lorsqu'elle leva les yeux, elle constata que ses parents se regardaient d'un air soulagé. Comme si le souhait qu'elle venait d'exprimer les avait libérés d'un poids. Craignaient-ils qu'elle ait décidé de quitter la maison ? Elle le pouvait : elle était majeure...

Son père fit signe à sa femme de répondre. Pour lui, c'était trop difficile de formuler clairement qu'il était d'accord pour accéder à la demande de Louane. Imaginer que sa fille ne serait jamais médecin lui pesait. Mais avait-il le choix ? L'échec aurait été au rendez-vous, alors à quoi bon s'acharner ?

— Nous espérions que tu allais nous en parler. Avec ton père, nous avons compris que la médecine n'était pas pour toi. Alors… l'histoire, si tu veux, mais les débouchés sont rares et es-tu vraiment sûre de toi ? Car, par le passé, tu nous as plutôt habitués à des changements rapides de priorités !

L'occasion était trop belle, Louane se devait d'insister sur sa motivation pour que son choix soit validé.

— Oui, je suis sûre de moi ! affirma-t-elle. D'ailleurs, si j'avais pu, j'aurais suivi Chloé pour me rendre avec elle sur les traces des civilisations anciennes. Mais… j'ai perdu assez de temps comme cela… À un autre moment, peut-être…

— Bon, nous finirons de parler de tout cela plus tard. Ce sera l'histoire si tu veux. Mais de grâce, épargne-nous le tour du monde pour l'instant, conclut sa mère sur un ton qui ne laissait aucun doute quant à sa déception.

Son père se tourna vers Louane et, tout en se frottant le menton entre le pouce et l'index – geste qui traduisait chez lui une intense réflexion –, il questionna sa fille.

— Ton amie Chloé, elle est partie en Australie, c'est bien ça ?

— Oui, avec un détour par la Tasmanie puis la Nouvelle-Zélande.

— Et comment l'a-t-elle financé, ce… périple ?

— Avec les différents boulots qu'elle a pu faire pendant les vacances depuis ses seize ans.

— Elle est courageuse. Et ses parents n'y ont rien trouvé à redire ?

Louane était intriguée par toutes ces questions. Tout à coup, son père s'intéressait à son amie Chloé.

— Sans doute que si... mais ils lui font confiance. Son voyage va durer un an, après, elle commencera ses études de droit à la fac.

Son père préféra clore la discussion, il semblait troublé.

— Très bien, comme l'a dit ta mère, nous réglerons les détails de ta nouvelle orientation plus tard. Pour le moment, allons dîner tous ensemble. Cela fait longtemps que nous n'avons pas été quatre à table... Va donc avertir Jules.

À Paris, Laurene reprenait sa vie là où elle l'avait laissée avant ses trois semaines de vacances, à l'exception d'une chose : les échappées nocturnes ne l'intéressaient plus. Alvaro était passé par là et elle pensait bien trop à lui. Elle préférait ne plus se perdre dans l'illusion et la facilité.

Elle avait fait comprendre à ses parents que ses visites seraient désormais motivées par l'envie de les voir et non plus programmées selon un calendrier établi des mois à l'avance.

Même si elle avait près de quarante ans, ils lui avaient fait sentir que sa « virée » espagnole n'était pas à leur goût et qu'elle aurait dû, comme chaque année, venir se reposer chez eux. Pour la première fois, Laurene ne se sentit pas agacée par leurs remarques et n'y répondit même pas. Son père eut du mal à comprendre et se réfugia plusieurs jours dans le silence. Sa mère, même si elle accusa le coup, était heureuse de voir sa fille s'extirper enfin des griffes paternelles. Laurene ne désirait pas, comme son frère Patrick, couper toute relation avec ses parents. Elle souhaitait simplement prendre du recul et, enfin, choisir ses priorités dans la vie.

Comme elle l'avait annoncé à Alvaro, elle avait tenté de joindre Marie et Paul. Elle leur avait laissé à chacun un message. Sans succès, aucun d'eux ne l'avait rappelée. Elle en fut contrariée, car cela faisait désormais deux jours et l'état de Louise l'inquiétait.

Chez Béta-Pharma, elle avait retrouvé ses fonctions de petit soldat obéissant, du moins, c'est ce qu'elle laissait croire. Elle avait pris à bras-le-corps le dossier belge ainsi que le projet britannique. Le challenge était simple : réitérer les performances du plan social français.

Cependant, une autre idée lui trottait dans la tête... Mais serait-elle capable de l'assumer le moment venu ? Même si l'envie était bien présente, aurait-elle le courage de plonger, de faire le grand saut dans l'inconnu sans possibilité de retour en arrière ?

Patrick était le seul dans la confidence, elle savait qu'elle pouvait lui faire confiance. Laurene avait besoin de son avis. Pas pour décider, car sa décision était prise et elle ne se voyait plus faire marche arrière, mais pour entendre des mots d'encouragement.

Laurene avait dîné avec son frère venu à Paris pour des raisons professionnelles, et elle lui avait tout expliqué en détail. La surprise de Patrick fut totale, mais après une discussion de plus de deux heures, sa conclusion fut sans appel : « Vas-y à 200 %, ma sœur. Fonce ! » Laurene était désormais sûre que plus rien ne pourrait la faire reculer. Patrick avait toujours représenté celui qui s'était opposé à l'ordre familial et elle ressentait pour lui une forme d'admiration. Elle considérait son avis comme une motivation supplémentaire.

Laurene souhaita aussi revoir Raphaël. Elle lui téléphona et ils se donnèrent rendez-vous dans le restaurant de leurs retrouvailles. Laurene lui annonça le plus délicatement possible qu'elle ne pouvait pas reprendre une histoire qui n'avait pas d'avenir. Elle tenait à expliquer sa décision par correction envers celui qui avait essayé de l'extirper d'une vie facile et futile, mais ne voulait pas tenter de construire un avenir avec trop d'attaches dans le passé. Pour elle, cela n'avait plus de sens.

Raphaël n'était pas réapparu au bon moment. Trop tard, trop tôt, peu importe. Laurene écourta la soirée, car elle le sentait affligé. Quand ils se saluèrent définitivement, elle eut un pincement au cœur. Elle venait quand même de gommer l'espoir qu'elle avait eu de basculer dans une relation d'amour et de partage avec l'homme qui l'espérait depuis tant d'années. Sa décision était conforme à ses nouveaux projets de vie, mais était-ce la meilleure ? Seul l'avenir le dirait…

Trois jours passèrent, ni Paul ni Marie ne l'avaient rappelée. Elle essaya d'abord de joindre Paul, et elle tomba une nouvelle fois sur la messagerie. Elle composa alors le numéro de Marie.

— Allô ! répondit celle-ci d'un ton exaspéré dès la première sonnerie.

Surprise, Laurene bafouilla quelque peu.

— Bonjour… je suis Laurene Malgot… je vous ai laissé…

— Oui, un message, je sais, je l'ai eu !

Laurene, consciente de l'énervement de Marie, s'exprima d'une voix posée.

— J'ai également tenté de joindre votre frère, que j'ai eu le plaisir de connaître à Valdehijos.

— Je sais, il m'a tout raconté. Mais nous n'avons rien à vous dire. Merci de laisser notre mère tranquille.

— Vous savez, Marie, vous avez raison, ça ne me regarde pas. C'est votre mère, pas la mienne.

— Exactement !

— Je vous demande juste de m'écouter deux minutes.

Le ton calme de Laurene apaisa quelque peu l'agacement de Marie.

— Très bien, allez-y. Mais dépêchez-vous, je suis pressée !

— J'ai passé trois semaines auprès d'elle et je vous assure que son état est inquiétant. Il lui reste peu de temps pour... profiter de son moulin qu'elle aime tant. Depuis la mort de votre père, elle y a trouvé un refuge.

— C'est bien pour cela que j'ai lancé une procédure de mise sous tutelle, pour sa sécurité. Quant au moulin, les médecins m'ont expliqué qu'il s'agissait d'une régression classique pour les malades atteints d'Alzheimer. Elle revit son enfance.

— Je ne crois pas, affirma Laurene.

— Que voulez-vous dire ?

— Le moulin n'a rien à voir avec une régression. Son dernier souhait serait de ne pas le voir disparaître avec elle.

— Pourquoi voulez-vous qu'il disparaisse ? Le moulin est là, il sera toujours là !

— Dans la famille ?

Marie réfléchit quelques instants avant de répondre, toujours d'un ton hautain et dédaigneux :

— Ça, je ne crois pas que ça vous regarde !

— Et tout le travail qu'y a réalisé Alvaro ? Ça ne compte pas pour vous ?

— Une lubie de ma mère.

— Vous le vendrez ?

— Je trouve vos remarques indiscrètes et impolies, je crois que nous n'avons plus rien à nous dire. Laissez notre famille tranquille, vous et... je ne sais plus son prénom, la jeune fille qui l'a aidée à s'enfuir... Quelle histoire !

— Louane.

— Oui, peu importe.

Laurene se lança.

— J'ai une proposition à vous faire qui, je crois, peut vous intéresser.

— Comment ça, une proposition ? Que voulez-vous dire ?

Laurene bascula en mode femme d'affaires, qu'elle maîtrisait si bien.

— Vous n'avez pas de temps à perdre, moi non plus. Je sais que ce moulin ne vous intéresse pas et que, dès que vous en aurez l'occasion, vous le vendrez au promoteur le plus offrant.

— Je vous ai déjà dit que tout cela ne vous regardait pas !

— Non, en effet. Sauf si je vous fais une offre pour racheter le moulin qu'aucun promoteur ne vous fera ! affirma Laurene.

Tout à coup, Marie parut moins pressée de raccrocher.

— C'est une proposition qui n'a pas de sens ! Et qu'est-ce qui me dit que vous avez les fonds nécessaires ?

Laurene poursuivit sa stratégie.

— Ça n'a pas de sens pour vous. Mais pour moi, si ! En ce qui concerne les fonds, nous pouvons signer une promesse d'achat dans les jours prochains. Mon notaire peut vous assurer que je dispose des fonds qui seront bloqués jusqu'à... (elle hésita à prononcer le mot) la disparition de votre mère.

Marie paraissait de plus en plus intéressée, mais dubitative quant au sérieux de la proposition.

— Que voulez-vous dire par « une offre qu'aucun promoteur ne fera » ?

La réponse de Laurene fusa.

— 25 % au-dessus du prix du marché !

— Vous êtes sérieuse ? Vous connaissez les prix, je suppose ? s'enquit Marie.

— Bien sûr, et je n'ai jamais été aussi sérieuse.

— Pourquoi feriez-vous cela ?

— Pour moi d'abord, pour votre mère et pour... changer de vie ! Par contre, ma proposition n'a de sens que si vous acceptez rapidement et que nous signons une promesse de vente dès le début de la semaine prochaine.

— Pourquoi si vite ?

— Vous m'avez dit à l'instant que ça ne me regardait pas, je vous renvoie la remarque, c'est personnel.

— Très bien, je dois en parler à mon frère. Je vous rappelle dès que nous en aurons discuté.

— J'attends votre appel. Si vous souhaitez vous assurer de ma capacité à honorer le paiement, vous pouvez contacter de ma part Me Dubalec à Paris, dans le huitième arrondissement.

Marie hésita.

— Je... verrai... Je vous tiens au courant.

— À bientôt, Marie, répondit Laurene, qui savait parfaitement qu'elle ne prendrait aucun risque et se renseignerait.

— Au revoir.

Laurene n'eut pas à attendre longtemps la réponse affirmative de Marie. Un rendez-vous eut lieu trois jours plus tard dans les locaux de Me Dubalec afin de signer une promesse d'exclusivité de vente en faveur de Laurene lorsque Marie et Paul hériteraient. Le protocole incluait le prix de vente moyen augmenté de 25 % par rapport au prix du marché à la date de la signature du compromis. Une clause d'acquisition intracommunautaire fut également rajoutée.

Paul et surtout Marie eurent du mal à comprendre cette décision. Mais pour eux, l'essentiel était la très bonne affaire qu'ils réalisaient. Ils évitaient également les innombrables tracasseries administratives avec les autorités espagnoles que Me Dubalec prendrait en charge du début à la fin de la procédure de vente.

Laurene prévint son notaire qu'il aurait également en charge la vente de son appartement parisien. Elle lui demanda d'attendre son aval définitif pour l'inclure dans ses bases de données de biens disponibles. Elle avait encore quelques détails à régler avant de s'assurer que la vie parisienne n'était plus faite pour elle et que d'autres horizons s'imposaient.

Laurene était satisfaite de la conclusion de cette affaire avec Paul et Marie. Elle avait l'impression d'avoir sauvé le dernier rêve de Louise, et c'était déjà beaucoup, mais surtout, elle s'autorisait enfin à construire sa vie selon ses propres désirs. Personne ne l'avait obligée à un tel bouleversement, et même si elle avait l'impression qu'un immense vide s'ouvrait devant elle, elle savait que c'était un vide qu'elle avait mesuré et choisi. Une forme de liberté qu'elle s'offrait.

Après la signature du compromis, Laurene raccompagna les enfants de Louise à la gare. Les relations avec Paul étaient plus faciles, il ne souhaitait que le bonheur de sa mère et que ses dernières semaines ou mois soient les plus doux possible. L'entente avec sa sœur était plus complexe, chacune restant dans une certaine réserve.

Quant à Marie, elle ne comprenait pas comment une jeune fille de dix-huit ans et une femme qui avait à quelques années près son âge avaient pu si rapidement prendre une telle importance dans la vie de sa mère. Elle éprouvait envers Laurene une jalousie qu'elle avait du mal à dissimuler.

Sur le quai de la gare, Paul embrassa chaleureusement Laurene et lui demanda de le tenir au courant de l'état de santé de sa mère si elle avait des nouvelles plus souvent que lui. Marie se contenta d'un au revoir poli et d'une poignée de main.

En sortant de la gare, au lieu de s'engouffrer dans une bouche de métro surchauffée, Laurene préféra déambuler dans Paris. Elle décida qu'elle ne repasserait pas par son bureau pour la fin de l'après-midi. Elle prévint Caroline qui, surprise, n'insista pas devant le ton si serein de sa DRH.

Elle s'attabla à la terrasse d'un café face à l'île de la Cité, commanda un expresso et attrapa son portable. Elle prévint d'abord Louane de son entente avec Marie et Paul. La jeune fille ne parut pas plus surprise que cela, elle n'imaginait pas une autre issue. L'optimisme de la jeunesse, sans aucun doute... Les deux amies discutèrent un long moment avant que Laurene raccroche pour appeler à Valdehijos.

— Allô... Alvaro ?

— Laurene ! Ça me fait plaisir de t'entendre. Tu vas bien ?

Le cœur de Laurene tapait fort. Elle devait le prévenir qu'elle avait racheté le moulin et que s'il le désirait... il pouvait rester. Elle ne savait comment s'y prendre. Elle n'attendait qu'une chose : qu'il lui dise qu'il voulait continuer de réaliser son projet *al Sueño*.

— Oui, je vais bien. Et comment va Louise ? Dis-moi qu'elle se sent mieux...

— Chaque jour est différent, mais elle est triste. Elle a beaucoup de pertes de mémoire et ses hallucinations s'amplifient. Elle ne semble plus avoir goût à rien. Elle est là. Tu veux que je te la passe ? Cet après-midi, c'est un peu mieux que d'habitude. Elle vient de recevoir un appel. Elle a l'air plus calme. Je ne sais pas qui c'était, elle n'a rien dit.

— Parle-moi un peu de toi et du moulin.

Alvaro parut embarrassé.

— Que veux-tu que je te dise ? Les journées sont longues sans Louane et… sans toi. Je continue à reconstruire le mur d'enceinte derrière le patio. Mon dernier chantier…, fit-il d'un ton nostalgique. Ce qui encouragea Laurene à évoquer l'avenir du moulin.

— Alvaro, écoute, je vais te poser une question, mais d'abord, promets-moi de ne pas répondre tout de suite. Tu me passeras Louise et… tu me répondras quand tu voudras. D'accord ?

— Que de mystères ! s'exclama-t-il.

— Promets-le-moi, Alvaro !

— Très bien, je t'écoute.

Laurene ravala sa salive.

— J'ai signé une promesse de vente avec les enfants de Louise. J'ai priorité sur l'achat du moulin lorsqu'ils… hériteront. Je voulais savoir si ton objectif était toujours de remettre en route les meules et de voir l'huile couler.

Laurene put entendre un souffle d'étonnement.

— Que veux-tu dire ?

— Je veux dire que… si tu souhaites… rester au moulin, eh bien, tu peux !

— Mais…

— Chut ! Passe-moi Louise. Et prends ton temps, Alvaro.

— Je… te la passe.

— Bonjour, Louise. Comment allez-vous ?

— Merci !

— De quoi, Louise ? demanda Laurene, surprise.

— Paul vient de m'appeler. Tu sauves mon dernier rêve, merci ! dit Louise en fondant en larmes.

Laurene fixa le ciel parisien. La gorge nouée par l'émotion, elle eut du mal à s'exprimer.

— Merci à vous, Louise. Je crois que, d'une certaine façon, vous m'avez ouvert les yeux.

Louise sourit et répondit :

— En te donnant l'idée d'acheter un moulin à moitié en ruine au fin fond de l'Espagne, toi qui ne supportes pas la chaleur ?

— J'apprendrai !

— C'est de la pure folie, Laurene, renonce à ton engagement, tu ne me dois rien.

— C'est vrai, c'est de la folie, mais notre histoire à toutes les trois, les « 3L », vous ne croyez pas que, depuis le début, ça dépasse l'entendement ?

— Si !

— Alors, un peu plus ou un peu moins...

— Bon, je ne te dirai plus merci, mais sache que...

— Chut, Louise. Chacune de nous y trouve un peu son compte.

— Louane est au courant ? demanda Louise.

— Oui, depuis quelques minutes.

— Qu'a-t-elle dit ?

— Simplement : « Trop top ! »

— Qu'elle ne change pas, cette petite, son naturel me manque ! Et toi, tu vas vivre ici ? Tu sais, tu peux venir quand tu veux, puisque c'est chez toi.

— Je viendrai, Louise, bien sûr, mais ce n'est pas encore chez moi… Le plus tard possible…

La voix de sa vieille amie se fit plus basse et chevrotante.

— Tu n'auras plus à attendre…

Laurene l'interrompit.

— Fait-il toujours aussi chaud ?

Louise, apparemment, ne l'avait pas entendue. Elle insista :

— Et tu comptes y habiter ? Venir vivre ici ?

— Pourquoi pas ? Mais ça ne dépend pas que de moi…

— Bien sûr. Je t'embrasse. Alvaro me fait signe qu'il souhaite te parler.

— Laurene, je…

— Je t'écoute, Alvaro.

— Tu vas venir vivre ici ?

Laurene ferma les yeux, prit une ample respiration et s'exprima lentement, comme si elle voulait insister sur chaque mot.

— Oui, je le souhaite. Mais j'aimerais entendre l'accent andalou le matin lorsque le soleil se lève sur les oliveraies.

— Tu quitterais ta vie parisienne ?

— J'ai déjà pris certaines dispositions.

— Et ton poste chez Béta-Pharma, tu démissionnerais ?

— Oui, affirma Laurene.

— De quoi vivrais-tu ?

Elle n'hésita pas.

— De la vente de l'huile d'olive. Je l'appellerai « El Sueño de Luisa ». C'est joli, non ?

Tout à coup, le silence. Alvaro se taisait. Laurene le relança en multipliant les questions.

— Tu es là ? Tu m'as entendue ? Qu'en penses-tu ?

— Oui, c'est magnifique ! Nous appellerons notre huile « El Sueño de Luisa » !

16

On fait ce qu'on peut

On fait ce qu'on peut
Avec nos blessures et nos errances,
La main tendue vers demain,
Toujours en quête d'un destin.
On se dit que plus tard ce sera mieux.
Seuls, et perdus dans nos solitudes,
On se fabrique des habitudes,
Simplement pour résister,
Se persuader qu'il faut continuer.
Mais soudain, plus envie de tricher,
Plus envie de supporter,
Sans doute un peu trop fatigués.
Rompre les cordes, se détacher,
Qui n'y a jamais pensé,
Eu envie de tout abandonner ?

Louane ne parvenait plus à parler directement à Louise. À chaque appel, sur les conseils de Laurene, Alvaro prétextait mille raisons : un rendez-vous chez le médecin, une visite chez

Alma, Louise qui se reposait… Il avait même dissuadé Louane de venir à Valdehijos comme elle l'avait prévu depuis son départ d'Andalousie. Sa proximité avec Louise était telle qu'il craignait que la jeune fille ne supporte pas de la voir dans un état qui s'était fortement dégradé.

Les nuits étaient particulièrement difficiles. Alvaro veillait Louise, elle présentait des crises d'angoisses aiguës qui ne laissaient que peu de répit à un corps et un esprit déjà épuisés. Alma venait quelquefois aider son petit-fils. Elle restait auprès de son amie, Alvaro pouvait ainsi se reposer quelques heures. Pendant la journée, les moments de calme devenaient rares. L'internement de Louise devenait inévitable. Alvaro hésitait : devait-il prévenir Marie et Paul ?

Un matin, alors qu'il l'avait installée sur un fauteuil en haut des escaliers du patio pour pouvoir la surveiller, Louise lui fit signe de s'approcher. Il finissait de sceller la dernière rangée de pierres du mur d'enceinte. Il pencha la tête ; la voix de Louise était faible.

— Appelle Laurene. Dis-lui simplement que c'est l'heure, chuchota-t-elle.

— L'heure ?

— Dis-lui qu'il est l'heure. Elle comprendra, fit Louise avant de refermer les yeux.

Alvaro ne posa pas d'autre question et s'exécuta. Laurene comprit tout de suite. Elle savait que ce moment viendrait, mais elle ne s'imaginait pas que ce serait si difficile lorsqu'il lui faudrait assumer son engagement. Alvaro lui demanda ce que les mots de Louise signifiaient, Laurene resta volontairement floue dans son explication. Elle lui dit juste qu'elle avait fait une promesse à Louise et qu'elle se devait de la respecter. Elle demanda à Alvaro de venir la chercher à l'aéroport le lendemain à 18 h 15 et précisa que Louane serait peut-être avec elle.

Le jeune homme n'hésita pas une seconde pour assurer Laurene de sa présence le lendemain en fin d'après-midi à l'arrivée du vol en provenance de Paris.

Il était midi lorsque Laurene décida de contacter Louane.

— Bonjour, Louane.

Avec la fougue de ses dix-huit ans, Louane répondit sèchement à son amie.

— Ah, quand même ! Je cherche à te joindre depuis deux jours, tu ne réponds jamais. Je t'ai laissé cinq messages. Alvaro me raconte n'importe quoi, il ne veut pas me passer Louise. Et toi, tu as des nouvelles ? Je suis sûre qu'on me cache quelque chose. Dis-moi la vérité !

Que pouvait faire Laurene ? Mentir ? Ce n'était évidemment pas le moment. Elle exposa à Louane la gravité de l'état de Louise. Elle avoua qu'effectivement c'était elle qui avait demandé à Alvaro d'inventer tout un tas de scénarios afin que Louane ne parle pas directement à Louise et s'en excusa. Elle lui fit part de son départ pour Séville dès le lendemain et lui proposa, si elle le désirait, de se rendre à Valdehijos avec elle.

— Pourquoi vas-tu à Séville si vite, c'est si urgent que cela ?

— Je ne vais pas te cacher la vérité, Louane. Oui, c'est grave. Louise m'a demandé de venir. Je lui ai fait une promesse avant de partir et je la tiendrai.

— Mais quel genre de promesse ? s'étonna la jeune fille.

Laurene hésita.

— C'est difficile... C'est personnel.

— Écoute, tu connais ma proximité avec Louise et ce que nous avons vécu toutes les deux. Alors, je t'en supplie, dis-moi de quelle promesse il s'agit !

Laurene n'avait pas d'autre solution que d'avouer l'inavouable : il s'agissait d'aider Louise à partir dignement et ne pas la laisser sombrer dans la perte totale de conscience. Calmement, elle parla de sa promesse à Louane, lui exposa les raisons de son choix et les conséquences qu'elle assumerait si jamais Paul et surtout Marie découvraient la vérité. Louane ne disait rien. Une fois son explication terminée, Laurene attendit la réaction de son amie, qui ne tarda pas.

— C'est triste, fit-elle simplement.

— Oui, mais... c'est la vie, enfin, si l'on peut dire.

À cet instant, Louane se souvint des cris angoissants des pensionnaires du bâtiment B des Roses-Pourpres. Des plaintes animales qu'elle avait tant de mal à supporter. Ce n'était pas concevable, Louise ne pouvait pas finir ainsi.

— Je crois que tu as eu raison, Louise a droit à une fin digne. Putain, c'est difficile ! s'écria-t-elle dans un mélange de colère et de tristesse.

— Je sais, mais je suis désolée, tu as peu de temps pour te décider. Je pars demain.

— Ma place est avec elle, affirma Louane. Je prends le premier TGV demain matin.

— Très bien, envoie-moi ton horaire d'arrivée. Je te récupère à Montparnasse.

— À demain, Laurene. Ça va être dur… Très dur…

Louane ne pouvait s'arrêter de sangloter.

La chaleur était écrasante lorsque Laurene et Louane atterrirent à Séville avec une demi-heure de retard. Alvaro les attendait. Dès que Laurene aperçut sa silhouette, elle ne put cacher un large sourire. Louane ralentit pour laisser quelques mètres d'avance à son amie qui se précipita dans les bras d'Alvaro. Ils restèrent ainsi blottis l'un contre l'autre jusqu'à ce que Laurene relâche son étreinte.

L'ambiance des retrouvailles était plombée par la santé de Louise, qui fut pratiquement le seul sujet de conversation des trois amis durant le trajet en voiture vers Valdehijos. Louane bombarda Alvaro de questions, qui ne put que lui confirmer l'état très inquiétant dans lequel se trouvait la malade.

Alvaro tenta bien de parler d'autre chose, cherchant du regard l'aide de Laurene. En vain. Elle était perdue dans ses pensées.

— Et tes parents, Louane, tu n'as pas eu trop de difficultés pour qu'ils acceptent que tu reviennes ici ?

— Si ! Mais… j'ai des priorités.

— Et ils t'ont laissée partir, finalement ?

Louane, tout à coup, parut plus nostalgique. Elle répondit d'un ton énigmatique :

— Avaient-ils le choix ? Je leur ai dit que je m'absentais pour deux jours, mais…

Laurene sortit alors de sa torpeur.

— Mais quoi ?

— Rien… Nous arrivons au moulin. C'est toujours aussi beau ici !

Alvaro se gara dans la cour. Alma, qui avait entendu la voiture, sortit de la maison pour venir à leur rencontre. Elle s'adressa à Alvaro. Louane et Laurene n'eurent pas besoin de traduction pour comprendre que les nouvelles n'étaient pas bonnes.

Après avoir embrassé Louane, Alma s'approcha de Laurene et la prit par le bras. Elle l'entraîna vers la cuisine en demandant à Alvaro et Louane de rester quelques minutes à l'extérieur.

La vieille femme glissa la main dans la poche intérieure de sa robe noire et en sortit un blister, qu'elle tendit à Laurene. Elle lui fit signe de l'ouvrir : il contenait une trentaine de comprimés.

Tout à coup, le cœur de Laurene battit plus fort et sa gorge se noua. Elle regarda le nom du principe actif noté au verso. À cet instant, c'était dérisoire, mais son métier lui permit de reconnaître un puissant calmant qui, à doses thérapeutiques, adoucit les moments difficiles, mais qui, pris en quantité importante, permet de s'endormir... pour ne plus se réveiller. Le médecin d'Alma le lui prescrivait depuis des années afin de calmer ses angoisses la nuit venue, ce qui lui permettait de bénéficier de quelques heures de sommeil. Laurene comprit que Louise s'était confiée à Alma et que celle-ci avait accepté elle aussi de l'aider. Laurene glissa le blister dans la poche de son jean et s'apprêtait à rejoindre Alvaro lorsque la vieille dame la retint en lui attrapant fermement la main. Puis elle s'adressa à elle. Laurene ne comprit pas un traître mot de ce qu'elle disait, mais cela ressemblait à des remerciements.

La jeune femme ne répondit rien. Elle baissa la tête et préféra sortir pour respirer un peu. L'ambiance qui régnait à l'intérieur de la maison l'oppressait. Elle avait besoin d'air.

Il était près de 21 heures quand Alvaro décida de rentrer à Valdehijos. Alma était fatiguée et devait se reposer. Accompagné de sa grand-mère, il alla embrasser Louise, qui somnolait sur son lit. Alma le savait, c'était la dernière fois qu'elle voyait son amie vivante. Son visage ne trahit cependant aucune émotion.

Cette nuit, Alvaro ne reviendrait pas au moulin ; cela faisait plus de deux semaines qu'il veillait Louise toutes les nuits et il ne pouvait cacher son état de fatigue avancée.

Laurene l'accompagna jusqu'à sa voiture. Malgré la présence d'Alma, elle le serra si fort qu'il ne pouvait plus bouger les bras. Elle posa sa tête au creux de son épaule. Alvaro pensait qu'elle lui exprimait son amour, mais pour Laurene, la signification de cette accolade allait bien au-delà. Ce soir, elle avait besoin de toute la force d'Alvaro. Il ne savait pas, il ne saurait jamais ce qui allait se passer cette nuit. Au matin, lorsqu'il reviendrait, Louise se serait endormie à jamais. Laurene, avec l'aide de Louane, aurait tenu sa promesse.

La soirée se déroula dans une étrange quiétude. Louane et Laurene se parlèrent peu, comme si chacune savait ce qu'elle avait à faire. Régulièrement, elles alternaient les visites à Louise, qui semblait apaisée par la présence de ses deux amies. Son visage était très amaigri, trahissant une immense faiblesse.

Louane eut beaucoup de mal à supporter de voir celle qu'elle avait connue aux Roses-Pourpres dans un tel état d'épuisement. La maladie avait gagné, Louane ne se faisait plus d'illusions, elle savait que cette nuit était la dernière, l'ultime soirée où les « 3L » seraient réunies.

Vers 22 heures, Laurene sortit de la chambre de Louise et dit à Louane :

— Louise a... envie de dormir. Il fait chaud, elle souhaiterait boire... une dernière citronnade, celle que nous lui avons si souvent préparée. Viens... Nous allons lui dire bonsoir.

Le visage de Louane était blanc, sa tête tournait, mais elle accompagna Laurene, qui avait déjà préparé le verre et dissous les comprimés effervescents dans la boisson fraîche.

Les deux femmes se placèrent de part et d'autre du lit, et chacune prit l'une des mains de Louise dans les siennes. La vieille dame ferma les yeux. Elles restèrent ainsi de longues minutes. Laurene ne savait que faire jusqu'à ce que Louise lui serre un peu plus fort les doigts. Elle comprit que c'était le moment et lui donna le verre. Louise regarda une dernière fois ses deux amies, puis ferma de nouveau les yeux et but. La boisson fraîche s'écoula lentement dans sa gorge. Louise reposa sa tête sur le coussin et le verre vide sur le lit.

Louane enfonça son visage dans les draps pour tenter d'étouffer sa peine. Laurene restait attentive à la moindre réaction de Louise, dont la respiration s'apaisa, puis, lentement, ralentit jusqu'à s'arrêter à jamais.

La pleine lune éclairait la chambre. Louise était partie sereine vers… son ailleurs, rejoindre son André, ses parents et ses grands-parents.

Louane et Laurene la veillèrent toute la nuit. Quand elles sortirent de la chambre, il était 6 heures du matin. Elles se jurèrent que jamais elles ne parleraient de ce qui venait de se passer. Ce serait leur secret, le dernier serment des « 3L ».

Laurene appela Alvaro et l'avertit qu'elle avait trouvé Louise inanimée sur son lit au réveil. Il se rendit en toute hâte au moulin en compagnie d'Alma. Persuadé qu'il ne s'agissait que d'un malaise, il était passé chercher le médecin qui, connaissant la gravité de l'état de Louise, constata le décès sans surprise.

Alma ne disait rien. Lorsqu'elle croisa Laurene, elle lui serra simplement le bras et lui adressa un léger sourire, avant de se diriger vers la chambre de son amie pour lui rendre un ultime hommage.

Quelques jours auparavant, Louise avait fait part à Alma de ses dernières volontés. Elle souhaitait que sa famille soit prévenue de son décès et que chacun décide, sans aucune obligation, s'il désirait être présent ou non aux obsèques. Louise ne voulait pas de cérémonie religieuse ni être mise en terre. Elle serait incinérée dans la plus stricte intimité. Ses amis, sa famille, ainsi que les gens du village étaient les bienvenus.

Louise avait insisté sur un point bien précis, et son amie Alma lui avait juré qu'elle veillerait à ce que ses volontés soient respectées dans les moindres détails. Louise tenait à ce que ses cendres soient répandues dans l'oliveraie derrière la grange, celle où, enfant, elle avait passé tant d'après-midi à jouer et à écouter sa grand-mère. Là où elle lui avait récité pour la dernière fois le poème « *Sueño* » de García Lorca.

Mi corazón reposa junto a la fuente fría[1]...

---

1. « Mon cœur repose à côté de la fontaine fraîche... »

17

La vie est ainsi faite

Le bleu du ciel succède toujours au gris des nuages.

L'espoir à l'inquiétude.

La gaieté à la tristesse.

La rencontre à la séparation.

La vie est ainsi faite, elle équilibre nos joies et nos peines.

Chacun a sa chance, à nous de la saisir…

Laurene se chargea de prévenir au plus vite les enfants de Louise afin qu'ils aient le temps de s'organiser s'ils désiraient assister à la crémation de leur mère. Marie et Paul confirmèrent leur présence tout en précisant qu'ils viendraient seuls, sans conjoints ni enfants. Laurene leur proposa de s'installer au moulin durant leur séjour en Andalousie. Ils refusèrent, préférant réserver trois nuits dans un hôtel proche de l'aéroport.

Dès son arrivée à Valdehijos, Marie évoqua avec Laurene la nécessité de fixer une date pour la signature définitive de l'acte de vente du moulin. Laurene fut choquée de cet empressement qui n'avait pas lieu d'être. Ce n'était pas le moment. Elle lui assura néanmoins que dès que les obsèques seraient terminées elle prendrait contact avec son notaire pour qu'il s'occupe de finaliser la transaction.

Au cours des deux journées que Marie et Paul passèrent *al Sueño*, Marie parut gênée et s'isolait dès qu'elle le pouvait alors que Paul, très attristé par le décès de sa mère et en quête d'échanges, discutait longuement avec Laurene, Louane et Alvaro, qui lui fit visiter le moulin. Il s'intéressait à tout. Alvaro en fut surpris et en parla à Laurene le soir, lorsque le frère et la sœur furent rentrés à leur hôtel.

— Paul est très intéressé par le moulin. Je me demande s'il n'aurait pas aimé le garder.

— Il est très différent de Marie. Je me suis, moi aussi, posé la question. Mais je crois qu'il ne souhaite pas conserver cette bâtisse qu'il n'a jamais réellement connue. Il essaie juste de mieux connaître sa mère et de comprendre ce qui l'attirait tant ici. C'est une façon de lui rendre hommage.

— Peut-être pourrais-tu lui proposer de venir séjourner ici, avec sa famille, quand il le désirera ?

— Peut-être pourrions-nous ! C'est mieux, non ?

— Tu seras chez toi dans quelques semaines. Moi, je ne serai que ton « invité ».

Laurene regarda Alvaro. Elle l'embrassa et déclara, heureuse de la surprise qu'elle allait lui faire :

— J'ai demandé à mon notaire que ton nom figure à côté du mien sur l'acte de vente. Tu seras aussi propriétaire que moi de ce moulin.

— Mais enfin, je ne peux pas accepter ! Je n'ai pas déboursé un centime. D'ailleurs, j'en serais parfaitement incapable !

Laurene posa son index sur les lèvres d'Alvaro.

— C'est juste, pas un centime ! Mais des litres de sueur et des tonnes d'énergie. Ça ne peut pas se quantifier, mais ça vaut bien qu'*el Sueño* soit autant à toi qu'à moi.

— Non, je ne peux pas...

Elle l'interrompit.

— Tu as pensé à Louise ?

— J'y pense à chaque minute.

— C'est ce qu'elle aurait souhaité. Alors, c'est bien ainsi ! affirma-t-elle.

— Bien sûr, mais comment te rembourser un jour... ?

— Et moi, comment ferais-je pour te « rembourser » ton investissement personnel ? Alors, arrêtons de parler d'argent. Si tu le veux bien, ce sera notre projet commun.

Alvaro regarda les oliveraies qui s'étendaient en pente douce jusqu'au village, puis plongea ses yeux dans ceux de Laurene et demanda gravement :

— Tu es sûre de toi ? Tu sais, Valdehijos, ce n'est pas Paris, et producteur d'huile d'olive en Andalousie, c'est très différent de cadre supérieur dans l'industrie pharmaceutique.

— C'est bien pour ça que je suis ici et que je compte y rester. Cette décision, je l'ai mûrement réfléchie. Tu sais, les opportunités que t'offre la vie, il faut les saisir, les serrer très fort et ne plus les lâcher.

Alvaro la prit par la taille.

— Alors, tentons-le, ton projet.

— Pas « mon » projet, Alvaro, « notre » projet !

— Tu as raison, notre projet.

Quarante-huit heures après la crémation, les cendres de Louise furent confiées à ses enfants. Marie tremblait tellement qu'elle ne put garder l'urne entre ses mains. C'est son frère qui se chargea de la transporter au moulin.

Comme Louise l'avait souhaité, ses cendres furent dispersées dans l'oliveraie derrière la grange. Paul demanda à Louane et Laurene de s'en occuper. Au fond de lui, il pensait que c'était mieux ainsi. Les deux femmes prirent mille précautions, les dernières volontés de Louise devaient être respectées.

Elles restèrent un instant main dans la main, fixant l'horizon comme un dernier au revoir à leur amie, leur Louise qui, par son courage, leur avait appris que la volonté permettait de vivre ses rêves à condition d'y croire et d'oser.

Puis tous se dirigèrent vers le patio pour boire un dernier verre. La grand-mère et les parents d'Alvaro s'éclipsèrent. L'émotion avait été trop forte pour Alma, elle préférait se reposer et revenir seule plus tard. Alvaro, lui, devait conduire Marie et Paul à l'aéroport. Marie n'avait rien dit durant toute la cérémonie. Elle paraissait particulièrement touchée. Laurene lui tendit un verre d'eau fraîche.

— Merci.

— Vous savez... vous pouvez venir quand vous le désirez, proposa Laurene, gênée.

— Je ne crois pas, répondit Marie.

Laurene n'insista pas.

— Comme vous voudrez.

Puis Marie s'approcha et lui prit le bras, la faisant sursauter. La fille de Louise demanda aussi à Louane, en train de discuter avec Paul, de s'approcher.

— J'ai hésité à vous en parler, mais je crois que c'est mieux. D'une certaine façon, ça me soulagera ! fit-elle.

Louane et Laurene se regardèrent, impatientes que Marie poursuive.

— Vous devez penser que je suis incapable d'éprouver le moindre sentiment...

— Non..., bafouillèrent les deux amies.

— Peu importe, mais... avec ma mère, nous ne nous sommes jamais entendues. Pourquoi ? Je ne sais pas. Et vous, en à peine plus d'un mois, vous avez su la conquérir ! Peut-être vous a-t-elle aimées plus que moi ? L'amour d'une mère, c'est important. Elle m'a aimée, je le sais, mais nous ne nous sommes jamais réellement comprises. Avec mon père, c'était différent, un simple regard suffisait bien souvent.

Marie lâcha le bras de Laurene et posa son verre sur la table. Elle n'attendait pas de réponse. Elle avait simplement besoin d'exprimer un ressenti resté trop longtemps enfoui en elle. Elle poursuivit :

— Prenez soin de ce moulin qu'elle aimait tant. Je crois qu'il est l'heure que nous partions pour l'aéroport.

Puis elle serra les mains de Laurene et de Louane. Paul, lui, les embrassa. Il attrapa Louane par les épaules et lui dit en la regardant droit dans les yeux :

— Vas-y, fonce, n'hésite pas !

Louane acquiesça d'un signe de tête. Laurene parut surprise.

— Dépêchons-nous, j'ai peur qu'il y ait du monde, fit Alvaro en s'installant au volant de son 4 × 4.

Paul se mit à côté de lui, Marie sur le siège arrière. Louane et Laurene regardèrent le véhicule s'éloigner. Paul leur fit un signe de la main. Marie ne se retourna pas.

*
**

Louane et Laurene étaient désormais seules au moulin. Elles vinrent s'asseoir sous l'olivier du patio. La jeune fille s'adressa à son amie.

— Tu es sûre de toi ?

Laurene sourit tout en se servant un café.

— Que veux-tu dire ?

— Tu le sais très bien. Alvaro, le moulin... C'est un sacré challenge.

— Je n'ai jamais été aussi sûre de moi. Pour la première fois de ma vie, j'ai l'impression que c'est moi qui décide. C'est idiot, non ?

— Non, c'est bien ! affirma Louane.

— Et toi, ton choix est fait, ça y est ? demanda Laurene.

Louane parut surprise et bafouilla un peu.

— Mon... choix... ? Que veux-tu dire ?

— Je m'en doutais, mais ta discussion avec Paul tout à l'heure m'a confirmé que mon intuition était bonne. Je peux savoir quand tu as pris ta décision ?

— La nuit où je n'ai pas lâché la main de Louise. Ce courage qu'elle a eu pour être consciente de son dernier rêve, c'est comme si elle me l'avait insufflé... Je vais dire la même chose que toi : c'est idiot, non ?

— Et je vais te répondre la même chose que toi : non, c'est bien ! Et tes parents, comment vont-ils réagir ?

— Ils le savent déjà, je leur ai téléphoné longuement hier soir. Ma mère a pleuré, comme d'habitude… Jules aussi. C'était difficile. Quant à mon père, il m'a d'abord dit : « Je suppose que nous n'avons pas le choix ? » Il connaissait déjà la réponse. Il savait que depuis mon retour à Bordeaux je n'avais que cette idée en tête : rejoindre Chloé. J'avais effectué certaines démarches au cas où ! Il était au courant.

— Et que t'a-t-il dit ?

Louane avait les larmes aux yeux.

— Il m'a dit : « Va, ma fille, puisque nous ne pouvons pas te retenir. D'ailleurs, en avons-nous le droit ? Sois prudente et… reviens entière. » Il a terminé par : « Donne-nous de tes nouvelles. »

Laurene sentit l'émotion lui serrer la gorge.

— Tu pars quand ?

— Demain, Alvaro va encore devoir faire un aller-retour à l'aéroport. Mais je ne m'envolerai pas pour la France. Ce sera Séville-Madrid puis Madrid-Sydney. J'ai tous les papiers sur moi, pour le reste, je verrai sur place, Chloé me conseillera.

— Demain, déjà ?

— Je crois que c'est mieux.

— Tu as raison, une dernière soirée. Et puis chacune vers son destin… Il est temps.

— Tu seras enfin tranquille avec ton Alvaro. La pénible de dix-huit ans ne sera plus dans vos pattes.

Louane se mit à rire. Laurene la prit par la main.

— Viens avec moi ! dit-elle.

Et elle emmena son amie à l'endroit où elles avaient répandu les cendres de Louise. Elles s'agenouillèrent.

— Prends un peu de cette terre, frotte-la sur tes mains et laisse-la retomber au sol. Quand tu seras triste, pense à Louise, pose tes mains sur tes joues et elle sera avec toi.

Épilogue

Aux lendemains qui chanteront
Aux espoirs que nous vivrons
Aux tristesses qui s'envoleront
Aux souvenirs qui nous construiront

Le soleil se levait derrière les oliviers qui s'étalaient en pente douce vers le village. Les premières brumes de chaleur remontaient de la vallée et formaient comme un ruban de coton qui s'étirait tout le long du ruisseau. Dans une heure à peine, lorsque le soleil baignerait le moindre recoin des vallons alentour, la brume allait disparaître et laisser la place à un ciel bleu azur.

La fête avait été belle et s'était prolongée une bonne partie de la nuit au son des guitares qui accompagnaient les chants andalous d'une envoûtante beauté. Alvaro avait tout organisé, Laurene venait de passer le cap des quarante ans entourée d'une partie du village, de sa

« belle-famille », de Louane et de Patrick, son frère, qui avait tenu à être présent.

Après une telle soirée, Laurene n'avait pas pu dormir plus de trois heures. Trop d'émotions... Voir son frère et Louane à ses côtés l'avait profondément touchée.

Et puis, en ce jour, elle fêtait plus que ses quarante ans : elle célébrait sa nouvelle vie et un amour plein de promesses. Tout ça parce qu'un an plus tôt le sort avait basculé sur un coup de dé. Un pneu du train d'atterrissage du vol Paris-Séville avait éclaté au décollage, l'obligeant à terminer le voyage avec une jeune fille aussi audacieuse qu'insolente et une grand-mère qui semblait débarquer d'une autre planète et qui n'avait qu'une seule obsession, retourner dans un village au nom imprononçable : Valdehijos !

Elle sortit sur le perron, les cheveux ébouriffés et les yeux gonflés de fatigue. Elle portait un long tee-shirt qui lui collait à la peau.

Louane était déjà réveillée depuis un moment, mais n'osait pas se lever et troubler la quiétude du moulin. Lorsqu'elle entendit son amie, elle la rejoignit. Laurene, qui contemplait l'horizon les yeux dans le vague, ne l'avait pas entendue.

— Tu sais, je crois que tu n'as plus besoin d'un tee-shirt moulant. Tu l'as séduit, ton Alvaro ! s'amusa Louane.

Laurene sursauta puis se mit à rire.

— Viens près de moi, ma belle. Je suis si heureuse que tu sois là.

Elles s'étreignirent et ne tardèrent pas à lâcher quelques larmes qu'elles ne tentèrent pas de retenir. Le moment était si fort, si vrai, si intense que la pudeur n'avait pas sa place. Elles restèrent ainsi un long moment.

Puis, sans prononcer un mot, Laurene se dirigea vers la cuisine pour y récupérer deux grandes tasses de café tandis que Louane descendait les quelques marches du perron et allait s'installer sous l'olivier millénaire où elles avaient passé tant d'heures à discuter avec Louise.

Près d'un an s'était écoulé depuis qu'elles s'étaient quittées à l'aéroport de Séville et que Louane s'était envolée pour l'Australie. Quelques jours auparavant, elles avaient accompagné et adouci la fin de vie de leur vieille amie, puis offert ses cendres à la terre qu'elle aimait tant.

Durant ces longs mois, Louane et Laurene s'étaient régulièrement donné des nouvelles, mais le téléphone et les messages ne permettent pas de longs échanges. Et pourtant, il s'était passé tant de choses pendant leur séparation ! Elles avaient hâte de tout se raconter...

Louane avait rejoint comme prévu son amie Chloé à Sydney et poursuivi son périple avec elle en Tasmanie, cette île merveilleuse et sauvage où s'étendent des immensités de terres vierges encore préservées. Elle gardait de leur dernière étape en Nouvelle-Zélande le souvenir éblouissant d'un coucher de soleil sur le Milford Sound, un fjord de la région de Southland.

— Et le retour à Bordeaux ? demanda Laurene, impatiente de savoir où Louane en était désormais avec sa famille. Ton père, il t'a reçue comment ?

— Comme je m'y attendais après nos échanges téléphoniques.

— Depuis l'Australie ? s'étonna Laurene.

— Eh oui, heureusement que Whatsapp existe, sinon j'ose pas imaginer la note ! En fait, je crois qu'il lui était plus facile de me dire certaines choses sans m'avoir en face de lui.

— Comme quoi ? Que t'a-t-il dit ?

— Il a fini par m'avouer qu'au fond il avait admiré le courage dont j'avais fait preuve pour venir en aide à Louise. Mais il avait tellement peur pour moi qu'il m'en voulait quand même, d'où cette agressivité qu'il exprimait comme une forme de défense. Un jour, il a même ajouté qu'il était fier de moi ! J'ai essayé de ne pas montrer mon émotion tout de suite, mais imagine les torrents de larmes de joie que j'ai versés après… Je ne pouvais plus m'arrêter !

— Effectivement, quel changement ! s'exclama Laurene, qui semblait n'y croire qu'à moitié.

— Tu sais, avoua Louane, je ne suis pas naïve… Tout n'est pas réglé. Il mettra encore la pression sur mon petit frère. Il a tellement envie qu'au moins un de ses enfants suive sa voie ! Mais quand le moment du choix sera venu pour Jules, il se montrera sans doute moins intransigeant qu'avec moi. Peut-être que notre histoire lui aura servi de leçon. Du moins, je l'espère.

— Et... où en est-il de ses cours particuliers sur le parking de l'église avec « la chorale » ?

— Je n'en sais rien. Et puis, au fond, ça ne me regarde pas, c'est son problème, enfin, leur problème, avec ma mère. J'espère que, d'une façon ou d'une autre, elle aura le courage de s'émanciper de l'emprise de mon père. Ça aussi, je l'ai appris avec Louise. Quand elle me voyait hésiter à choisir mon destin de peur de contrarier mes parents, elle me disait : « Si l'on veut distribuer du bonheur, il faut d'abord s'occuper du sien. Parce que si l'on n'est pas heureux soi-même, on n'a rien à offrir à personne ! »

Laurene sourit... Elle se souvenait, elle aussi, des phrases que leur vieille amie lui lançait parfois et qui, mine de rien, la faisaient réfléchir à son propre sort.

— Dis donc, s'écria soudain Louane en la voyant plongée dans ses pensées, on peut partager ce qui te trotte dans la tête ? Juste histoire de m'y retrouver, tu vois ? Parce que, toi qui parais dubitative sur le changement de mon père, on peut dire que, de ton côté, tu n'y es pas allée de main morte ! Du jour au lendemain, tu quittes ta boîte, achètes un moulin et abandonnes Paris pour aller fabriquer de l'huile d'olive dans un endroit perdu d'Andalousie avec un bel homme que tu refuses de traiter, contrairement à tes habitudes, comme un jouet que tu jettes dès que tu as fini de t'amuser !

Louane hésita un instant et s'autorisa un raccourci.

— Si je devais résumer tout ça en une seule question, je dirais : « Un coup de tête ou un coup de cœur ? »

Laurene éclata de rire. Toujours aussi cash, sa copine ! Elle voulut quand même expliquer à Louane ce qui l'avait décidée à bouleverser ainsi sa vie.

— Je vais refaire du café, et je t'explique. Il est vrai qu'on n'a pas eu beaucoup le temps de parler après le décès de Louise. Ce n'était d'ailleurs pas le moment… Et puis, tu es partie rejoindre Chloé si vite !

Un coup de tête, le fait d'avoir avancé ses vacances à la simple lecture d'une annonce vantant les splendeurs des paysages andalous ? Marre de son boulot qui ne la satisfaisait plus et qui ne générait que du stress ? Marre de ses échappées nocturnes qui lui paraissaient soudain sans intérêt depuis qu'elle avait perdu Raphaël ? Marre surtout d'un système qui avait fait d'elle une criminelle par procuration : elle savait que les froides accusations de la veuve d'Hector Almera résonneraient longtemps dans sa tête. Bref, de quoi réfléchir pendant ses trois semaines de congés.

Cela dit, en avoir assez d'une société, d'un emploi, d'une vie d'errance affective, c'est une chose, mais décider quoi faire d'autre en est une autre, et il est rare que l'on trouve tout de suite la réponse, si tant est qu'on y parvienne. Il faut parfois un coup de pouce qui vient d'on ne sait où.

« Dieu vous ferme une porte, il vous ouvre un portail », avait-elle lu un jour dans un livre dont elle avait oublié l'auteur et le nom. Dieu ou le Destin, peu importe : dès le début de son voyage vers les paysages torrides d'Andalousie, elle s'était trouvée plongée dans un monde, une empathie, une chaleur humaine insoupçonnés, qui avaient fait plus pour elle que la plus performante des psychothérapies !

Il y avait eu Louise, sa vie qu'elle disait comblée avec « son » André, et sa volonté de finir ses jours sur les lieux de ses bonheurs d'enfance. Il y avait eu les rêves de Louane, dont elle ne savait pas encore si elle aurait le courage de les réaliser, fût-ce contre la volonté de son père. Il y avait eu leurs souffrances aussi... Celles d'une vieille dame atteinte d'une maladie incurable qui l'affaiblissait jour après jour mais n'inspirait à sa fille que des soucis d'héritage, celles de Louane rongée par l'impression de ne pas être l'objet de l'amour paternel.

Et les siennes...

Ses souffrances, Laurene les avait laissées s'échapper en quelques larmes sans paroles. Trop dur d'avouer que ces pleurs lui avaient donné la réponse à la question récurrente que lui posait sa mère : « Es-tu heureuse ? », et que cette réponse, celle qu'elle n'avait jamais osé prononcer, était « non » !

C'était déjà ça : elle savait que sa vie ne lui convenait vraiment plus. Et elle se surprenait à savourer la sérénité de Valdehijos, le charme d'une existence où la lenteur et l'humain reprenaient leurs droits, cette quiétude des paysages loin du brouhaha de la ville... Puis vint le pari du moulin à sauver, l'oliveraie à remettre en marche, et bien sûr Alvaro... Alvaro qui avait suscité son désir, certes, mais surtout un sentiment d'évidence dont elle ne savait pas encore qu'il s'agissait du véritable amour. Raphaël lui plaisait, leurs différences agrémentaient leurs rapports, mais jamais elle n'avait eu cette impression d'être juste magnifiquement bien avec quelqu'un.

Laurene était revenue à Paris différente, avait repris le travail sans conviction, avec cette idée qui continuait de trotter dans sa tête, comme une rassurante mélodie qui vous berce d'illusions, mais qu'on se sent incapable d'interpréter un jour...

Les circonstances précipitèrent les choses. La fille de Louise décidée à vendre le moulin, Alvaro menacé d'être jeté dehors... et la tendance naturelle de Laurene à relever tous les défis en affaires.

La vie nous réserve parfois de bien étranges opportunités. Là, ce fut une série de catastrophes dont s'était habillée la chance, et cette chance-là, Laurene n'avait pas voulu la laisser passer.

*
**

— Après un an de travaux, la réfection du moulin et de son oliveraie est enfin terminée ! expliqua fièrement la nouvelle maîtresse des lieux.

— Bravo ! applaudit Louane qui avait écouté avec émotion les confidences de son amie.

— Bravo Alvaro, surtout, rectifia Laurene. Il n'a pas ménagé ses efforts pour que le pressoir soit opérationnel quand arriverait la saison de la récolte des fruits. Dans quelques semaines, notre première huile d'olive bio va voir le jour. Malgré mon espagnol encore hésitant, Alvaro m'a fait confiance pour l'aspect commercial. J'ai négocié avec une coopérative locale la vente en vrac de la majorité de notre production pour les trois prochaines années. C'est une façon de nous assurer un revenu qui nous permettra de pérenniser l'activité. Le reste de l'huile sera directement vendu en bouteilles au moulin. À terme, notre projet sera d'écouler la totalité de la récolte directement à Valdehijos. Notre huile, on se l'était promis, s'appelle « El Sueño de Luisa ». Une façon de rendre hommage à celle qui a permis que tout cela soit possible.

— Et avec Alvaro ? n'hésita pas à demander Louane.

— Avec Alvaro... eh bien, je suis heureuse, avoua Laurene avec un sourire de jeune fiancée. Il m'a d'abord acceptée telle que j'étais, mais avec le temps et beaucoup de patience, il m'a fait comprendre que rien ne se construisait dans la domination de l'autre. J'ai mis du temps à l'admettre, ma vie n'était guidée que par le pouvoir que me procuraient ma position professionnelle, mon compte en banque bien rempli et mes multiples activités dont, bien évidemment, je devais être l'investigatrice et le leader. Mais le soir, lorsque les lumières de Béta-Pharma s'éteignaient, je redevenais une simple solitude perdue dans Paris à la recherche d'un peu de chaleur humaine.

— En tout cas, pour ton anniversaire, tu as été comblée, lui rappela Louane. Rentrons, j'ai envie de revoir tes cadeaux ! C'était superbe…

Laurene la suivit, et elles s'extasièrent de nouveau devant tous les paquets ouverts, laissant apparaître la générosité des invités.

— Tiens, tu en as oublié un, remarqua Louane en montrant un petit paquet fermé d'un large ruban bleu.

Tout en tendant son bras pour l'attraper, Laurene affirma, étonnée :

— Je ne crois pas l'avoir oublié. Je suis sûre que ce paquet n'était pas là hier soir. Qu'est-ce que…

Elle ne termina pas sa phrase : elle avait reconnu l'écriture de Louise sur le papier d'emballage. Son cœur s'accéléra. Elle s'approcha de Louane et lui montra les quelques mots griffonnés : « Pour vous, mes lumières. »

En fait, Louise avait demandé à Alvaro de leur donner ce cadeau quand elles se retrouveraient de nouveau ensemble après sa disparition. Il l'avait déposé là dans la nuit, après que tout le monde était allé se coucher.

Louane déchira le papier pour Laurene, qui tremblait trop.

Elles reconnurent le carnet de Louise, celui qu'elle ne lâchait jamais. Là où était noté tout ce qu'elle avait peur d'oublier. Tout y était classé, organisé. Des noms, des lieux, des faits. Sur la dernière page, datée du jour de sa mort, Louise avait rédigé quelques lignes d'une écriture tremblante qui trahissait son état.

Mes lumières,

Aujourd'hui, d'un pas serein, je reprends mon chemin, je vais rejoindre mon André.

Ne vous en faites pas, tout va bien se passer. Je pars confiante et rassurée.

Désormais, je veille sur vous. Quand vous en aurez besoin, je serai à vos côtés. Lorsque les difficultés se feront plus présentes, lorsque les hésitations et le doute vous envahiront ou que la tristesse s'invitera dans vos pensées, alors vous sentirez ce souffle d'air chaud venu du sud de l'Espagne, venu de ce village au nom imprononçable que vous m'avez aidée à rejoindre avant que je décide de vous quitter : Valdehijos !

Ce souffle d'air chaud, c'est celui des grands-mères qui chantent le soir sur la place du village au milieu des rires des enfants.

Alors la peur et l'angoisse disparaîtront, la tristesse s'envolera. Ce souffle d'air chaud, vous saurez que c'est moi qui vous l'envoie, car il chantera un air doux qui vous rappellera le plus précieux des conseils :

Cours après tes rêves, ma petite, cours après tes rêves…

Remerciements

Aux équipes des Éditions Michel Lafon, particulièrement à Anissa, Anne, Anaïs, Marion, Honorine et Frédéric. Votre disponibilité et votre efficacité me sont si précieuses.

À Huguette Maure, directrice littéraire. Ce roman est notre sixième collaboration ! Votre investissement dans l'amélioration de mes manuscrits ne fait que se renforcer, toujours à la recherche d'une forme d'excellence.

À Elsa Lafon, pour ta confiance qui ne se dément pas. J'ai sincèrement apprécié ta visite au beau milieu du vignoble saint-émilionnais. J'espère que l'occasion se représentera.

À Claire et Stéphane. Votre avis m'est précieux, vous me rassurez et atténuez mes doutes. L'amitié, c'est aussi cela.

À mes filles, Anouchka et Natacha, vous m'offrez toutes les émotions de la vie. Ne changez pas, je suis si fier de vous.

À Sylvia, ma toute première lectrice. Pour ton soutien sans faille et ta patience. Avec toute ma tendresse et mon amour.

Aux lectrices et lecteurs pour votre fidélité et vos encouragements. À chacune de nos rencontres, je découvre avec émerveillement l'intérêt que vous portez à mes romans.

Vous me permettez de continuer de... *courir après mes rêves*.

Table

12787

Composition
PCA À REZÉ

Achevé d'imprimer en Espagne
par BLACKPRINT
le 2 juillet 2020.

Dépôt légal mars 2020.
EAN 9782290220283
OTP L21EPLN002691A002

ÉDITIONS J'AI LU
87, quai Panhard-et-Levassor, 75013 Paris

Diffusion France et étranger : Flammarion